JN097476

沖縄国際大学公開講座 29

産業と情報の科学

〜未来志向の産業情報学〜

はしがき

本書は二〇一九年六月一日から一〇月一二日にかけて沖縄国際大学で開催された公開講座である、「沖縄国際大学うまんちゅ定例講座　産業と情報の科学―未来志向の産業情報学―」を一冊の本に取りまとめたものである。二〇一九年度の沖縄国際大学うまんちゅ定例講座は、産業情報学部がビジネスあるいは情報科学における専門分野から研究を持ち寄り開催した。

一九九〇年代から二〇一〇年にかけて、情報通信技術（ＩＣＴ）に関するサービスの急速な発展は我々の生活を大きく変化させた。インターネット、携帯電話は情報の収集やコミュニケーションを容易にし、爆発的な普及によって、我々の社会経済を支えるインフラになった。さらに近年では、様々なモノにインターネットを接続することで遠隔操作や様々なデータの取得を可能にするＩｏＴ(Internet of Things）や高度な人工知能（ＡＩ）などの技術の発展があり、ＩＣＴに関する発展は続いていくとされる。また、日本政府は現在のＩＣＴの発展のさらに先にある、目指すべき未来の社会像として、「Society 5.0」を掲げている。

このような高度なＩＣＴが既存のものとなった社会では、単にＩＣＴを効率化の手段として利用するのではなく、ＩＣＴ自体が新たな価値を生み出すという考え方が前提となっている。そのような社会では、ＩＣＴは新たなビジネスモデルを生み出すとともに、旧来のビジネスモデルが通用しない事態を生み出すことが予想される。

そのため、ビジネスや情報科学、あるいは両方の関係について、現状を整理し、変化の先を見据えることは、我々が社会を主体的に考えていくために重要である。

このような認識のもとで、本書は沖縄国際大学産業情報学部で講義を担当している研究者がそれぞれの専門性と見識に基づき執筆した。本書がビジネスや産業経済、情報科学という観点から現在と未来を見据えるための知識として、社会経済を考える一助となれば幸いである。

二〇一九年度沖縄国際大学公開講座委員長　菅　森　聡

2019年度沖縄国際大学公開講座（うまんちゅ定例講座）

回	日程	テーマ	講師
第1回	6月1日(土)	ゲームを活用した観光振興 ―eスポーツ・位置情報ゲーム―	小渡　悟（産業情報学部産業情報学科准教授）
第2回	6月15日(土)	沖縄県における中心市街地活性化の現状と課題 ―商業と観光の両面から―	髭白　晃宜（産業情報学部企業システム学科准教授）
第3回	6月22日(土)	タイの近代的小売業の発展における セブンイレブンのビジネス展開	原田　優也（産業情報学部企業システム学科教授）
第4回	7月13日(土)	初等教育におけるプログラミング教育の動向	平良　直之（産業情報学部産業情報学科教授）
第5回	7月27日(土)	観光産業における観光ブランド構築の意味	李　相典（産業情報学部企業システム学科講師）
第6回	8月3日(土)	沖縄県におけるスポーツツーリズム再考	慶田花英太（産業情報学部企業システム学科講師）
第7回	8月17日(土)	ウェブテクノロジーと ビッグデータが未来を変える	安里　肇（産業情報学部産業情報学科教授）
第8回	9月14日(土)	ハワイの観光促進戦略「ＨＴＡ戦略プラン 二〇一六―二〇二〇」から学ぶ沖縄観光の進む道	宮森　正樹（産業情報学部企業システム学科教授）
第9回	9月28日(土)	沖縄県内主要企業の盛衰	岩橋　建治（産業情報学部企業システム学科准教授）
第10回	10月12日(土)	コンピュータ技術の発展と可能性	大山　健治（産業情報学部産業情報学科講師）

産業と情報の科学 —— 目次

ゲームを活用した観光振興
—eスポーツ・位置情報ゲーム—

小渡　悟

沖縄県における中心市街地活性化の現状と課題

—商業と観光の両面から—

髭白晃宜

タイの近代的小売業の発展におけるセブンイレブンのビジネス展開

原田優也

初等教育におけるプログラミング教育の動向

平良直之

観光産業における観光ブランド構築の意味　李　相典

沖縄県におけるスポーツツーリズム再考　慶田花英太

ウェブテクノロジーとビッグデータが未来を変える

安里　肇

ハワイの観光促進戦略「ＨＴＡ戦略プラン
二〇一六―二〇二〇」から学ぶ沖縄観光の進む道

宮森正樹

沖縄県内主要企業の盛衰

岩橋建治

コンピュータ技術の発展と可能性

大山健治

※役職は講座開催当時、本文は講座開催の順序で編集。

ゲームを活用した観光振興

―eスポーツ・位置情報ゲーム―

小渡　悟

小渡　悟・おど　さとる
主要学歴：琉球大学大学院理工学研究科博士後期課程総合知能工学専攻　修了
所属学会：電子情報通信学会、電気学会、画像電子学会、ヒューマンインタフェース学会、ロボット学会、日本認知科学会、日本視覚学会、日本生体医工学会
主要論文及び主要著書：
特許
・星野聖、小渡悟：〝画像に含まれる身体形状を判定する方法及び非接触型ポインティング・デバイスの実現方法〟、特許四〇六〇二六一号、（平一九年一二月二八日）
研究業績等
・小渡悟、曹真「組込みシステム設計における課題解決型学習（PBL）」、『教育改革ICT戦略大会』、A―一、二〇一八年
・新里健、小渡悟、「臨場感・存在感の向上を目指したVRアバターシステムの構築」、『電気学会九州支部沖縄支所』、二〇一七年
書籍
・沖縄国際大学産業総合研究所 編集「沖縄の観光・環境・情報産業の新展開」泉文堂（二〇一五年）
共著・執筆担当：「台湾・香港の情報化と人材育成」
・沖縄国際大学公開講座委員会 編集「産業を取り巻く情報」編集工房東洋企画（二〇一一年）
共著・執筆担当：「パソコンや家電が身振り手振りで操作できる！」
※役職肩書等は講座開催当時

一般の人による「ゲーム」に対するイメージはどのようなものであろう。カードゲーム、ボードゲーム、コンピュータゲーム、スポーツによるゲームなどさまざまな「ゲーム」がある。ゲームは楽しく夢中で参加できる、達成感が得られるなどポジティブなイメージがあげられる。しかし、勝敗のあるゲームで負け続ける、ゲームに強制的に参加させられると楽しくなく不愉快になる、また、「ゲーム＝コンピュータゲーム」と連想し、ゲームにハマりすぎて抜け出せなくなるのではないかというネガティブなイメージもあるかと思われる。このように人によって「ゲーム」の捉え方には幅がある。

本章では、社会でのゲームの位置づけ、また様々なゲームからコンピュータゲームに着目し、コンピュータゲームの影響、社会生活、観光振興での活用について解説する。また、また、二〇一九年開催の茨城国体の文化プログラムとして「全国都道府県対抗ｅスポーツ選手権」が加わったことにより、日本でもｅスポーツとしてのコンピュータゲームに注目が集まっていることから、ｅスポーツの状況や課題について述べる。

一　ゲームと社会

1　ゲーム、シリアスゲーム、ゲーミフィケーション

カードゲーム、ボードゲーム、コンピュータゲームなどの「ゲーム」を考えたとき、ゲームに含まれる要素は個々人の立場やゲームによって多種多様なものになる。実際、「ゲームの定義は人

それぞれである。文化人類学者や民俗学者は歴史的な起源の観点から、軍人やビジネスマンや教育者なら物事の扱い方の観点から、社会学者は心理や社会の機能の観点から定義する。」(Brian Sutton-Smith、一九七一)と言われているように、さまざまな立場からゲームの定義がなされている。これらの点についてはケイティ・サレンとエリック・ジマーマンが著書「ルールズ・オブ・プレイ」にてゲームの定義をまとめ、比較し、「ゲームとは、プレイヤーがルールで決められた人工的な対立に参加するシステムであり、そこから定量化できる結果が生じる。」としている。ゲーム要素として、「ゲームがシステムであること、プレイヤーがシステムとやりとりすること、ゲームとは対立の例であり、その対立は人工的に作り出されたものであること、ルールはプレイヤーの行動を制限し、ゲームを定義すること、どんなゲームにも定量化できる結果、もしくは目標があること」と述べている(サレン・ジマーマン、二〇〇四)。

また、馬場・山本の著書「ゲームの教科書」では「ゲームでは、プレイヤーに解くべきモンダイと、それを解決する手段が与えられる。」(馬場・山本、二〇〇八)としており、一般のゲームプレイヤー、ゲーム観覧者からするとこのようなシンプルな定義が理解しやすいであろう。

ゲームに含まれる要素は多種多様だとしたが、ゲームの基本的な要素としてゴール、ルール、フィードバックシステム、自発的参加の四つの項目が上げられるだろうとの指摘がある。ゲームには達成すべき目標(ゴール)があり、目標を達成するための条件(ルール)がある。また、その条件の判定を行う仕組み(フィードバック)がある。これには自発的な参加をするというものである

（マクゴニガル、二〇一一）。

「ゲーム要素」、「ゲームデザインの手法」をゲーム以外のシステムやサービスに取り入れる考えがある。社会のために「ゲームの力」を活用する取り組み全般において、教育・社会問題を解決するためにゲームを活用するシリアスゲーム、ゲーム要素を教育・社会に活かすゲーミフィケーションがある。

次節にてシリアスゲームの事例について述べる。

2　認知トレーニング・リハビリへのゲームの活用

社会のために「ゲームの力」を活用する取り組み全般において、ゲームそのものを教育・医療用途といった社会問題の解決を主目的としたシリアスゲームがある。認知トレーニングやリハビリテーションについて研究、開発が進んでおり、さまざまなものが実用化されている。

高齢者の認知機能を向上させる認知トレーニングとして市販のコンピュータゲームを用いる研究は古くから行われている。その中でも高齢者の認知機能を維持・向上させるために開発された「脳トレゲーム」がある。東北大学の川島隆太監修による脳トレゲームが数多く展開されており、特に任天堂から二〇〇五年に販売（海外向けは二〇〇六年に販売）された「脳を鍛える大人のＤＳトレーニング（以下、ＤＳ脳トレ）」は、日本国内で三八四万本、世界でも一九〇一万本の売り上げ数となるヒット商品となった（二〇一九年には「脳を鍛える大人のNintendo Switchトレーニング」も発売されている)。二〇一〇年に科学雑誌Natureにおいて脳トレは効果がないとする論文(Owen、二〇一〇)が発表されたが、同論文で使用された脳トレゲームでは効果がなかったことを示しただけであり、DS脳トレの効果を検証したものではなかった。そのため、Nobuchi(Nobuchi 他、二〇一二)らはDS脳トレが認知機能に及ぼす影響を検討するため健康な高齢者を対象に四週間DS脳トレを行うグループと四週間「テトリス(パズルゲーム)」をプレイするグループに分けて比較したところ、DS脳トレが健康な高齢者の実行機能と処理速度を向上させる効果があること示した。また、健康な若者でもDS脳トレを四週間行うと、実行機能、処理速度、作業記憶などが向上することも示されている(Nobuchi 他、二〇一三)。

身体活動としてのシリアスゲームとしてリハビリ用の起立-着席訓練用ゲームがある(松隈 他、二〇一二)。リハビリにおける立ち座りを繰り返す起立-着席訓練は、日常生活動作を回復・維持するうえで基礎となる訓練である。脳卒中治療ガイドラインにおいて歩行障害に対するリハビリとして強く推奨されている。しかし、立ち座りを繰り返すだけの単調な反復運動は退屈でつらい訓練である。そこで、この退屈でつらく苦しい訓練に対してゲームを活用することで楽しい訓練に変えている。具体的にはモニタの前の椅子に着席し、指示に従い起立-着席を行うことでモニタ内の木が成長し伸びていく。木を伸ばしきることでクリアとなる。評価実験において一人で行う自主訓練、リハビリ用ゲームを用いた訓練、リハビリスタッフとの訓練の三条件の比較で、ゲームはリハビリスタッフとほぼ同様の有効性を得ている。同ゲームは、正興ITソリューション株式会社から介護予防のためのリハビリ支援ゲーム「起立の森」として提供されている（https://www.seiko-itsolution.co.jp/kiritsunomori.html）。

リハビリ用シリアスゲームとしては、株式会社サイからも「猪突猛進！うり坊タタキ」「PON PON TOUCH!」「ハンマーフロッグ」「ドキドキへび退治Ⅱ」などがリハビリサポートマシンとして提供されている（http://tanoriha.s-ai.co.jp/products/index.html）。

認知行動療法の考えを学ぶロールプレイングゲーム（ＲＰＧ）も開発されている。うつ病は日本国内にも約一〇〇万人の患者がいると言われている。そのようなうつ病をゲームによってケアすることを目的に、ニュージーランドの国家プロジェクトから生まれた「SPARX（スパークス）」というＲＰＧがある。七つのレベルに分かれた世界をキャラクターたちと共に冒険するうちに、現実的な考え方が自然と身につくよう、認知行動療法をゲームに応用している。自分のペースで取り組めるため、外出につらさを感じる人や今までカウンセリングを挫折した人にも効果的だとされている。国内では株式会社HIKARI Lab（https://www.hikarilab.co.jp/）が提供を行っており、沖縄県内でもうつ病や再発防止を支援する団体がSPARXを活用している事例が報告されている（沖縄タイムス二〇一七年四月三日記事）。

3　ゲームが脳に与える影響

コンピュータゲームは、広く普及した娯楽活動であり、プレイするためには多くの複雑な認知機能や運動機能を要求される。前節でも述べたように認知機能を向上させる脳トレなどのゲームがある。そのため、ゲームをすることは、いくつかの脳のスキルを強くトレーニングすることになると考えることができる。特定の脳の領域は、ビデオゲームによって訓練することができることを示す研究報告がなされている（S Kuhn et al.、二〇一四）。ビデオゲームと脳の容積の増加との間の直接的な因果関係を実証し、空間認識、記憶形成、戦略計画、運動能力をつかさどる脳の領域が成長していることが示されている。また、三次元プラットフォームのゲームをプレイすることで、アルツハイマーの予防になると論じている研究報告もある（West GL et al.、二〇一七）。試験では、五五歳から七五歳の被験者がおよそ六か月間、３Dアクションゲーム「スーパーマリオ64」をプレイしたことにより、プレイした被験者の脳の海馬の灰白質の量が増加したという。研究チームは3Dゲームの世界を探索し、その環境を記憶するという作業が灰白質に良い影響を与えるという仮説を提示している。

4　ゲーム依存症（ゲーム障害）

二〇一八年に世界保健機構（ＷＨＯ）により疾病と認定された「ゲーム障害」が、二〇一九年五月の総会にて、「国際疾病分類」に「ゲーム障害」を依存症の一つとして正式認定したというニュースが流れた（沖縄タイムス二〇一九年五月二六日、琉球新報二〇一九年五月二六日）。アルコールやギャンブルなどの依存症と並び治療が必要な疾病となった。新疾病分類は二〇二〇年一月から施行され、世界中の医療関係者が診断や調査で使用することになる。
ICD-11の記述では次の通りになる。

―――

ゲーム症（障害）は、持続的または反復的なゲーム行動（「デジタルゲーム」または「ビデオゲーム」、それはオンラインすなわちインターネット上、またはオフラインかもしれない）の様式（パターン）によって特徴づけられる。
一、ゲームをすることに対する制御の障害（例：開始、頻度、強度、持続時間、終了、状況）。
二、ゲームに没頭することへの優先順位が高まり、他の生活上の利益や日常の活動よりもゲームをすることが優先される。
三、否定的な（マイナスの）結果が生じているにもかかわらず、ゲームの使用が持続、またはエスカレートする。
その行動様式は、個人的、家庭的、社会的、学業的、職業的または他の重要な機能領域において著しい障害をもたらすほど十分に重篤なものである。
ゲーム行動の様式は、持続的または一時的そして反復的かもしれない。
ゲーム行動および他の特徴は、診断するために通常少なくとも一二ヶ月の間にわたって明らかである。しかし、すべての診断要件が満たされ症状が重度であれば、必要な期間は短縮するかもしれない。

―――

二〇一八年の時点でゲームの業界団体「エンターテインメント・ソフトウェア協会（ＥＳＡ）」が「ビデオゲームに中毒作用はないと客観的に証明されている」として反対声明を出している。ＥＳＡには、任天堂、バンダイナムコエンターテインメント、スクウェア・エニックスといった日本の大手ゲーム関連企業も加盟している。また、二〇一九年五月には、一般社団法人コンピュータエンターテインメント協会（ＣＥＳＡ）、一般社団法人日本オンラインゲーム協会（ＪＯＧＡ）、一般社団法人モバイル・コンテンツ・フォーラム（ＭＣＦ）、一般社団法人日本ｅスポーツ連合（ＪｅＳＵ）の四団体により、この問題に対する社会的要請への対応として、科学的な調査研究に基づく効果的な対策を模索することを目的に、公正中立で専門性を持つ外部有識者による研究会に調査研究の企画や取りまとめを委託することを決めている。

ＷＨＯがゲーム障害を国際疾病分類に加えたことにより、ゲーム障害の特徴を持つ人は適切な治療を受けることができるようになる。しかし、まだゲーム障害に関する研究は始まったばかりで、ゲーム障害の有病率をゲーミング人口の四六パーセント前後とするものもあれば、〇・二パーセントほどとするものもある。また、ゲーム障害の診断基準を満たしていた米国のゲーマー六、〇〇〇人の追跡調査を行ったが、六カ月後の調査終了時にゲーム障害の診断基準を満たしていた者はおらず、健康に何か著しい影響があった者もいなかったという報告もある（エッチェルズ、二〇一七）。

「ゲーム」といってもジャンル、プレイスタイル、年齢層、背景などさまざまである。また、ゲームは娯楽の面だけでなくコミュニケーションツールとしても使われている。長時間にわたりゲームを訓練しているeスポーツ選手はゲーム障害に陥る可能性があるのだろうか。今後のeスポーツの普及と関連し、さらなる検討が必要であると思われる。

二　位置情報ゲームによる観光振興

1　位置情報を活用したゲーム

現実世界がゲームフィールドになる位置情報を活用したゲームとしてジオキャッシングが上げられる。二〇〇〇年にアメリカで誕生したジオキャッシングは、当初はGPS受信機を用いるため玄人向けのゲームであったが、スマートフォンで遊べるようになったことで爆発的な広がりをみせた。ジオキャッシングはインターネット上の掲示板とGPSを利用した宝探しゲームであり、全世界で一五〇万人以上の参加者がいると言われる。このゲームにおいて「宝箱」は参加者自らが現実世界のどこかにひっそりと隠すが、その際に他の参加者に紹介したい場所に設置しようとする傾向があるため、穴場的な名所を広く知らせしめ、かつその名所に冒険的魅力を付加する効果が期待できる。実際に式根島や日光において、ジオキャッシングを地域振興に活用しようとする試みがなされていることが報告されている（倉田、二〇一一）。

位置情報と観光振興を組み合わせたものとして、神奈川県箱根町の「箱根補完計画ARスタンプラリー」がある。これは二〇一四年一二月一日から二〇一五年三月三一日まで神奈川県箱根町の観光スポットを中心とし、特定の地点でスマートデバイスの画面に「新世紀エヴァンゲリオン」のキャラクターが出現するインバウンド観光誘致イベントであった。スタンプラリーのチェックポイントが一〇〇カ所以上、ARコンテンツの出現スポットが五〇カ所以上も設置されており、参加者は用意されたコースに沿ってAR出現スポットを巡ることでキャラクターに出会うことができた。同イベントは個人のデバイスの中に入り込んで、ユーザエクスペリエンス（ユーザの体験）を演出し、地域と自分とを自然に強固に結びつけることに成功している。いわば、地域の魅力を倍加させる装置として非常に有効なテクノロジーであるとしている（田畑、二〇一五）。

位置情報ゲームと観光振興の事例として、位置情報ゲームアプリとして二〇一六年に発表されたPokémon GO（ポケモンGO）があげられるだろう。Niantic社による同ゲームは世界中で大ヒットし、社会現象にまでなった。Niantic社はポケモンGO以外にも位置情報ゲームとして「Ingress」「ハリー・ポッター：魔法同盟」を展開している。同社によると二〇一九年に開催されたポケモンGOのイベントによる経済効果として、二〇一九年にシカゴ、モントリオール、ドルトムントなどで行われたイベントでは、推計二億九四〇〇万ドルの観光収益になったと報告している。シカゴの「Pokémon GO Fest」には四日間で六万人以上、ドルムントの「Pokémon GO Fest」には四日間で六万人以上、モントリオールの「Pokémon GO Safari Zone」には三日間で三万九千人以上のトレーナーが集合し、それぞれの地域観光に大きく貢献したとしている。

位置情報を用いたゲームは誘客の手段として期待されており、さまざまな取り組みがなされている。次から位置情報ゲームと観光振興の例としてポケモンGO、ならびにIngressに関する取り組みについて述べる。

2 INGRESSによる経済効果

地域への交流人口拡大に向けた取り組みとして位置情報ゲーム「Ingress」を活用した岩手県庁の取組がある。Ingressは位置情報と拡張現実（AR）技術とを活用したスマートフォン向けのオンラインゲームである。Ingressでは、プレイヤーが緑と青の陣営に分かれて、「ポータル」と呼ばれる場所をめぐって陣取り合戦を行う。ポータルは現実にある場所に設定されており、これを攻略するにはプレイヤーが現地に直接行く必要がある。Ingressは「プレイヤーがその地域に出向かないと遊ぶことができない」という特徴をもったゲームである点から、地域活性化につなげる試みがされている。

岩手県ではIngressを活用した観光推進、復興支援活動を目的とし、二〇一四年九月に岩手県庁内に「岩手県庁Ingress活用研究会」が結成された。二〇一四年一一月には、同研究会が中心となって、「ポータル探して盛岡街歩き」というイベントが開催された。同研究会結成時には、岩手県ではポータルの数が少なかったため、参加者がポータルを申請するという趣旨のイベントとなった。このイベントには、約二割の県外からの参加者を含む二〇～三〇代を中心とした五四名が参加し、二九一か所のポータル申請が行われた。二〇一五年二月には、「もりおか雪あかり」という地域のイベントの開催にあわせ、第二弾となる「ポータル大量発生感謝！ハック&キャンドルin盛岡」が開催された。盛岡再発見街歩き等の様々な企画を実施したほか、市内五つの地元店舗と連携し、参加者への甘酒の提供や、スマートフォンの無料充電サービスの提供などが行われた。このイベントには一六〇名が参加し、うち、県外からの参加者は四〇名であった。当初から狙いとしていた県外からの観光客誘致に一定の効果があっただけでなく、イベントを通じて住民がそれまで知らなかった地元の魅力を再発見する効果もあったと同研究会では評価している（保、二〇一五）。

Ingressにはミッションと呼ばれるスタンプラリーのようなものがあり、プレイヤーは決められた地点を巡り、報酬としてゲーム内でメダルを入手できる。それにより、プレイヤーが新たな地域資源を発見する可能性を持っている。また、ミッションはプレイヤーが作成することができることから、プレイヤーとしての観光者がミッションの作成を通じて、また、プレイヤーはこのミッションに示されたポータルを回ることによって、それぞれ新たな地域資源を発見する可能性があるといえる。このことから、横須賀市でも二〇一四年一二月にIngressを活用した取り組みが本格的に始動することとなり、その後も、岩手県やアルペジオとのコラボレーションを図りつつ、様々なミッションキャンペーンを展開し、二〇一五年一〇月三一日には最大規模の公式イベント「Mission Day Yokosuka」を実施している。同イベントでは、この一日に横須賀市に二、〇〇〇人ものプレイヤーが来訪しており、この日、猿島へもプレイヤーを中心に五〇九人が一日で渡島としている（山田、二〇一六)。

3　ポケモンGOによる経済効果

ポケモンGOは、二〇一六年のサービス開始以来、位置情報ゲームのジャンルにおいて圧倒的な人気を持っている。米国の調査会社Sensor Towerの二〇二〇年一月九日付けのレポートによると、二〇一九年の売上高は八億九四〇〇万ドル(約九八三億円)と過去最高に達したとしている。ポケモンGOは、リリースした二〇一六年に八億三二〇〇万ドル(約九一四億円)を記録したあと、翌年の二〇一七年は五億八九〇〇万ドル(約六四七億円)と売上を落としたが、二〇一八年、二〇一九年と二年連続で売上を伸ばしている。これで累計の売上高は三一億ドルを超えることになる。

ポケモンGOは、ゲーム画面上に表示される地図上のポケストップとよばれる特定の地点でアイテムを入手し、ポケモンを捕獲していくゲームである。ゲーム上の地図は現実の位置情報と連動しているため、プレイヤーは実際に移動を行いながらゲームを進めていくことになる。また、AR機能により、ポケモンが現実の空間に存在するかのように見えることもゲームの大きな特徴と言える。

位置情報を利用したゲームは同社のIngressをはじめ数多く存在するが、ポケモンGOは世界的に知名度が高い「ポケットモンスター(ポケモン)」を題材としたことや、ARの要素により世界的な広がりをみせたと思われる。ポケモンGOは誘客の手段として期待されており、各地でさまざまな取り組みが行われている。

まず、大阪市旭区の千林商店街による「モンスター取り放題!!」のイベントがあげられる。ゲーム上の有料アイテム（ルアーモジュール）を使うことでポケモンを通常より多く集めることを利用し、週末二日間の午前一〇時～午後七時にポケモンを大量に出現させて集客をはかった（朝日新聞二〇一六年七月三〇日）。山形県米沢市の小野川温泉は、「ポケモンGO!おもてなしと捕獲大会」として、ポケモンGOの画面を提示した人に「ポケストップ・ガイド」という無料の案内マップの配布、入浴料の一〇〇円割引、また、ポケモンが出現しやすくするルアーモジュールを使ってポケモンを捕まえやすくするイベントを開くなどを行った（日本経済新聞二〇一六年八月五日）。京都府宮津市は、市内の名所を周遊できる観光マップ「日本の聖地 天橋立三所詣GOワールドマップ」を公開した。同マップは天橋立にある観光名所とゲーム上のポケストップやジムを掲載することで、各地の周遊を促すのを目的としたものであった（ITmedia News 二〇一七年〇三月一三日）。

都道府県レベルでの取り組みも見られた。鳥取県はポケモンGOを観光客誘致につなげようと二〇一六年七月二五日に鳥取砂丘（鳥取県鳥取市）をスナホ・ゲーム解放区として宣言を行った（「スナホ」は砂丘の砂とスマホをかけた造語である）。鳥取県は鳥取砂丘スナホ・ゲーム解放区宣言専用Ｗｅｂページ「鳥取県ポケモンGOポータルサイトTottori GO」の公開を行った。「ポケモン解放区」として新聞報道（朝日新聞二〇一六年七月二五日）やテレビ、インターネットで話題となった。また、二〇一七年一一月二四日～二六日までの三日間、鳥取県主催、ポケモンGO開発・運営元のポケモン社、Niantic社の協力による「Pokémon GO Safari Zone in 鳥取砂丘」が開催された。同イベントでは通常では出現頻度の低いレアポケモン（バリヤード、アンノーン）が出現した。当初、鳥取県は三日間で三万人の来場者を見込んでいたが、初日だけで約一万五〇〇〇人が来場した。そのため二日目の二五日には砂丘周辺の混雑を解消するために、レアポケモンの出現エリアを県東部全域に拡大することになった。鳥取県の発表によると、参加者は三日間で砂丘内に八九、〇〇〇人、砂丘外（推計）で三〇、〇〇〇人とし、参加者総数は約一一八、九〇〇人となった。また、経済効果は観光消費額として約一八億円、ＰＲ効果（広告換算額）としては約六億円の総計約二四億円になったと発表した。参加者数と経済効果の面で大成功だったといえるだろう。

また、岩手県は前述の「岩手県庁Ingress活用研究会」にあるように位置情報ゲームの観光推進、復興支援活動への取り組みが行われていた。そのこともあり、東北地方太平洋沖地震（二〇一一年三月一一日）、熊本地震（二〇一六年四月一四日）に対する震災復興へ向けた取り組みの一つとして、二〇一六年八月一〇日に岩手県、宮城県、福島県、熊本県とNiantic社がポケモンＧＯで観光振興施策を実施することを発表した。宮城県石巻市では被災沿岸部の観光誘客の促進及び震災の記憶の風化防止につながるとして二〇一六年一一月一二日に「ポケストップ追加企画 Explore Miyagi」のイベントが行われた。同イベントは宮城県石巻市の中瀬公園（石ノ森漫画館となり）を拠点会場に、石巻市・東松島市・女川町・南三陸町を対象としたポケストップの追加申請を行うものであった。また、Niantic社による東北地方沿岸部の「ラプラス」高確率出現イベントが一一月一二日から一一月二二日まであり、この一一日間で一〇万人のポケモンＧＯのプレイヤーが訪れた。期間中の経済効果は約二〇億円であったと報告されている。

三　ｅスポーツによる観光振興

１　ｅスポーツとは

ｅスポーツとは「Electronic Sports」の略称で、ゲームを用い、ルールのもとに対戦し、勝敗を競うものである。

身体運動を伴う遊戯・競争を「スポーツ」と総称するが、マウス、キーボード、専用コントローラーといった手による操作に限定されるｅスポーツを「スポーツ」と定義すべきかといった問題について、意見が交わされている。乗馬、アーチェリー、カーリングといった道具を用いたスポーツ種目は数多く存在し、スポーツにおける身体運動も明確な定義ではないため、ｅスポーツの定義に係る議論は今後も続くものと思われる。ｅスポーツの定義に係る議論に関連し、パリオリンピック招致委員会は二〇二四年パリオリンピックにおいてｅスポーツを公式種目として採用することを検討しており、トニー・エスタンゲ議長はｅスポーツを追加することについて前向きなコメントを発表している。

これらのこともあり、国内においてもｅスポーツの注目度が上がってきている。実際、株式会社Gzブレインによる全国四七都道府県に在住する五～六九歳男女二万人超を対象に実態調査によれば二〇一七年の国内eスポーツ認知度が一四・四％だったのに対し、二〇一八年の調査では四一・一％となり約三倍に上昇したと報告されている。

eスポーツについて、「言葉を聞いたことがある、知っている」、「直接会場で観戦、もしくは、動画などで視聴したことがある」、「参加者（プレイヤー・監督など）として参加・出場したことがある」、「どれにもあてはまらない」のいずれにあてはまるか回答してもらう調査では、調査対象である五～六九歳のうち、四一・一％がeスポーツを認知していることが示されている。性別に見ると、男性六割、女性四割と、男性の認知度の割合が高い。二〇一七年九月の調査では女性がおよそ三割であったため、女性の認知がより広がっていることが伺える。また、「eスポーツを直接会場で観戦、もしくは動画などで視聴したことがある人」は三八二・六万人となり、eスポーツを認知している人のおよそ一〇人に一人という結果になっている。年代別では、二〇代、三〇代の割合が大きく、両世代を合計すると全体の半数以上となっている。さらに、「参加者として参加・出場したことがある人」は五三・九万人で、認知度、視聴者数、参加者数のいずれにおいても二〇一七年九月の調査より大幅に増加している。これは、この一年で、プロライセンスの発行が始まり大会数が増加したことや、アジア競技大会でのデモンストレーション競技採用など、様々なメディアでeスポーツについて取り上げられるようになったことが理由のひとつと思われるとしている。

世界全体でみるとeスポーツの市場では北米地域が占め世界最大規模である。そのため、アメリカでは、さらにeスポーツを推進する動きとして、海外プロゲーマーに対するアスリートビザの発行、大学などの教育機関がプロゲーマー向けeスポーツ教育プログラムの提供、eスポーツ専用スタジアムの建設などが行われている。

この中で教育機関の動きとして、アメリカでは二〇一四年にロバート・モリス大学（Robert Morris University、イリノイ州）が、全米初の大学eスポーツチームを組織し、優れたスキルを有するゲームプレイヤーである三〇名の学生を対象に学費及び寮費の五〇％を奨学金として提供することを発表して以降、プロゲーマー向け奨学金制度を通じて専門のeスポーツ教育プログラムを提供する大学が数多く出現しているのが興味深い。日本国内でも同様な動きがあり、二〇一八年よりルネサンス高等学校が日本初の高等教育機関によるeスポーツのカリキュラムを開始している。沖縄県内では二〇二一年四月に琉球リハビリテーション学院那覇校eスポーツ学科の開校が予定されている。

2　eスポーツ市場の成長予測

世界全体でみるとeスポーツ市場は、Newzoo社によれば、二〇一八年に九億ドル（約九〇〇億円）、二〇二一年には一六億ドル（約一、六〇〇億円）に成長すると見込まれている。また、地域別では、世界のeスポーツ売上高の三八％を北米地域が占め世界最大規模の市場となっており、アジア地域では中国と韓国がそれぞれ一八％、六％を占めている。

二〇一八年末に株式会社Ｇｚブレインが、日本国内におけるｅスポーツ市場動向について、二〇一八年の市場規模および内訳、二〇二二年までの成長予測、ファン数（試合観戦・動画視聴者数）の推移を発表している。

これによると、二〇一八年の日本ｅスポーツ市場規模は、前年比一三倍の四八・三億円となる。二〇一八年二月に「日本ｅスポーツ連合（ＪｅＳＵ）」の発足とプロライセンスの発行開始を皮切りに、ｅスポーツに関する報道が急増、また、各テレビ局によるｅスポーツ関連番組の放送開始に伴い、スポンサーシップに関わる収益が拡大したことが原因とみている。

この調査では、二〇一九年から二〇二二年までの年間平均成長率は一九・一％と予測している。大手新聞社による学生向けｅスポーツ選手権や、ゲーム会社によるリーグ大会などが開始されることで、ｅスポーツファンの拡大とともに、ｅスポーツ関連の支出が増加することが見込まれている。今後、東京オリンピック・パラリンピックに

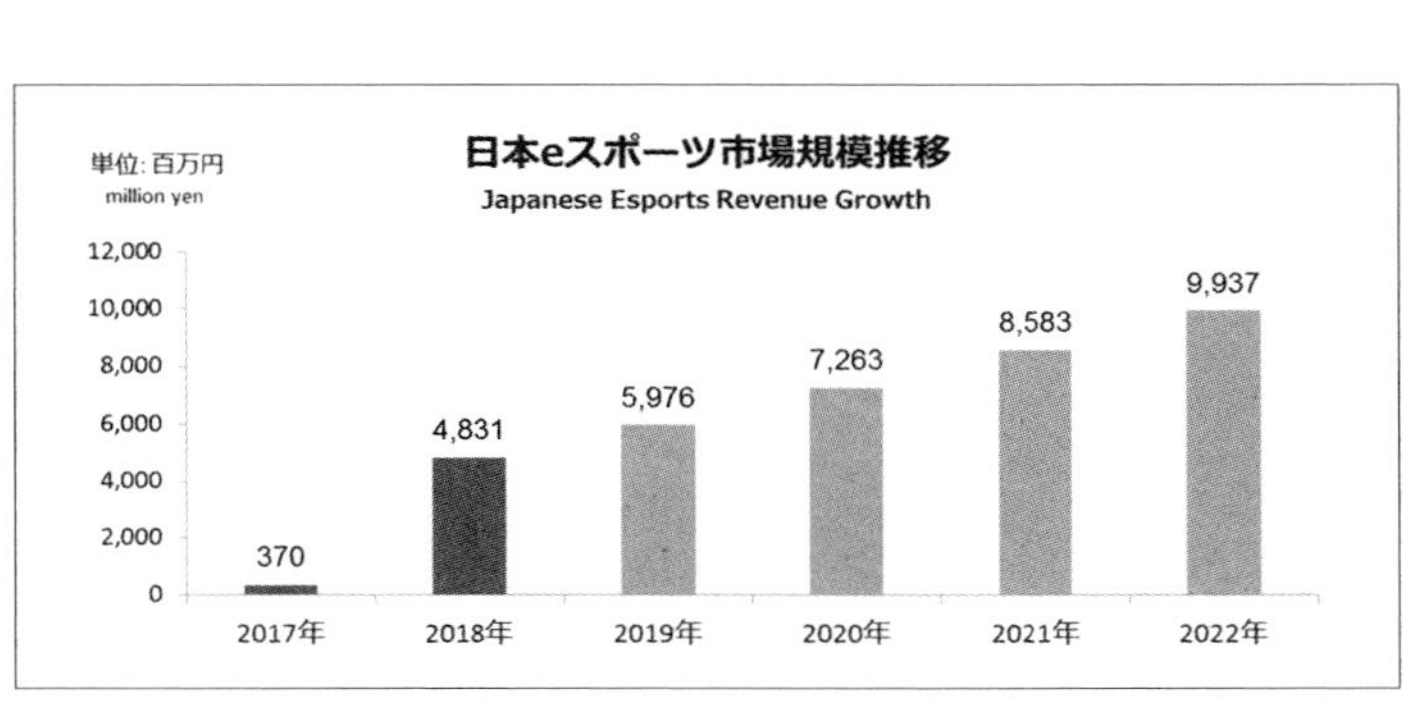

出所：Gzブレイン
※2018年以降の数値は、2018年11月時点での予測

向けた企業のｅスポーツ関係の予算拠出も想定され、二〇二二年には九九・四億円にまで市場が拡大すると予測している。

二〇一八年時点での日本ｅスポーツ市場の収益項目別割合をみると、チームや大会へのスポンサー料や広告費といった「スポンサー」の割合が多く、全体の七五・九％を占めている。日本においてもｅスポーツに対するメディアの注目度は日々高まっており、大会やチームへのスポンサーシップを表明する企業が増加傾向にある。スポーツ興行の主な収益である「チケット」、「グッズ」、「放映権」といった項目が、ｅスポーツ市場においても、今後大会数やファン数の増加に伴って成長していくことが見込まれている。

二〇一八年の日本ｅスポーツファン数（試合観戦・動画視聴経験者）は前年比六六％増の三八三万人となった。同報告を行っている株式会社Ｇｚブレインによると、日本にはゲーム関連動画の視聴者が約

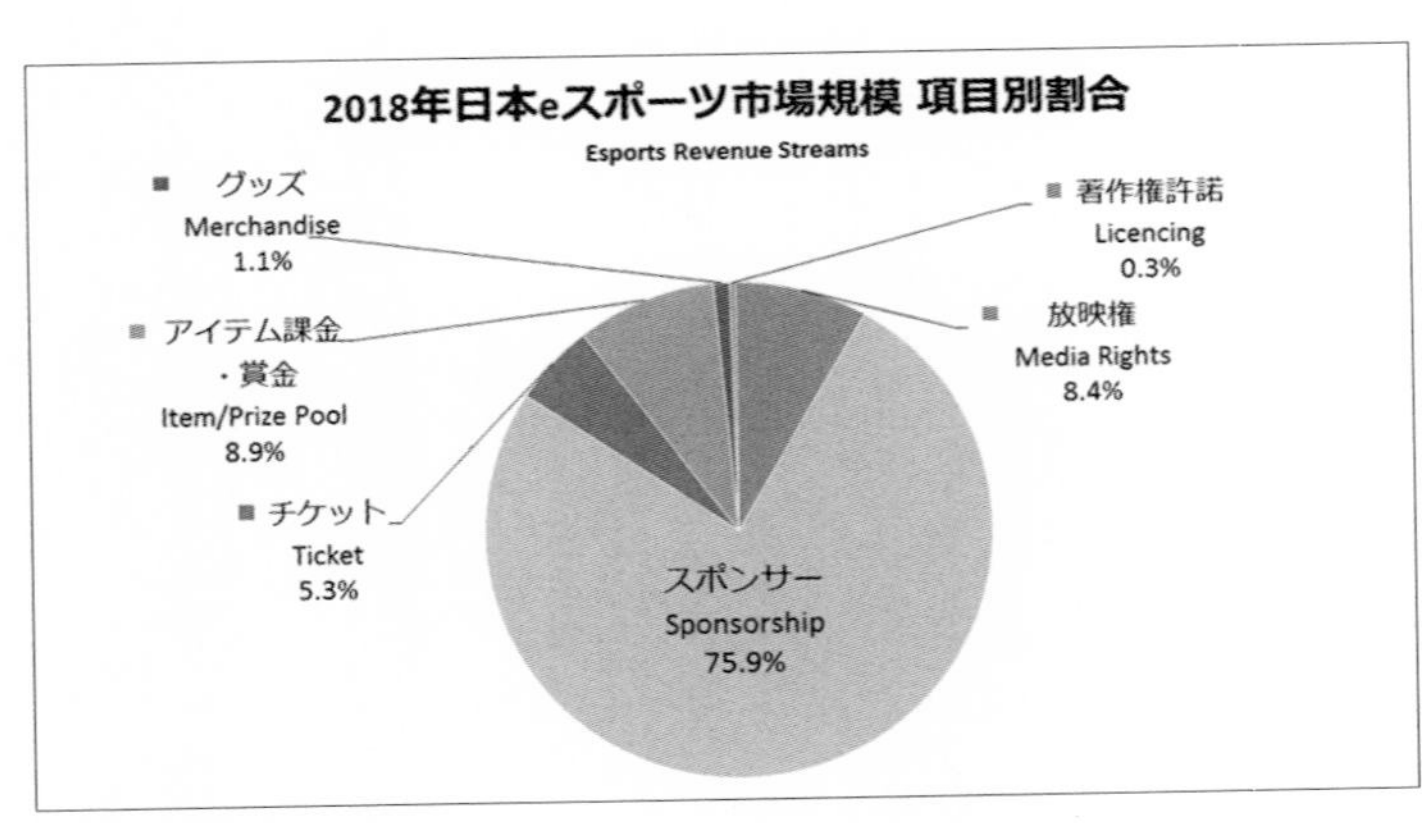

出所：Gzブレイン

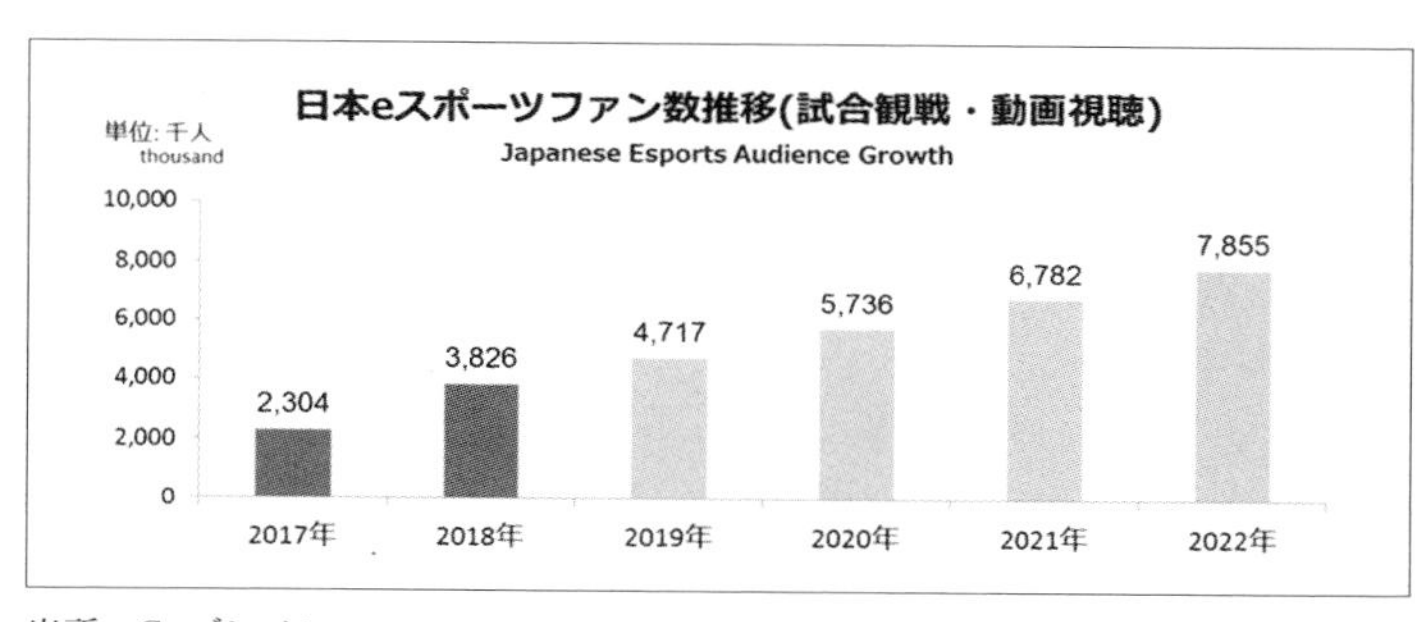

出所：Gzブレイン
※2018年以降の数値は、2018年11月時点での予測

二、五〇〇万人いると推計しており、そのうち一五％がｅスポーツファンと算出している。ｅスポーツ市場の大幅な拡大と比べるとファン数の伸び率は緩やかなものの、今後ゲーム会社がｅスポーツ興行へ積極的に取り組み、大会の開催やテレビでの放送が拡大し、試合観戦の機会が増えることで、ｅスポーツファンがさらに増加することが見込まれるとしている。

３　ｅスポーツによる経済効果

海外のIntel Extreme Masters（ポーランド）では、ポーランドのカトヴィツェで毎年ＥＳＬ社主催で開催されている。二〇一七年にはｅスポーツのイベントとしては世界最大規模の一七万三〇〇〇人の参加者を集客している。カトヴィツは「Intel Extreme Masters」が市にもたらす経済効果は二二〇〇万ユーロにのぼると発表している。

世界で行われている主な大会としてＷＣＧ（ワールドサイバーゲームス）、ＥＳＷＣ(エレクトロニックスポーツワールドカップ)がある。ＷＣＧはｅスポーツのオリンピックともよばれており、世界七〇ヶ国以上、言語や文化の壁を越えて六〇〇人以上の選手が真剣勝負を繰り広げる。ＥＳＷＣは五〇ヶ国以上の国々から、予選を勝ち抜いたアスリートたちが集結する大規模なｅスポーツイベントとなっている。

４　沖縄県内のｅスポーツ

本節では沖縄県内でのｅスポーツの状況を紹介する。沖縄県内にもｅスポーツに関する団体が複数あるため、ここでは沖縄国際大学産業情報学部産学協力会の共同プロジェクト(*注釈)が賛助団体として参加している一般社団法人沖縄ｅスポーツ連盟を中心に述べていきたい。

*注釈：産業情報学部産学協力会は、沖縄県内企業・団体と産業情報学部教職員とで産学の連携事業並びに学術交流等を推進し、沖縄県の産業振興並びに地域振興に寄与することを目的とし作られた団体である。共同プロジェクトはその事業の一つで、会員企業が抱えている業務上の課題を企業・学生・教員の三者で取り組み解決をはかるものである。「沖国ｅスポーツ共同プロジェクト」は、二〇一八年度から取り組まれている共同プロジェクトの一つである。

二〇一三年に沖縄のゲーム産業の拡大に貢献する事を目的とし「一般社団法人沖縄ゲーム企業コンソーシアム　ｅスポーツ部会」が設立され、二〇一九年に「一般社団法人　沖縄ｅスポーツ連盟」

が新設された。同連盟は、沖縄県における健全なeスポーツの普及および促進をめざして設立された。同連盟は活動テーマとして次の項目を挙げている。

――

一 「プレイヤーズファースト」の競技振興・競技力向上

県内プレイヤー、コミュニティに対して、機材のレンタルや会場提供を行い、競技振興を行っていくと共に、県内のコミュニティ形成、交流会、練習会の場を提供していく事で、沖縄県の競技力の向上を目指します。

また、シンポジウム、学習会などを行い、プレイヤーをより支援して頂ける環境づくりに努めます。

二 沖縄県におけるeスポーツ産業の発展支援

eスポーツの健全な普及・発展のため、大会運営等に関わる著作権等の法的な問題に対しゲームメーカーなど関係各所と連携し、大会開催や素材提供等の許諾申請や大会レギュレーションの制定・運営支援を行うことで、業界全体の健全な発展の障害となる運営等の是正解決を目指します。

また、eスポーツに向き合う子ども達の努力を将来に渡っての資産とすべく、プロプレーヤー育成の支援はもとより、各産業におけるキャリアンプラン形成を教育機関・人材育成企業との産学連携により実施致します。

三　ｅスポーツと県内異業種の連携

県内ｅスポーツ産業と県内異業種の連携を促進し、県経済全体の発展への貢献を目指します。

●スポーツ×ｅスポーツ

県内のスポーツ関係団体やクラブと情報交換や共同でのイベント開催を行います。

●観光×ｅスポーツ

県内観光業や県・各市町村のMICE事業と連携して世界大会の沖縄誘致を目指します。

●医療・福祉×ｅスポーツ

ゲーム依存症対策といったネガティブな問題の解決と、ゲームを治療に生かすポジティブな発展の双方を目指し医療機関・医学界と連携致します。

●新規事業創出×ｅスポーツ

通信キャリアと連携した五Ｇビジネス検証を中心とし、沖縄発の新規ビジネス開発・支援を行います。

二〇一九年度における沖縄県内でのｅスポーツに関わる大きなニュースとしては次のようなものがあった。

二〇一九年七月に株式会社ザ・ウェーブは、ｅスポーツチーム「OKINAWA THE WAVE

gaming」の設立と、その育成拠点「THE WAVE eスポーツトレーニングセンター」の開設を発表した。「OKINAWA THE WAVE gaming」は県内eスポーツ大会の上位入賞者を中心に一一名のメンバーでスタートし、沖縄県外・海外の大規模大会への派遣を行うなどの活動を行っている。また、併設の「THE WAVE eスポーツトレーニングセンター」はeスポーツの大会用設備・ネット配信機材・コミュニケーションスペースを備えた施設となっており、チーム所属選手の普段の練習から県内格闘ゲームのトップリーグの開催場所となるほか、県内大学・専門学校等の公認eスポーツサークルやゲームコミュニティにも開放し、県内eスポーツの競技レベルアップと育成・普及の場となっている。

二〇一九年九月には、「eスポーツとリゾートイベントの融合」というコンセプトをもとに、国内最大級のeスポーツ大会「KVOリゾート二〇一九」が沖縄県那覇市にあるロワジールホテル那覇にて開催された。県内外の他、海外からも多くの参加者が集まり、六つの人気格闘ゲームで試合が行わ

THE WAVE eスポーツトレーニングセンター
（著者写真提供）

れた。

二〇一九年一〇月には沖縄初となるシャドウバースES地方大会が行われた。

台湾と沖縄それぞれで大会を行うeスポーツの国際大会「琉熱」が株式会社ザ・ウェーブと琉球朝日放送株式会社の共催で開催（台湾ラウンド二〇一九年一一月三〇日、沖縄ラウンド二〇二〇年二月二九日）される予定であったが、二〇二〇年年明けから新型コロナウイルスが世界的広がりをみせ、感染拡大の状況を踏まえて沖縄ラウンドは無期限延期となっている。しかし、今後も沖縄とアジアを繋ぐ大会は開催されるものと思われており、関連して沖縄でのeスポーツの広がりに注目が集まるだろう。

また、学生主導によるイベントの開催、子供を対象としたeスポーツを活用したイベントも見られた。

例として県内大学対抗eスポーツ対抗戦をあげる。これは産業情報学部産学協力会の共同プロジェクトとして

第1回 沖縄国際大学・琉球大学eスポーツ対抗戦
日時：2019年7月14日（日）11:30 ~ 14:30
会場：沖縄コンベンションセンター会議棟A
詳細：https://the-wave.co.jp/2019/07/08/summer-fes2019/
（写真：筆者提供）

実施された。前記、共同プロジェクトを通し、二〇一九年七月一四日に大学対抗eスポーツ大会が実現している。
同大会では、沖縄国際大学・琉球大学の学生達自らが企画立案・運営に携わった。沖縄国際大学・琉球大学eスポーツ対抗戦は一二月開催予定の「沖縄県内大学対抗eスポーツ選手権」の前哨戦として開催され、県内初の学校対抗戦の勝者を目指して技を競い合った。沖縄国際大学からは沖国eスポーツサークルのメンバーを中心に参戦し、勝利をおさめている。

二〇一九年一二月二二日には沖縄県内大学eスポーツFESTIVALも開催された。同イベントは、株式会社ザ・ウェーブのサポートのもとで大学生が主体となり企画から当日の機材設置・運営を行ったものである。参加大学は沖縄国際大学、琉球大学、沖縄大学、名桜大学、沖縄キリスト教短期大学の五大学で、ゲームタイトルはロケットリーグ、ぷよぷよeスポーツ、実況パワフルプロ野球二〇一八、鉄拳七、グランツーリスモ、

沖縄県内大学eスポーツFESTIVAL
日時：2019年12月22日（日）10:00 ~ 18:00
会場：沖縄コンベンションセンター会議棟B-1
詳細：https://the-wave.co.jp/news/20191222daigakufes/
（写真：沖国eスポーツサークル提供）

Shadowverse、IdentityVの七タイトルで対抗戦を行った。沖縄国際大学からは沖国ｅスポーツサークルのメンバーを中心に参戦し、二〇一九年七月の対抗戦に続き五大学対抗においても優勝をおさめている。

同イベントの取り組みは、二〇二〇年二月二二日に琉球放送（ＲＢＣ）にて「熱闘！大学eSports～ゲームがつなぐ新しい絆～」の番組タイトルで「二〇一九年一二月二二日に沖縄県内五大学が一同に会し、学生主体のeSportsイベントが開催された。イベント開催までの学生達の奮闘する姿を追いかけた」として特別番組として放映されている。

沖国e-sports共同プロジェクトでは、大学対抗ｅスポーツ大会開催企画だけでなく、e-Sports市場調査にも取り組んでいる。沖縄でのｅスポーツの認知度調査、沖縄ならではのｅスポーツに関する新しいビジネスについても提案するべく活動している。また、新設サークルである沖国ｅスポーツサークルは、イベントへの参加だけでなく、沖縄でｅスポーツを盛り上げてくために大会開催・運営も含め活動していきたいと語っている。

ｅスポーツを子どもたちのコミュニケーションや心と体の機能の活性化につなげる取り組みがある。沖縄県内では琉球リハビリテーション学院が、ｅスポーツを障害者のリハビリに役立てようと取り組んでおり、特別支援学校でのクリニックを開催するなどしている。

その他にも、沖縄県内のｅスポーツに関するコミュニティによるｅスポーツ体験会が各地で開催されている。沖縄県内最大規模のＩＴイベントであるＩＴ津梁まつり二〇二〇にてもｅスポーツシンポジウムやｅスポーツの大会として「アイデンティティVオープン大会」が開催されるの等、沖縄県内でも盛り上がりを見せている。

四　まとめ

本章では「ゲーム」の社会での活用、また、ゲーム障害などのゲームに対する課題について述べ、ゲームを活用した観光、ｅスポーツについて解説を行った。

株式会社メディアクリエイト「ｅスポーツ五大陸白書二〇一九」にて述べられているように近隣諸国のｅスポーツ市場の発展は著しいものがある。中国は早くからｅスポーツが盛んで、中国政府もｅスポーツを支援する場面が多く、政策によって進められる特区づくりにｅスポーツ特区もうまれている。市場規模も二〇一七年の七七二億元から二〇一八年には八八七億元に達すると予測されている。また、ユーザ数も二〇一五年の一億人から右肩上がりに増え続け二〇一八年には三・二億人、二〇一九年には三・五億人と増加している。政府もｅスポーツに対して支援策を出し続けており、今後もさらなる成長が期待できるであろう。

沖縄に近い台湾においてもｅスポーツの盛り上がりを見せている。二〇一二年に台湾のチームがLeague Season2 World ChampionshipsにおいてLeague of Legendsで優勝したことがきっかけとなっている。台湾のｅスポーツシーンは海外ゲームパブリッシャーの動向と、プレイヤーコミュニティの嗜好性がうまくかみ合い、これを政府が追随する形で発展を遂げている。今後もｅスポーツシーンの成長が期待できるであろう。

「沖縄県アジア経済戦略構想」にもあるように、沖縄県の地理的優位性を活かし、近隣諸国の市場へアプローチしていき、ｅスポーツの交流戦などを開催していく事で競技力向上だけでなく、教育、産業発展にもつながることを期待したい。海外においてはｅスポーツを推進する動きとして海外プロゲーマーに対するアスリートビザの発行、ｅスポーツ専用スタジアムの建設、大学などの教育機関がプロゲーマー向けｅスポーツ教育プログラムを提供するなどの動きがある。これらのことから、ｅスポーツによる観光振興の要素として、アスリートビザの発行、県内観光業や県・各市町村のＭＩＣＥ事業と連携、大会レギュレーション・権利関連の整備、県内ｅスポーツ産業と異業種の連携、ｅスポーツトレーニングセンターの拡充、県内プレイヤーの育成などが上げられるだろう。

教育機関としてｅスポーツ産業で活躍できる人材の育成を考えると、ゲームを企画・開発するプログラミング技術、対象となるゲームを多角的な視点から分析・検討する能力、また、ｅスポーツはタイトルによっては複数名でのチーム戦になることもあるため他者とのコミュニケーション能力が重要と思われる。そのためにも、ゲームのプレイスキルだけでなく、プログラミング教育、デザイン、心理学、メディア研究、コミュニケーション、異文化交流、語学といった幅広い教育を実施することが必要である。

参考資料

1　Elliott M Avedon、Brian Sutton-Smith、「The Study of Games」John Wiley & Sons（1971）
2　ケイティ・サレン、エリック・ジマーマン（著）、山本貴光（訳）、「ルールズ・オブ・プレイ（上）ゲームデザインの基礎」、ソフトバンククリエイティブ（二〇一一）
3　ケイティ・サレン、エリック・ジマーマン（著）、山本貴光（訳）、「ルールズ・オブ・プレイ（下）ゲームデザインの基礎」、ソフトバンククリエイティブ（二〇一一）
4　馬場保仁、山本貴光、「ゲームの教科書」、ちくまプリマー新書（二〇〇八）
5　ジェイン・マクゴニガル（著）、妹尾堅一郎（監修）、藤本徹、藤井清美（訳）、「幸せな未来は『ゲーム』が創る」、早川書房（二〇一一）
6　井上明人、「ゲーミフィケーション―〈ゲーム〉がビジネスを変える」、ＮＨＫ出版（二〇一二）
7　深田浩嗣、「ゲームにすればうまくいく　―〈ゲーミフィケーション〉９つのフレームワーク」、ＮＨＫ出版（二〇一二）
8　エンターブレイン グローバルマーケティング局、「ファミ通ゲーム白書二〇〇七」、KADOKAWA Game Linkage（二〇一三）
9　任天堂株式会社-株主・投資家向け情報-業績・財務情報-主要タイトル販売実績、https://www.nintendo.co.jp/ir/finance/software/ds.html
10　Owen, A. M., Hampshire, A., Grahn, J. A., et al.「Putting brain training to the test」, Nature,

465, pp.775-778,（2010）

11 Nouchi R, Taki Y, Takeuchi H, Hashizume H, Akitsuki Y, et al.「Brain Training Game Improves Executive Functions and Processing Speed in the Elderly: A Randomized Controlled Trial」, PLoS ONE、vol.7, e29676（2012）

12 Nouchi, R., Taki, Y., Takeuchi, H., et al.「Brain training game boosts executive functions, working memory and processing speed in the young adults : a randomized controlled trial」, PLoS One, vol.8、e55518（2013）.

13 野内類、川島隆太「脳トレゲームは認知機能を向上させることができるのか?」、高次脳機能研究、vol.34、No.3、pp.335-341（2014）

14 松隈浩之、藤岡定、中島愛、金子晃介、梶原治朗、林田健太、服部文忠、「起立-着席訓練のためのリハビリテーション用シリアスゲームの研究開発」、情報処理学会論文誌、vol.53, no.3, pp.1041-1049（2012）

15 介護予防のためのリハビリ支援ゲーム「起立の森」、https://www.seiko-itsolution.co.jp/kiritsunomori.html

16 株式会社サイリハビリサポートマシン、http://tanoriha.s-ai.co.jp/products/index.html

17 株式会社HIKARI Lab、https://www.hikarilab.co.jp/

18 ストレス・憂うつな気分への対処方法を学ぼう!ＳＰＡＲＸ（アプリケーション）https://www.hikarilab.co.jp/work/sparx

iOS版：https://apps.apple.com/jp/app/sparx/id1111456634
Android版：https://play.google.com/store/apps/details?id=com.smileboom.SPARX

19　うつ病をケアするRPG「SPARX」ってどんなゲーム?沖縄でも導入、沖縄タイムス二〇一七年四月三日

20　S Kuhn, T Gleich, RC Lorenz, U Lindenberger and J Gallinat,「Playing Super Mario induces structural brain plasticity: gray matter changes resulting from training with a commercial video game」, Molecular Psychiatry, 19, pp.265–271（2014）
https://www.nature.com/articles/mp2013120.pdf

21　West GL, Zendel BR, Konishi K, BenadyChorney J, Bohbot VD, Peretzl, et al.,「Playing Super Mario 64 increases hippocampal grey matter in older adults」, PLoS ONE 12(12):e0187779. https://doi.org/10.1371/journal.pone.0187779（2017）

22　World Health Organization（WHO）、https://www.who.int/

23　病的依存 対策急げ、沖縄タイムス二〇一九年五月二六日

24　ゲーム障害 依存症に、琉球新報二〇一九年五月二六日

25　エンターテインメント・ソフトウェア協会（ＥＳＡ）、https://www.theesa.com/

26　一般社団法人コンピュータエンターテインメント協会（ＣＥＳＡ）、https://www.cesa.or.jp/

27　一般社団法人日本オンラインゲーム協会（ＪＯＧＡ）、https://japanonlinegame.org/

28　一般社団法人モバイル・コンテンツ・フォーラム（ＭＣＦ）、http://sp.mcf.or.jp/

29　一般社団法人日本eスポーツ連合（JeSU）、https://jesu.or.jp/
30　ピート・エッチェルズ、「ゲーム障害」を過度に心配してはいけない理由、https://wired.jp/2019/06/03/video-game-addiction-facts-statistics/
31　倉田陽平、池田拓生、「Ｗｅｂと実世界とをつなぐ宝探しゲーム「ジオキャッシング」の普及と地域振興への応用可能性」、観光情報学会第４回研究発表会講演論文集、pp.23-30（2011）
32　田畑恒平、「地域活性化におけるスマートデバイス向けアプリの活用と課題」、地域活性学会第７回研究大会論文集、pp.71-74（2015）
33　保和衛、「観光ネクストステージ　スマホのゲームIngress（イングレス）を観光に活かす：岩手県庁Ingress活用研究会の活動から」、観光とまちづくり、pp.36-38（2015）
34　山田浩義、志摩憲寿、「位置情報ゲーム「Ingress」を用いた観光振興の可能性の研究―横須賀市を事例として―」、日本都市計画学会都市計画報告集pp.355-358（2016）
35　Pokémon GO Has Best Year Ever in 2019, Catching Nearly $900 Million in Player Spending https://sensortower.com/blog/pokemon-go-has-best-year-ever-in-2019-catching-nearly-900m-usd-in-player-spending
36　ポケモン取り放題！大阪の商店街、有料アイテムで集客、朝日新聞 二〇一六年七月三〇日
37　山形・米沢の小野川温泉、ポケモンＧＯで観光集客、日本経済新聞 二〇一六年八月五日
38　京都府「Pokémon GO」公認観光マップ公開　西日本初、ITmedia News 二〇一七年三月一三日

39 鳥取砂丘「ポケモン解放区」宣言 知事「広大で安全」、朝日新聞二〇一六年七月二五日
40 鳥取砂丘スナホ・ゲーム解放区宣言、https://www.pref.tottori.lg.jp/259227.htm
41 鳥取県ポケモンGOポータルサイトTottori GO、https://www.pref.tottori.lg.jp/259276.htm
42 「Pokémon GO Safari Zone in 鳥取砂丘」の参加者数及び経済効果、
https://www.pref.tottori.lg.jp/271365.htm
43 Pokémon GOと東北三県・熊本県がコラボ、観光復興の取り組みへ、
https://k-tai.watch.impress.co.jp/docs/news/1014668.html
44 宮城県、「ポケモンGO」イベントによる経済効果は約20億円、
https://game.watch.impress.co.jp/docs/news/1036094.html
45 Digital Trend Outlook 2019: Esport
https://www.pwc.de/de/technologie-medien-und-telekommunikation/digital-trend-outlook-2019-
esport.html
46 Gzブレインマーケティングセクション、「ファミ通ゲーム白書二〇一九」、KADOKAWA Game
Linkage (2019)
47 総務省情報流通行政局情報柳津振興課、eスポーツ産業に関する調査研究報告書、総務省(二〇一八)
48 「eスポーツの現状(二〇一九年九月)」、ジェトロ・ニューヨーク事務所(二〇一九)
49 一般社団法人沖縄eスポーツ連盟、https://oesp.or.jp/

50 一般社団法人沖縄ゲーム企業コンソーシアム、http://ogdc.or.jp/

51 産業情報学部産学協力会：https://www2.okiu.ac.jp/sangyojoho/

52 沖国e-sports共同プロジェクト：twitter https://twitter.com/esport2019
note https://note.mu/esports_h310331

53 OKINAWA THE WAVE gaming、https://twg.okinawa/

54 「琉熱」、https://twg.okinawa/ryunetsu2019-2020

55 「スマブラ」に熱中 沖縄市 児童、ｅスポーツ体験、琉球新報二〇二〇年一月二〇日

56 ｅスポーツ 子どもたちの心と体の活性化に
https://www.qab.co.jp/news/20200127122719.html 琉球朝日放送二〇二〇年一月二七日

57 ＩＴ津梁まつり、http://www.it-matsuri.net/

58 「ｅスポーツ五大陸白書 二〇一九～二一ヵ国の現状を五要素から徹底解剖～」、株式会社メディアクリエイト（二〇一八）

沖縄県における中心市街地活性化の現状と課題

―商業と観光の両面から―

髭白晃宜

髭白　晃宜・ひげしろ　てるき
主要学歴：中央大学大学院商学研究科博士課程後期課程単位取得退学
所属学会：社会経済史学会、日本流通学会、コンテンツツーリズム学会、ドイツ資本主義研究会、イギリス流通研究会
主要論文及び主要著書：

【論文】

①「19世紀ドイツにおける鉄道による「統合」と「地域分化」について―ドイツおよび日本における経済史・鉄道史の研究動向から」『中央大学大学院研究年報』第34号、商学研究科篇、一九―二八頁、二〇〇五年。

②「ご当地キャラクターがもたらす地域振興の可能性」『中央大学企業研究所Working Paper Series』No.36、中央大学企業研究所、二〇一五年。

【著書】

（共著）斯波照雄編著『商業と市場・都市の歴史的変遷と現状』中央大学企業研究所研究叢書29、中央大学出版部、二〇一〇年、（担当部分：第2章「19世紀ドイツにおける市場形成過程についての考察」二五―四八頁）

※役職肩書等は講座開催当時

一　はじめに

日本の商店街を取り巻く環境は日々その厳しさを増している。モータリゼーションの進展、郊外立地の大型商業施設、近隣の食品スーパーやコンビニエンス・ストアといった競合のみならず、少子高齢化による人口減少と年齢構成のいびつさ、中心市街地における居住人口の減少、後継者不足や事業承継の不調による空き店舗の増加傾向、インターネットの発達やスマートフォンの急激な普及による消費者のライフスタイルの変化や消費スタイルの多様化、とりわけモノ消費からコト消費への転換など、様々な要因によって零細の小売事業所数は年々減少している。地域によって置かれている状況はそれぞれ異なると考えられるが、今日では、いずれの地方都市においてもシャッター街化した商店街を見つけることはさほど難しいことではないだろう。

そのため、国内の多くの自治体では中心市街地活性化事業を推進し、都市の中心部にかつての賑わいを取り戻そうと奔走している。しかし、従来型の商業（中小零細小売業）活性化を前面に押し出したまちづくりはもはや限界を迎えており、魅力のあるコンテンツの体験や多世代交流の場として、物販を中心とした商業をベースに置きながらも非常に幅広い局面での活用を求められているのが、今日の商店街という場なのである。

本章では、沖縄県内におけるいくつかの商店街の現状と課題、それを解決しようとする取り組みを眺めつつ、西洋におけるまちづくりとの相違から、日本の都市発展のあり方、さらに今後の沖縄のまちづくりの方向性について考察していく。

二　商店街は誰にとって必要か

筆者が沖縄国際大学で担当している「日本流通論」および「販売管理論」という講義では、初回講義時に受講生に必ず聞く質問がある。「商店街に行ったことがあるか」という質問と「普段、どこで買い物をするか」という質問である。

ほとんどの受講生、すなわち沖縄生まれ沖縄育ちの一〇代後半～二〇代前半の若者たちは「商店街に行ったことがない」と回答し、普段の買い物は近所のスーパーマーケットもしくはコンビニエンス・ストアで済ませることが多いと回答した。この質問は、二〇一一年一〇月に実施された東京都民を対象とした商店街に関する意識調査（図表1）をもとに行ったものである。この商店街に関する意識調査は、調査対象を商店街利用者（三〇～七九歳）に限定して行われたものである点に注意しなければいけないが、注目すべき点は回答者のほとんどが「商店街はなくならないほうがよい」と考えているにもかかわらず、買い物に関してはスーパーを使うので商店街がなくなっても困らないという回答をしている点である。地域のにぎわいや地域住民間での交流の喪失、また活気がなくなって寂しくなるなどの情緒的・感情的な部分で商店街には存続してほしいと考えている人々でさえも、消費者として実際の購買を行う立場に立つとモノを購入する場として商店街は選択肢に入ることが少ないということになる。これは、そのまま商店街を知らない若者世代の消費者意識や購買行動と重なり、まさに幅広い世代にわたって見られる一般的な消費者の意識・態度と考えることができるだろう。(1)

二〇〇〇年代以降、すでに中小零細小売商の集積である商店街は、流通政策や都市計画のもとで地域住民のコミュニティの場を形成する役割を担っている。「まちづくり」や「中心市街地活性化」のさまざまな取り組みが日本全国の多くの商店街で行われている。地域に眠る観光資産の掘り起こし、各種イベントの開催、ご当地キャラクターの創造、アニメ作品と商店街のコラボ、空き店舗のリノベーション、チャレンジショップ事業、一店逸品運動、街ゼミ、コミュニティ・スペースの設置、地元大学と商店街の連携など(2)多様な取り組みが今日まで行われて、商店街はにわかに活気を取り戻しつつあるように見受けられる。

しかし、そうしたまちづくりや中心市街地活性化の

図表1：商店街に対して消費者が抱く想いと消費者ニーズの不一致

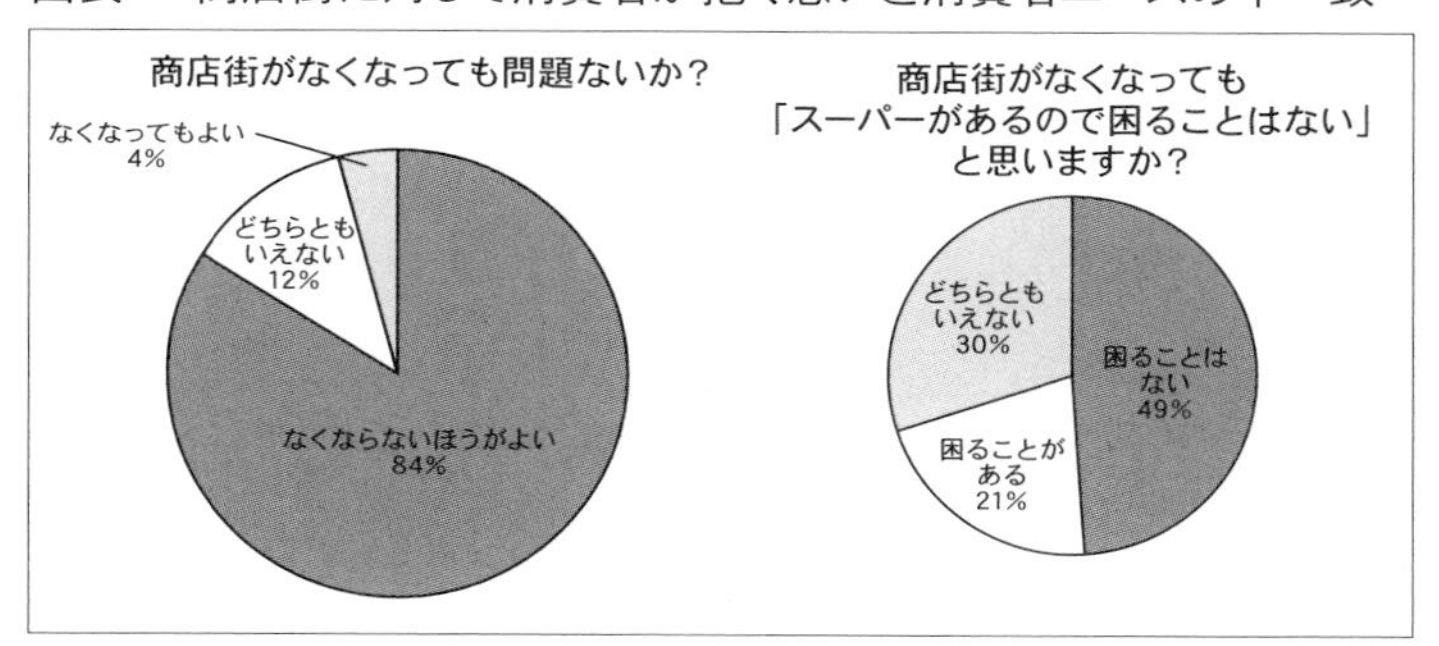

出所：『「商店街がなくなるとどうなるのか？」東京都民の意識調査結果報告書』東京都商店街振興組合連合会，2012年より作成.

ための取り組みは必ずしも消費者の購買のための場所としての機能回復につながっていない。一過性のイベント開催や憩いの場としての機能を持つことにより、確かに商店街は新たな発展の方向性を見出したように思えるが、本来の商店街が持つ購買店としての魅力向上や個々の店舗の売り上げを増加させていくことをないがしろにしては、商店街が生き残るのは困難である。まず、買い物の場として必要とされ、副次的な意味合いで地域貢献に資するあり方が商店街としてふさわしいと考えられるが、沖縄各地の商店街は果たしてその段階に至っているだろうか。

以下で、沖縄県の商業・観光の現状を踏まえて、沖縄県の中心市街地や商店街が抱える課題を明らかにしていきたい。また、沖縄県の中小小売商と地域および観光の関係性をいまいちど見直すことで、沖縄の商店街が持つ魅力・特色について考えていきたい。

三　観光実態からみる沖縄県商業の特性

沖縄県は、他府県と比較して第三次産業の割合が八五％（二〇一四年度）と非常に高く、さらに第三次産業のなかでも、観光産業がリーディングインダストリーとして沖縄県の経済成長を支えていることは周知のとおりである。

沖縄県の観光はいまや急拡大期を経て、国内外から訪れる多くの観光客を受け入れるためのハード・ソフト面の整備が急務となっている。沖縄県が「世界水準の観光リゾート地形成」を実現する

図表2：沖縄県における入域観光客数と観光収入の推移

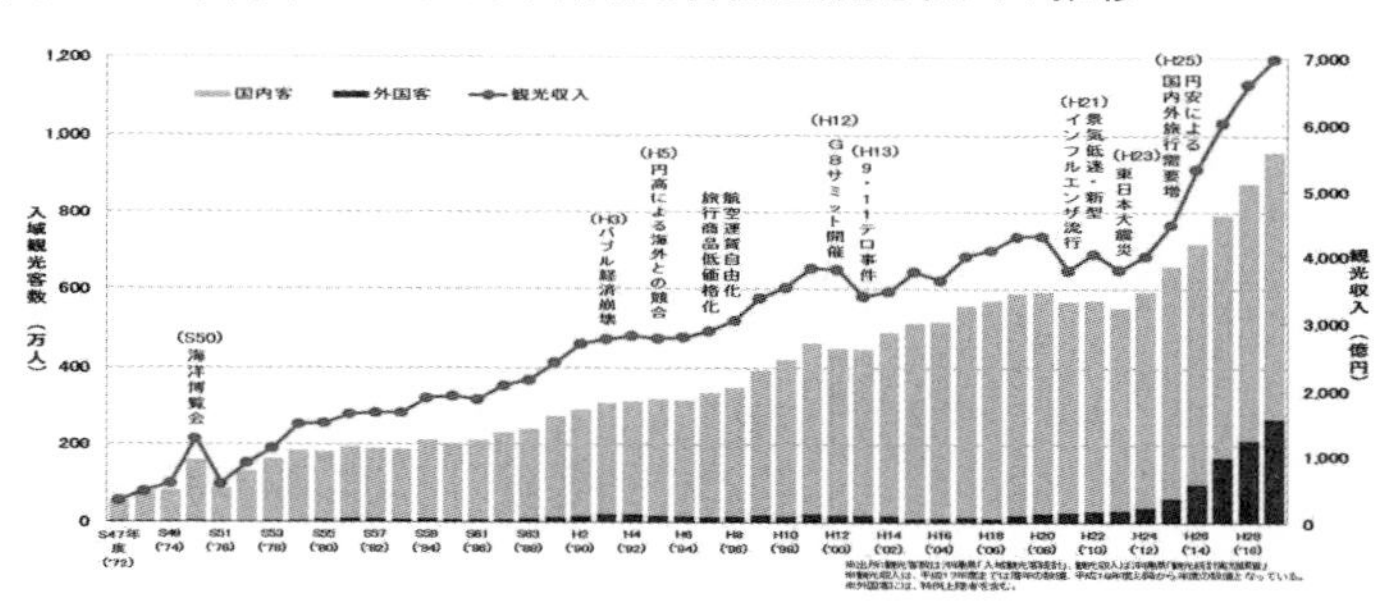

出所：沖縄県文化観光スポーツ部（2018）『沖縄観光の現状と課題』１頁.

ためには、持続的な発展を可能にする「観光の質の向上」が必要とされている。(3) それは具体的には、①入域観光客数の平準化、②観光客の滞在日数の延長、③観光客一人当たり消費額の増加、④観光インフラの充実、⑤観光人材の育成、⑥多様なニーズへのきめ細やかな対応の六点であるが、現状はどうなっているのだろうか。

観光客の滞在日数の推移（図表3）を見ると、平均滞在日数は三・六八日（二〇一七年度）となっている。リゾート型観光地としては、滞在日数の短さおよび観光客一人当たりの消費単価の低さが、沖縄県観光が長年抱える課題となっている。そのため、国内観光客・外国人観光客ともに沖縄県内での滞在日数を延長させると同時に消費単価を伸ばすための取り組み、例えば離島周遊などを中心とした富裕層向け長期滞在型リゾート需要の獲得などが求められている。

国内観光客の消費単価の推移（図表4）を見てみると、全体の観光収入が入域観光客数の増加に比例して伸びている（図表2）のに対して、一人当たりの消費単価は一〇年以上にわたり七万円前後を推移しており、大きな変化を見ることはできない。

図表3：沖縄県における観光客滞在日数の推移

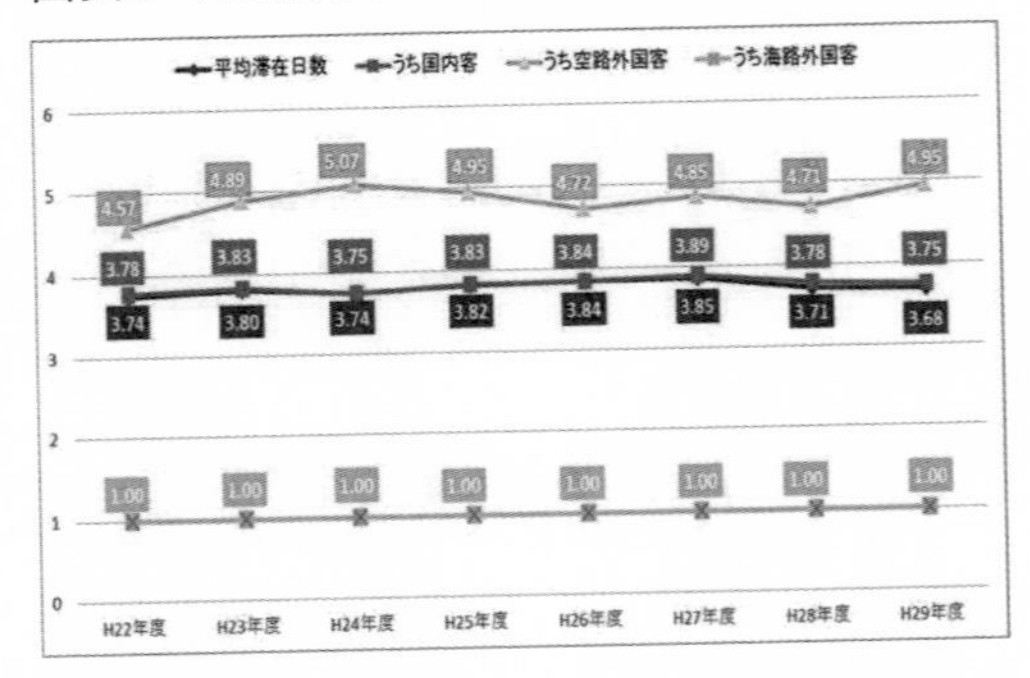

出所：沖縄県文化観光スポーツ部（2018）『沖縄観光の現状と課題』3頁.

図表4：沖縄県における観光客消費単価の推移

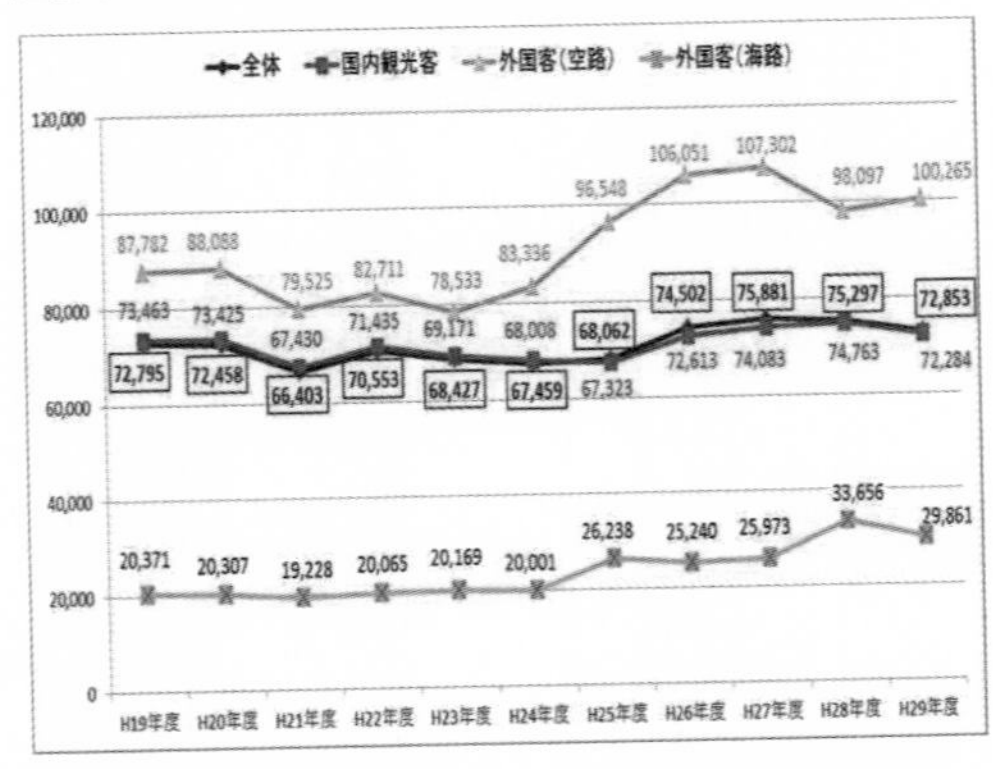

出所：沖縄県文化観光スポーツ部（2018）『沖縄観光の現状と課題』4頁.

一方で、外国人観光客の一人当たり消費単価に目を向けると、二〇一七年度は一〇〇、二六五円となっており、国内観光客と比較すると伸び率がよく、インバウンドに対応した消費環境の整備が着実に進んできていることが理解できる。

さて、観光客の交通手段としてもっとも利用されるのはタクシーである。国内観光客、外国人観光客（空路）の場合、レンタカーを利用する割合はそれぞれ約六〇％、約五〇％となっている。(4) 続いてタクシーと沖縄都市モノレールが約三〇％ずつと同程度の割合となっている。

リゾート観光地では、自由に移動できるための手段としての最適解が自動車となるため、やむをえない面はあるのだが、公共交通機関の拡充は沖縄県内でもっとも求められるべき案件である。とくに沖縄県は、商業集積のある場所への自動車の乗り入れが困難である場合が多く、そのために観光客のみならず地元客の来訪機会をも逃してしまうことが多い。とりわけ、沖縄都市モノレールの決済手段として県外交通系ICカードの相互利用への早急な対応が必要なほか、車両数の増加すなわち収容人数の増加については一刻も早い対応が必要であろう。

ここ数年で沖縄県における店舗構成が大きく変化を遂げつつあるが、なかでもドラッグストアの出店攻勢には目を見張るものがある。那覇市の国際通りやその周辺地域だけでも、二〇一五年一〇月以降のわずか二年半のあいだに、全国チェーンのドラッグストアが五軒も出店し、合計一四店舗のドラッグストアがひしめき合う状態となっている。(5)

これはおもにクルーズ船の寄港にともなうインバウンド需要に対応した出店であり、化粧品や一般用医薬品が中国・台湾・韓国の観光客を中心に売れ続けている。また、二〇一九年七月以降セブン-イレブンの沖縄進出にともない、那覇市・国際通り周辺はコンビニエンス・ストアの激戦区ともなっており、たくさんの外国人観光客がコンビニエンス・ストアを利用する光景がもはや日常のものとなっている。

沖縄県を訪れる観光客の先述のような観光行動の実態からうかがえる特徴として、以下の点が挙げられるだろう。

① 国内観光客は県中北部のリゾートホテル型観光を楽しみ、リピートする傾向がある。

② ①の理由ゆえに、国内観光客は那覇市中心市街地とリゾートホテル周辺以外は素通りしてしまい、立ち寄ることはほとんどない。

③ 国内外観光客の滞在日数減少、クルーズ船観光客の短時間滞在のために、入域観光客数の増加に比べて、観光収入全体の伸びは鈍化している。

④ 外国人観光客は、クルーズ船観光客を中心に医薬品・化粧品などの最寄品購買が目立つ。とくにクルーズ船観光客のコンビニエンス・ストアやドラッグストアの訪問割合は極めて高い。

国内観光客のリピーター率の高さ（八六・三％：平成三〇年度）は特筆すべきものがあるが、毎年のように来沖する「定着リピーター」を中心に、土産物等の買い物需要の低下を引き起こしているように考えられる。土産品は菓子類、酒類、工芸品などを中心に満足度は比較的高めではあるものの、満足度の向上と購入の増加が必ずしも結びついていない現状がうかがえる。そのため、体験型・長期滞在型の観光プランの提案などにより、サービスや飲食需要の魅力向上により物品販売の低下を補完する必要性があるだろう。

また、一方で外国人観光客については、クルーズ船観光客を中心にコンビニエンス・ストア（八五・九％）やスーパーマーケット（七四・三％）、ドラッグストア（七三・九％）でショッピングをしている割合が非常に高く、(6) 菓子類、医薬品や化粧品をはじめとした最寄品需要が極めて高いことが理解できる。

以上のことから、おもな観光目的となるリゾートホテル周辺の観光地訪問と那覇市中心市街地の周遊を除けば、中小小売商が集積する商店街の多くは、国内外の観光客から観光目的地に選定されにくい状況に置かれていることがわかるだろう。

では、沖縄県の商店街の実態はどうなっているのだろうか。以下では、特徴的な二つの中心市街地—那覇市中心市街地と沖縄市中心市街地に焦点を当てて観察と分析を試みたい。

四　那覇市中心市街地の現状と課題

沖縄県全体の商業特性を概観しておくと、飲食料品小売業の割合が約一七％ともっとも高く、事業所数、従業者数、商品販売額のいずれの項目についても全国平均より三％程度高いことがわかる。(7)

また、観光客の飲食料品小売業の利用率が高い、つまり余暇市場における外食・中食への需要が高いことに加えて、沖縄県民の外食需要から中食（弁当・惣菜や冷凍食品など）需要への転換が、飲食料品小売業に偏重した事業所構成に与える影響が大きくなっていると考えられる。これは低所得世帯の顕在化や共働き世帯の増加、加えてライフスタイルの変化や価値観の多様化との関連もあるだろう。こうした沖縄県小売業の状況を踏まえて、まずは那覇市の中心市街地の歴史と現状を観察してみよう（図表5）。

国際通りをメインストリートとする那覇市中心市街地は、かつては山形屋、ダイナハ、那覇ＯＰＡ、国際ショッピングセンター、そして沖縄三越といった百貨店や総合スーパーなど大規模小売店舗の出店が相次ぎ、まさに「奇跡の一マイル」と呼ばれる那覇市商業の中心であったが、モータリゼーションの急激な進行とイオンやサンエー、北谷のアメリカンビレッジなど郊外大型商業施設の出店が相次ぎ、那覇市内から地元顧客が流出する事態になった。国際通り全体で見ても、一九九〇年代後半には年間販売額が急激に落ち込んでいる。それが原因で国際通り周辺の大規模小売店舗は軒並み撤退を余儀なくされ、さらに那覇市中心市街地の地元顧客流出が加速するという悪循環に陥ってしまう。

現在、国際通りには四七四の店舗が存在する（二〇一八年六月現在）。県内唯一のデパート「デパートリウボウ」をはじめ、レストランや雑貨店などはもとより、ホテル、土産品店、コンビニエンス・ストア、ドラッグストアなど国内外の観光客をターゲットにした多様な店舗が存在している。国際通りはかつての生活に寄り添った商業区域としての機能を周辺部に移行させ、観光客依存型の

図表5：那覇市・国際通りの沿革

1934年	真和志村安里から泉崎まで新県道開通
1948年	アーニー・パイル国際劇場オープン
	平和通りに市場が立つ
1949年	シーツ軍政長官、那覇市を沖縄の首都にすると発表
1950年	国際大通り団結成
1952年	那覇の公設市場建設
1953年	国際大通り団を国際大通り会に改称
1954年	国際通りの開通
1955年	沖縄山形屋松尾でオープン
	平和通り、桜坂通り、市場通りをアスファルトで舗装
1956年	国際中央通り会、国際本通り会、蔡温橋通り会（現国際蔡温橋通り会）結成
1959年	那覇バスターミナル落成
1965年	那覇市庁舎完成
	国際通り、琉球政府道として認定
1969年	沖縄三越オープン
	牧志第二公設市場オープン
1972年	国際通り、県道39号線に指定
	沖縄の施政権が日本に返還され沖縄県となる
	牧志第一公設市場オープン
1973年	国際通りで、沖縄初めての歩行者天国が実施される
1975年	沖縄国際海洋博覧会開幕
1981年	国際通り、車道を狭め歩道を広げる
	平和通り、アーケードが完成
	牧志公設市場完成
1987年	一般公募で那覇市が「国際通り」を正式に愛称として決定
1990年	県庁行政棟落成式
1991年	沖縄三越、売り場面積を2倍に増やして新装開店
	久茂地再開発ビル「パレットくもじ」オープン
1999年	山形屋閉店
	マキシー倒産
2000年	国際ショッピングセンター取り壊し
2002年	トランジットマイル社会実験

出所：大久保（2003），53頁．

商店街へと様変わりした。地域住民の生活に密着した生鮮食品や総菜を取り扱う店舗は、数は多くないものの裏通りにあたる平和通りなどで営業を続けている。こうして土産品店が軒を連ねる現在の国際通りでは、沖縄らしさを感じる店舗が減少し、いわゆる「ファスト風土化[8]」した画一的・均一的な風景や消費者の購買行動がみられるようになった。このような土産品店、コンビニエンス・ストア、ドラッグストアなどには地域帰属意識の薄い商店主が多いことに原因が求められるかもしれない。

　国際通りのファスト風土化を体現する事例として、二〇一九年九月に閉店した商業施設「琉球王国市場」がある。「沖縄三越」跡にオープンした飲食や土産品を中心に展開するおもに外国人観光客をターゲットに

図表6：閉場直前の那覇市第一牧志公設市場（2019年6月撮影）

出所：筆者撮影

していた商業施設であったが、開業からわずか半年での撤退となった。コンセプトの問題、そしてマーケティングの甘さが根底にあったと考えられるが、那覇市ならではの郷土料理、泡盛、土産品など、何度でも来たくなるような思い出を観光客に提供できなかったこの商業施設を教訓に、新しい商業施設で同じ事態を繰り返すことだけは避けなければいけない。

また、同時期（二〇一九年七月）には那覇市第一牧志公設市場の建て替えにともなう仮設市場への移転が行われた（図表6）。老朽化した公設市場の移転について、売上低下の懸念や観光客の購買ルート変化による周辺商店街を含めたにぎわいの落ち込みに対する不安を述べる商店主の多さが非常に印象的であった。

観光地化へと舵をきった国際通りおよび周辺商店街であるが、とりわけ外国人観光客増加への対応としてのコンビニエンス・ストア、ドラッグストア、ホテルなどの出店攻勢は必ずしもポジティブな影響ばかりをもたらすものではないだろう。見方を変えれば、利便性・収益性重視のまちづくりを推し進めることで、那覇市ならではの個性的なまちなみを破壊してはいないだろうか。那覇市中心市街地の特色とはいったい何なのか。かつての那覇市第一牧志公設市場や周辺商店街に感じることができた沖縄ならではの「マチグワァー」のよさを改めて考える時期に来ている。

五　沖縄市中心市街地の現状と課題

続いて、コザ・一番街商店街を中心とする沖縄市中心市街地の現状に簡単ではあるが触れておきたい。

一九七四年にコザ市と美里村が合併したことで沖縄市が誕生した。沖縄県では那覇市に次ぐ約一四万人の人口を抱える沖縄市は、国際色豊かな景観資源や歴史的資源、エイサーに代表されるような文化的資源に恵まれた地域であるが、一番街商店街をはじめとしてゲート通り、パークアベニュー、銀天街などの商業集積地にはかつての賑わいは見られず、空き店舗が増え続けるという状況が長らく続いた。こうした商店街の衰退要因として考えられるのは、商店主の高齢化とそれにともなう後継者不足、事業承継の不調といった内部的要因と郊外大型商業施設の進出やコンビニエンス・ストアや外食チェーンの出店などの外部的要因がある。

沖縄市は、行政人口そのものが年々増加しているにもかかわらず、地元購買率は減少の一途をたどっている（図表7）。一番街商店街のすぐ近くには、プラザハウスショッピングセンターならびにサンエー中の町タウンという買回り品および最寄品の需要に対応できる商業施設があるが、もう

図表7：沖縄市と近隣市町における地元購買人口等の推移

	平成19年				平成22年				平成26年			
	購買人口（人）	行政人口（人）	吸引力指数	地元購買率	購買人口（人）	行政人口（人）	吸引力指数	地元購買率	購買人口（人）	行政人口（人）	吸引力指数	地元購買率
沖縄市	52,068	128,047	0.41	32.7%	47,380	130,582	0.36	27.0%	47,266	132,583	0.36	26.5%
うるま市	216,132	114,038	1.90	92.1%	236,172	115,961	2.04	92.4%	235,018	119,086	1.97	88.9%
北谷町	108,270	27,134	3.99	71.2%	82,857	27,564	3.01	77.4%	59,823	28,047	2.13	66.6%

出所：沖縄県沖縄市（2016）「沖縄市中心市街地活性化基本計画」20頁.

少し車を走らせるとイオンモール沖縄ライカム（北中城村）などの大規模商業施設に到達できる。このように沖縄市近隣の市町村には大規模なショッピングセンターだけでも七店舗が存在し、それらすべてが沖縄市中心市街地を中心に半径七.五kmのなかに収まってしまう。沖縄のクルマ社会の状況や沖縄市のコントロールの効かない他市町村との境界付近に立地する大規模小売店舗、中心市街地における駐車スペースの不足など、さまざまな要因が重なるかたちで、沖縄市外に購買人口が流出している状況が今日も続いている。

しかし、沖縄市のコザ・一番街商店街に目を向けると、ここ数年のあいだに徐々にではあるが、賑わいを取り戻しつつある現状がうかがえる。それは実際、胡屋地区商店街における営業店舗数の推移にも表れており二〇一五年には六三二店舗だったものが、二〇一七年には六九九店舗に増加している。また、同様に平日の歩行者通行量も二〇一五年の六、七九〇人から二〇一七年には八、〇九〇人まで増加している。[9] 購買人口が流出し、中心市街地の人口も減少傾向にある沖縄市で、なぜこのような現象が起こるのだろうか。こうした現象の中心には、沖縄市中心市街地での創業支援・ベンチャー支援の輪の広がりがある。つまり、起業を志す若者の受け皿としてコザ・一番街商店街は機能し始めているのである。

「Startup Lab Lagoon KOZA（旧スタートアップカフェコザ）」は、①創業相談窓口、②モノづくりの人材育成、③ＩＣＴ人材の育成という事業を柱として、沖縄市から新しいイノベーションを起こすための創業支援メニューを用意し、起業につなげる活動を行っている。コザの街が本来持っている「チャンプルー文化」の土壌を活かすかたちで、国籍もさまざまな幅広い年代が集う学びの場、そしてビジネス上の課題解決方法を受講者間の話し合いのなかからヒントを見つけるなどの講座受講者間でのコミュニティの形成が、若手創業者の意欲を向上させる環境づくりに役立っていると考えられる。このような起業・創業支援の効果は、一番街商店街やパークアベニューを中心に、空き物件をリノベーション[10]するかたちで新規事業を起こす若者を増加させるという効果も生んでいる。このようなリノベーションまちづくりの手法[11]は、沖縄市では他にも「アーケードリゾートオキナワ（ARO）」というゲストハウスや飲食店、雑貨小売などにも用いられており、コザのまち歩きや飲食の拠点として機能し、コザの魅力を多様なものにしている。

国際色豊かで、ソフトウェアの面でもエイサーやコザロック、FC琉球や琉球ゴールデンキングスなどのプロスポーツチームを有する沖縄市は、一時期の賑わいの落ち込みぶりからは立ち直りつつあるものの課題はいまだ山積している。

現在のコザの街は夜間が非常に賑やかな場所となっており、居酒屋、バー、定食屋、レストランなどで飲食を楽しむ人々が通りを行き交っている。一方で昼間の人通りは平日・休日問わず歩行者通行量は相当に少ないため、昼間でもシャッター商店街の閑散ぶりが強調され、周辺住民に暗く近寄りがたい印象与え続けている（図表8）。筆者が昼間の一番街商店街で見かけた印象的な光景がある。学校帰りの小・中・高校生たちが通学路の途上に一番街商店街があるにもかかわらず、そのほとんどが商店街のなかを歩かずに隣接する大通りを通り過ぎてしまうという光景である。これには昼間の一番街商店街の近寄りがたさに加えて、とくに一〇代の若年層に響くようなモノ・サービス・コンテンツの決定的な不足が考えられる。こどもが、そしてこどもを連れた親の世代が安心して通学中・帰宅途中に商店街内を歩くことができるようなまちづくりこそ、いまの沖縄市には求められている。

また、昨今の沖縄市は多種多様なイベントを定期的に開催しており、週末などは比較的多くの人数を集客することに成功している。しかし、折角のイベント開催であっても商店主たちの意向が食い違うことも多い。地域イベントの開催日にかかわらず週末ということで閉まっている店舗も多く、それゆえにたくさんの集客が見込めるイベントであっても、商店街内部への誘客を非

図表8：昼間の沖縄市・コザ一番街商店街（2019年5月撮影）

出所：筆者撮影

常に困難なものにしてしまっている。これでは、地域イベント自体が成功したとしても、日ごろから商店街を利用してもらうユーザー（消費者）を増やすことにはまったくつながらない。いまのコザは対外的にはイベント開催が盛んな地域もしくは夜の街として認識されているにすぎず、こうした実態・イメージを払拭させるための取り組みが急務であろう。

沖縄県民の地元愛の強さは全国的に有名であるが、沖縄市はそのなかにあって、とくに地元志向の強い地域である。地元愛を支えるチャンプルー文化やたくさんのコンテンツに恵まれていることも、沖縄市観光の非常に強い味方になる。そのため、一番街商店街はさらに地元密着型の沖縄市ならではの体験を提供できる小売業・サービス業を軸に商業活動やまちづくりを展開すべきであろうし、それぞれの店舗が中小零細であるがゆえのフットワークの軽さを活かして、店舗間の横のつながりを拡充させていく必要がある。豊富なコンテンツに恵まれた地域であるからこそ、単純に駐車場の不足を嘆くのではなく、歩いて周遊することに価値がある消費者と商店主の距離が近しい、コミュニケーションに富んだ商店街を目指すべきではないだろうか。

六　ヨーロッパ都市から学ぶまちの発展

これまで、那覇市中心市街地ならびに沖縄市中心市街地の現状と課題についてみてきたが、いずれの地域にも共通して指摘できるのは、沖縄らしさを有する特色のあるまちづくりを指向すべきという点である。このような考え方はヨーロッパ諸都市では古くから当然のように認識されており、改めて日本の都市・地域の目指すべき方向性を考えるとき、ヨーロッパ都市のあり方を知っておくことは非常に有益であろう。ここでは、日本の都市の特徴とヨーロッパ都市の特徴を比較することで、ヨーロッパ人のまちの発展に対する考え方を知ると同時に、沖縄の中心市街地の特殊性を明らかにしていきたい。

まず、日本の都市や市民の特徴について以下の点が挙げられる。

① 利便性・機能性が優先されたまちの構成である。自動車優先の道路敷設、広大な駐車場を備えた大規模商業施設の建設など。

② 都市部が郊外まで非常に広い範囲に拡大している。また、都市部にはオフィス、商店、そして住宅が混在している。

③ 全国で似通ったまちのつくりになっている。ターミナル駅前にみられる商業施設、ロータリー、ペデストリアンデッキなど。よく言えば安心感がある。悪く言えば無個性である。

④ 地元住民のまちに対する関心や愛着の低さが目立つ。自分の生まれ育ったまちの歴史を知らない。地域イベントなどに無関心を決め込む。

このように日本の都市を大雑把な枠組みで概観してみると、日本人は利便性と機能性に特化した合理的な都市形成をよしとする考え方を持っていることが見えてくるだろう。

つぎに、日本における都市の発展の定義を考えてみたい。日本の都市の多くは、限定された都市空間を大きく超えて平面的に拡大し続け、郊外も含めた広範にわたる地域が「都市」として成立している。日本では都市全体が均一的に発展することはまれで、鉄道の建設などにより、駅周辺や鉄道沿線が急激に発展を遂げるパターンが多い。しかし、本章でテーマとしているような旧来から中小小売商の集積地として機能してきた中心市街地は、いまや商業の停滞もしくは衰退状況の只中にある。それは、先述したように郊外の大規模小売店舗に顧客を奪われた結果といえるかもしれない。

日本の都市の発展、つまり平面的な拡大は、自らの利便性を追求するあまり、本来なら市民が地域のなかで果たすべき役割を忘れてさせている。それは、都市を保全するための市民の義務である。[12]例えば、地域の公共交通を拡充させるために電車やバスを日頃から利用することや、自宅近くの個店や商店街を利用し存続させていくなど、日常生活における小さな行動の積み重ねが、実は都市（中心市街地）の活性化につながるのではないか。

対して、ヨーロッパ都市や市民の特徴についてはどうだろうか。大きく以下の四点があげられるだろう。

① 市民自らが自由の確保、自治のために戦ってきた歴史がある。市民それぞれが持つ自治意識の高さが特徴的である。

② 居住しているまちの個性を住民が誇りに思う。まちに愛着があるが故に、その土地の歴史などを深く知ろうとする。

③ 綿密な都市計画が先行して行われる。地域住民の生活が優先である。歩くことが基本であり、

自動車などが通り抜けられないまちをデザインしている。

④　職住近接のコンパクトなまちの設計で、広場や公園などの共有スペースもかならず職場や住宅の近くに存在している。

ヨーロッパのまちなみの本来の姿は、市壁（城壁）に囲まれた旧市街地であり、そこでは自動車の立ち入りが禁止されている（図表9）。それは、旧来からの都市の姿を保存するための施策であり、市街地内で乗り物が使えないことに異議を唱える市民は誰一人として存在しない。ヨーロッパでは、都市の伝統や個性を犠牲にしてまで利便性や機能性を要求することはない。例えば、ドイツにはコンビニエンス・ストアに相当するような長時間営業の小売店舗はほとん

図表9：ドイツ・フランクフルトのレーマー広場（Römerberg）

出所：筆者撮影

ど存在しない。それは閉店法という営業時間に関する法律の規制によるところが大きいが、日曜日に行われる教会への礼拝や、働き方に対するヨーロッパ人の考え方などから、ドイツ人は店舗が休日に開いていないことに対して不便を感じていない。

都市や中心市街地というレベルで、利便性を重視するか個性を優先するかという問いに答えを出すことは非常に難しいが、利便性や機能性を重視するあまり特徴のない他の都市と似たような均一的なまちなみ（ファスト風土）になってしまったとしたら、ほとんどの市民は便利さを享受するだけの存在になってしまわないだろうか。どこのまちも同じ風景であれば、そこに居住する人たちが地元に対する愛着を持つことは難しくなり、まちの活性化を先導するようなリーダーの育成も非常に困難になるであろう。

昨今の働き方改革による長時間労働の是正の問題も含めて、あえて不便さを受け入れる寛容さをそれぞれの人間が持つべきであろう。そのような時代の流れがようやく日本にも来たように感じられる。そして、その不便さを楽しめる心の余裕を持つと同時に、不便さを魅力に変えられる都市や地域のありかたについて、行政に任せきりではなく、ヨーロッパ人のように住民が主体となって考え話し合うことこそが中心市街地の活性化には必要なのではないだろうか。

七　中心市街地活性化に向けた取り組みの多様化—まちと大学生

さきほどは、ヨーロッパの都市の特徴、そしてヨーロッパ人の都市に対する考え方について述べた。しかし、実際には日本人であってもまちに対して愛着心を持ち、中心市街地の活性化に対して主体的に働きかけてアクションを起こす方はたくさんいる。例えば、市役所の観光振興に携わる方々、各地域の商工会の方々、各地域の中心市街地活性化協議会の方々、まちづくりＮＰＯの方々、そして商店主など、積極的にまちに関わり、住みよいまちにしていこうという強い思いを持った方々はそれぞれの地域に数多くいらっしゃることだろう。

実際には、さらに多くの人間が商店街や中心市街地に関わる活動を行っている。その代表例のひとつが学生たちによるまちづくり活動である。昨今では大学や高校と地域商店街の連携は珍しいものではなくなった。二〇〇〇年代に入り、大学は地域貢献の重要性を強調し、大学と地域との連携の気運が高まるようになった。そして、大学と商店街との連携、さらには学生によるまちづくりへの参画が活発化するようになった。[14]

地域や商店街が抱える課題は多岐にわたる。まちづくりに若者が必要と考える地域の人々と、まちに居場所、やりがい、自身の成長を求める若者たちの双方の利害が一致することで、これまでの座学中心の教育から、実際のフィールドに飛び出して、まちづくりの実践を通して主体的に学ぶことができるようになったのである。

大学と地域、大学生と地域住民が連携・協働する形でのまちづくりの取り組みは、すでに全国各地で行われており、とくに文系学生が活動の主体になる場合は、経営やマーケティングの視点から地域経営や商店街内の空き店舗活用に関わるプロジェクトを実施することが多いようである。活動に割ける時間的制約や予算等の問題もあり、多くの学生は苦労を重ねながら、地域での活動に主体的に取り組んでいる。大学生が主体となってまちづくりに参画している事例として以下が挙げられよう。

① 東京都国立市（二〇〇三-）：一橋大学「Pro-K」(15)（コミュニティ・ビジネス）
② 和歌山県和歌山市（二〇〇五-）：和歌山大学「Cafe With」(16)（オープンカフェ）
③ 東京都豊島区巣鴨（二〇一七-）：大正大学「座・ガモール」(17)（アンテナショップ）
④ 沖縄県沖縄市（二〇一七-）：沖縄国際大学（イベント企画・実施）

ここに示した事例はあくまでごく一部であるが、実際に長年にわたって、学生たちが世代交代を重ねながら大学と地域が連携してまちづくりや中心市街地活性化について試行錯誤している①や②の事例は、学生によるまちづくりの模範的事例として参考にされることが多い。また、③のように大学が商店街と連携し一般社団法人を設立し、大学が学部学生のフィールド学習の一環として地域との連携を推し進める事例もある。

④は、沖縄国際大学産業情報学部髭白晃宜ゼミ所属の学生による沖縄市中心市街地活性化プロジェクトである。これまでに、沖縄市商業および一番街商店街の基礎的調査（二〇一七）、商店街

店舗を活用した中高生のための自習スペースの提供（二〇一八）、琉球ゴールデンキングス観戦と沖縄市一番街商店街まち歩きツアーの企画（二〇一八）、商店街アーケード内でのFC琉球パブリックビューイング（二〇一九）などを沖縄市中心市街地活性化協議会ならびにまちづくりNPOコザまち社中の協力のもとで実施してきた（図表10）。

学生によるまちづくりの事例を眺めると、いくつかの共通した企画意図があるように思われる。ひとつめは、老若男女を問わない多世代交流型まちづくりを提案している点である。ターゲットとなる顧客層の間口を広めにとり、若者とその他の世代が交流するきっかけを得られるような企画になっている。ふたつめは、来街者が商店街を歩

図表10：沖縄市・一番街商店街における沖縄国際大学鹿白ゼミの研究活動の一コマ

出所：筆者のカメラで撮影

き回る、もしくは比較的長時間滞在できる仕組みづくりに力を注いでいる点である。みっつめは、学生たち自身が商店街の商店主たちや関係者たちと積極的に交流し、自発的に信頼関係・協力関係を構築しようとする点である。これは当然のことではあるが、学生の主体的なまちづくり活動となれば、商店街における円滑な人間関係の構築は必要不可欠であり、それを成すために足繁く商店街に通うようになっている。

学生たちにとっての商店街は、もはや単なる商業集積の場としての意味を超えて、自らの学び・成長・自己実現の場としての意味を多分に含んでいる。まちづくり活動を通じて、若者が地域に関心を寄せ、地元に愛着を感じるようになれば、自然と地域活性化を先導するリーダーとしての素養を身につけることができるようになる。

また、多世代交流の受け皿として商店街が機能していることを、学生たち自身がまちづくり活動を介して理解していることだろう。もちろん学生たちだけでこうした活動は為しえない。商店街を支える関係者の協力があってこそ、彼ら彼女らの活動は成立することを忘れてはならない。

学生によるまちづくりは一朝一夕にできるものではない。教育機関サイドが学生を地域へ送り込みやすい仕組みづくりを行う。そして、自治体や商工会サイドで学生を受け入れやすくするための仕組みづくりを準備する。その双方がうまく機能することで、より効果的なまちづくり活動の実施や中心市街地活性化のアイデアを実現することが可能になってくるだろう。

八　おわりに

本章では、那覇市中心市街地および沖縄市中心市街地の現状と課題を概観し、ヨーロッパ都市との比較から都市の魅力について考察を行った。また、近年盛んに行われるようになった学生によるまちづくりへの取り組みをみることで、商店街や中心市街地が単なる商業集積の場を超えて、若者たちの自己実現の場として機能しつつある現状を確認してきた。これまで確認してきたまちづくり・中心市街地活性化の現状を踏まえて、商店街は今後どのような方向に発展の舵を切るべきかについて最後に考えてみたい。

先述したように、利便性の高いまちをつくることが必ずしも中心市街地の活性化につながるとは限らない。まちの個性や魅力が喪失してしまうことで、そこに居住する人々の地域に対する愛着や関心まで奪ってしまいかねないからである。沖縄県の中心市街地の場合は、魅力にあふれたコンテンツをたくさん抱えながらも、それを活かしきれていない現状がある。その原因のひとつには過度なモータリゼーションの進行による交通機能不全があり、それに起因する中心市街地へのアクセスの劣悪性が挙げられるだろう。沖縄県の中心市街地が抱える交通面の課題として、①慢性的な交通渋滞、②公共交通（とくにバス）の定時制確保が困難である点、③快適な歩行空間の未整備、④中心市街地の徒歩による回遊性向上への無配慮などがあり、沖縄らしいゆったりとした空気や景色、美味しい食事を楽しむための余裕が観光客や地元客から奪われてしまい、単なる土産品や最寄品を買う場としてしか中心市街地が機能していない点は残念であるといわざるを得ない。

では、具体的に商店街・中心市街地を活性化させるためには何を考え、どのような行動を起こしていく必要があるのだろうか。以下にまちを活性化させるためのヒントとしていくつかの点を挙げたい。

① 住みよい環境をつくることで、地域消費の拡大を目指すこと。これは、購買の利便性にとどまらず、雇用や子育て、医療福祉といった面でも地元顧客による消費活動を活発化させる施策が行われる必要性があることを意味している。

② 商店街来街者の滞在時間の延長と回遊性の増加を目指すこと。これは、早期のクルマ社会からの脱却を目標とすると同時に、歩いて楽しいまちづくりを行う必要性を訴えるものである。とくに「歩く、見る、休む、食す」という地域ならではの体験を提供することで、自然と来街者の滞在時間は伸びていくものと考えられる。

③ 観光客へのおもてなしの方法やリピーター獲得のための方策を熟慮すること。訪問してくれた観光客に対してその地域ができる最大のおもてなしとは何だろうか。自分のまちが誇れる部分を見つけて、観光客が繰り返し訪問してくれるような素晴らしい思い出を提供できるようにする必要がある。

④ イノベーションを起こすための新しい挑戦を継続して行うこと。まちにとって現状維持や停滞は衰退の第一歩となる。時流を意識した新しい挑戦を継続的に行うことで、地域の中には常

に新しい風が吹くことになる。

⑤ 多様な考えを受容できる寛容さを有する場であること。創業支援や学生と地域の連携を通じて、これまで以上に若者たちが商店街で活躍することが予想される。その際に必要となるスペースの提供や資金の融資など、やる気のある若者たちが地域に参加しやすくなる仕組みをつくりあげる必要がある。

しかし、まちづくりや中心市街地の活性化を考えるにあたって、もっとも大切なことは、まちや商店街がやる気のある商店主や地域で活躍したいと考える人々にとって楽しく参加できる場所であることではないだろうか。愛着が持てる場所。住民として誇りを持てる場所。何か楽しいことができそうな場所。実はそうしたポジティブで前向きな気持ちこそが、地域に多くの人を惹きつける最大の魅力になると筆者は確信している。

【注】

(1) 満薗（二〇一五）一二六―一二八頁。

(2) 中小企業庁（二〇一八）『はばたく商店街30選』などに詳細な事例が掲載されている。
https://www.chusho.meti.go.jp/keiei/sapoin/monozukuri300sha/2018/bunya/syoutengaibassui_menu2018.html

(3) 沖縄県文化観光スポーツ部（二〇一八）『沖縄観光の現状と課題』三頁。

(4) 沖縄県文化観光スポーツ部（二〇一八）『平成二九年度観光統計実態調査【概要版】』五頁、同（二〇一八）『沖縄観光の現状と課題』六頁。

(5) 沖縄タイムス＋プラス「沖縄・国際通りがすごいことに…止まらないドラッグストア出店、14店競う」二〇一八年五月六日、https://www.okinawatimes.co.jp/articles/-/247275（最終閲覧日：二〇一九年一一月一〇日）

(6) 沖縄県文化観光スポーツ部（二〇一九）『平成30年度外国人観光客実態調査概要報告』一一頁。

(7) 沖縄県企画部統計課（二〇一四）『平成26年商業統計調査（沖縄県確報）』https://www.pref.okinawa.jp/toukeika/inder/26/k/table.html

(8) ファスト風土化とは、三浦展が論じた日本の郊外化の進展による日本の風景の画一化、地域の独自性の喪失が進行するさまを表現した概念。詳細は三浦展（二〇〇四）『ファスト風土化する日本―郊外化とその病理』洋泉社を参照されたい。

(9) #SHIFT by ITMediaビジネスONLINE「沖縄・コザの街のシャッターが少しずつ開き始めている理由」二〇一八年八月一四日、https://www.itmedia.co.jp/business/articles/1808/14/news025.html（最終閲覧日：二〇一九年一一月一二日）

(10) 通常の建物解体・撤去・新築といったプロセスと比較して、スピード感があり、コスト削減と高付加価値・高収益性を実現できる点が特徴的である建物の修復方法のひとつである。そのため原状回復を意味する「リフォーム」とは異なる。

(11) リノベーションまちづくりとは、いまあるものを活かし、新しい使い方をして街を変えることで、複数の都市・地域経営課題を同時に解決しようとするまちづくりのこと。家賃相場が低下傾向にある地方都市中心市街区での新築物件への投資はコストがかかりすぎるため、リノベーションを活用する事業者は増加傾向にある。

(12) 斯波（二〇一五）、一〇三―一〇四頁。

(13) ドイツでは一九〇〇年にドイツ帝国で閉店法が施行され、戦後一九五七年に旧西ドイツで同法が施行されている。閉店法が導入された背景には、①宗教的・文化的側面から、キリスト教の安息日の習慣を保護する目的、②労働者保護の観点から長時間労働を防ぐ目的、③大規模小売事業者に営業時間を延長させないことで、小規模小売事業者を保護する目的の三点がある。

(14) 石原・渡辺（二〇一八）、二二三頁。

(15) 一橋大学の学生たちを中心に構成されたまちづくりサークル、国立市富士見台で店舗経営やイベント企画などを実施している。詳細については以下を参照されたい。https://twitter.com/prok_shinkan

(16) 和歌山大学経済学部足立基浩ゼミの学生が、和歌山市ぶらくり丁商店街内で経営するカフェ。詳細については以下を参照されたい。https://twitter.com/cafe_with

(17) 大正大学の学生が企画運営するアンテナショップである。詳細については以下を参照されたい。http://thegamall.shop/index.html

【参考文献】

石原武政（二〇〇〇）『まちづくりの中の小売業』有斐閣。

石原武政・渡辺達朗編著（二〇一八）『小売業起点のまちづくり』碩学舎。

大久保圭（二〇〇三）「那覇市国際通りニライカナイプラン～沖縄文化の視点からの街づくり～」高知工科大学大学院。

斯波照雄（二〇一五）『西洋の都市と日本の都市　どこが違うのか―比較都市史入門』学文社。

斯波照雄（二〇一八）『西洋都市社会史―ドイツ・ヨーロッパ温故知新の旅』学文社。

髭白晃宜（二〇一七）「ヨーロッパ都市から考える地域公共交通とまちづくり」『中央評論』四六―五四頁、中央大学出版部。

三浦展（二〇〇四）『ファスト風土化する日本―郊外化とその病理』洋泉社。

満薗勇（二〇一五）『商店街はいま必要なのか　「日本型流通」の近現代史』講談社。

【参考資料】

沖縄県沖縄市（二〇一八）「沖縄市中心市街地活性化基本計画」
https://www.city.okinawa.okinawa.jp/shisei/1284/1288

沖縄県企画部統計課（二〇一四）『平成26年商業統計調査（沖縄県確報）』
https://www.pref.okinawa.jp/toukeika/inder/26/k/table.html

沖縄県文化観光スポーツ部（二〇一八）『沖縄観光の現状と課題』
https://www.pref.okinawa.lg.jp/site/bunka-sports/kankoseisaku/kikaku/documents/sankou.pdf
沖縄県文化観光スポーツ部（二〇一八）『平成29年度観光統計実態調査【概要版】』
https://www.pref.okinawa.jp/site/bunka-sports/kankoseisaku/kikaku/report/tourism_statistic_report/documents/h29_tourism-statistic-report-review.pdf
沖縄県文化観光スポーツ部（二〇一九）『平成30年度外国人観光客実態調査概要報告』
https://www.pref.okinawa.jp/site/bunka-sports/kankoseisaku/kikaku/report/inbound_survey_report/documents/20190719_h30_foreign_tourism_statistic_report_review.pdf
中小企業庁（二〇一八）『はばたく商店街30選』
https://www.chusho.meti.go.jp/keiei/sapoin/monozukuri300 sha/zenbun/2018habataku.pdf

タイの近代的小売業の発展における
セブンイレブンのビジネス展開

原田優也

原田　優也・はらだ　ゆうや

所属：産業情報学部　企業システム学科

主要学歴：国際基督教大学大学院行政学研究科博士課程修了。東京国際大学大学院国際関係学研究科修士課程修了。

所属学会：消費者行動研究学会、日本中小企業学会、日本タイ学会など

主要論文及び主要著書：《観光立国（県）における観光政策と産業振興の動向》「カジノ観光産業とフィリピン財政」『産業情報論集』４⑵、七九—九五頁、共著、沖縄国際大学、二〇〇八

《マーケティング・マネジメントによる観光振興事業》「フィリピンにおける格安航空会社の動向と展望：持続的な成長にむけた企業戦略、ビジネス機会と脅威を中心に（TRENDS AND DEVELOPMENTS OF LOW COST CARRIERS (LCCs) IN THE PHILIPPINES: Opportunities, Threats, and Strategies for Growth and Survival）『産業総合研究』第 23 号、一—一二七頁、共著、二〇一五

《統合型リゾート（Integrated Resort）の先進地調査》「シアトル・カジノの視察報告書（ゲーミング産業と沖縄観光）」『産業総合研究調査報告書』第20号、三—一〇頁、総合研究機構産業総合研究所、二〇一二

《海外技術移転と地域産業振興》「Management Behavior of Turnaround Companies in the West and East Asia（再生企業のマネジメント—欧米とアジア企業の比較研究 一）」『産業情報論集』２⑴、二一—三四頁、沖縄国際大学、二〇〇六

《地域マーケティング》「アジア新中間層における日本エンターテインメントの消費行動」『産業情報への招待—経営・観光・情報・経済、多彩な視点から学ぶ—』、共著、編集工房東洋企画、一六九—一八七頁、二〇一六

※役職肩書等は講座開催当時

一　はじめに

本稿は二〇一九年六月二二日（土）に開催した沖縄国際大学公開講座の内容（テーマ：アジア市場における日本型コンビニの適応化戦略〜なぜセブンイレブンがタイのコンビニ市場で一万店を突破したのか〜）を一部修正し、まとめたものである。タイのセブンイレブンを事例に取り上げ、セブンイレブンがタイのコンビニ市場で店舗数一万を突破するほど事業成長できたのかを概説する。

人口七、〇〇〇万人近くを有し、一人当たりGDPがシンガポールやマレーシアに次ぐタイは、東南アジアの中でも小売業展開に魅力的な市場であり、欧米や日本の小売流通業者からの投資が集中する。小売産業規模は国の経済活動の盛衰を示す重要な指標である。地域の消費者が国の将来に希望を持てる状況では、消費が活発化し市場は活況を呈する傾向があることから、国の経済成長と密接に関係する。小売ビジネスの拡大は、開発途上国と先進国の双方にとり主要な経済指標の一つに位置付けられる。タイ国家経済社会開発局（ＮＥＳＤＢ）によると、タイの産業規模は小売セクターが二・二兆円（近代的小売四〇％、伝統的小売六〇％）であり、小売セクターは製造セクター（二七・四％）に続く第二位の規模である。かつては、タイの小売セクターの売上は、問屋や仲介業者から商品を仕入れる零細企業が多くを占めていた（写真1）。市場には数多くの仲介事業者がいるものの、個々の小売業者は交渉力が弱く、特に零細企業の仕入れ交渉力は弱い。価格、品質、サービスは仲介業者により異なることから、仕入れ先毎の交渉が必要となるため、小売店主は仲介業者の提示した取引内容に甘んじるケースがほとんどである。

近年の流れとして、パパママ・ストアなどの伝統的な小零細小売業者は、近代的な店舗を構えるようになっている。例を挙げると、コンビニエンス・ストア（セブンイレブンやファミリーマートなど）、専門店（UNIQLOなど）、ハイパーマーケットストア（TESCO Lotus, Big C, Carrefourなど）、スーパーマーケット（Tops、Foodland、Lotus expressなど）、カテゴリーキラー（IKEA, Home Proなど）、百貨店（The Mall, Centralなど）などの近代的な小売業である。情報ネットワークの技術発展や積極的なセールスプロモーションに特徴づけられる近代的小売様式の急速な拡大は、価格戦略やターゲットとする消費者のセグメンテーションによる価格戦略や宣伝広告活動の展開を伴うものであり、新しいスタイルの小売店舗は新しいライフスタイルによく合致することから、地域の消費者や海外からの観光客は近代的小売様式を支持するようになった。このようにして、タイにおいて近代的小売様式が急速に拡大した。

タイ国内においてコンビニエンス・ストアは、近代的小売業の中で四六％以上の市場シェアを占める（Thai retail Association, 二〇一七）。チャロン・ポカパン・グループ（CPグループ）が一九八九年にパッポン通りにセブンイレブン第一号店を開店した後、様々なマーケティング活動を展開した。地元ニーズに合わせるための販売促進活動、店舗運営、人材育成などを実施し、セブンイレブンのブランド認知向上を図った。現在、セブンイレブンはタイのコンビニ市場の六二.八％占める（CP All Annual Report, 二〇一八年）。

写真１　伝統的小売業

A：路地の販売

B：伝統的小売業および移動屋台

C：玩具の移動販売

D：食べ物の販売店

E：洋服の販売

F：地元産煮魚

出所：AからFの写真は筆者撮影（2019年11月）

二　タイ小売業市場における近代的小売の発展段階

近代的小売の発展段階における初期は、一九六〇年代後半にバンコクに進出した日本の百貨店に始まる。[(1)] 外国資本参加による百貨店第一号は「大丸百貨店」であり、一九六四年にバンコク店を開業した。大丸百貨店はエスカレーターや空調設備を備えた近代的な商業施設であり、近代的小売業を象徴する存在としてブランドイメージを築き、同時期に百貨店を営んでいた華僑系財閥のセントラル・デパートメントストアと差別化が図られた。

セントラル・デパートメントストアは、タイの中間層や上流階層に向けに高品質で高価な商品を提供する伝統的な小売業者の一つの発展型である。この段階では、百貨店一店舗に投じる資本は、一〇〇万から五〇〇〇万バーツ（一九六四年当時の為替は一ドル＝約二〇バーツ）である(Krungsi Research, 二〇一六)。当時のバンコクには高品質な商品への需要が高く、バンコクや周辺地域に百貨店の開店が相次いだ。大丸百貨店とセントラル・デパートメントストアは中間層から上流階層をターゲットに競い合った。店舗内にスーパーマーケットのコンセプトを導入し、ブランドネームのある商品を高価格で提供し、優れたサービスを強みとした。百貨店の新しい店舗コンセプトは、バンコクから郊外、そして地方都市へと拡散した。

二桁に上る高いGDP成長率を誇った一九八〇年代後半には、タイ政府はキャピタルコントロールの引き上げや本国への経常収支の資金回帰の自由化など各種の金融規制緩和策を打ち出した。このような金融規制の自由化はタイ企業がオフショア市場で資金獲得することを容易にし、タイ資本だけでなく海外投資による事業展開がタイ国内で活発化することに繋がった。多くの近代的小売ビジネスに対してタイ国内や海外投資家による多額の資金投入が投下され、近代的な小売りのノウハウがタイの小売業界に移転されることとなった。例えば、Makro（国際的なセルフサービス式のキャッシュ&キャリー）は一九八九年に開店、百貨店では一九八九年に伊勢丹、一九九三年にSeri Center、一九九四年にSeacon Square、一九九五年にFuture Park Rangsitが相次いで開店し、コンビニエンス・ストア業界では一九八九年にセブンイレブン、一九九二年にファミリーマートが開店した(Krungsri Research, 二〇一六)。近代的な小売りの急速な広がりは、タイの近代的な小売業発展の第二段階に突入したことを示すものである。しかしながら、近代的な小売への過剰な投資はタイ経済の通貨危機発生により、債務超過に陥り、タイの近代的な小売ビジネスが海外流通企業へ売却される事態を招いた。

一九九七年の通貨危機では、タイ政府はビジネス規制を改定し、外国企業による所有資本を五〇％以上まで引き上げた。これにより、Casino Guichard-Perrachon（仏）など欧州の巨大小売企業が、タイの近代的小売業を次々に買収した。一九九九年にBig C、二〇一〇年にCarrefourが買収された。イギリス発のTescoはＣＰグループのLotusスーパーセンターの資本比率を九八％へ引き上げ、TESCO-LOTUSへと店舗ブランドを変更した。また、オランダ発のＳＨＶホールディングスはMakro資本の九〇%を所有した。タイのハイパーマーケットやディスカウント・ストアは、その多くがグローバル展開する欧州の大手小売企業の傘下に入った。タイ市場に参入した欧州の小売企業はビジネス拡大に積極的であった。フランチャイズ制度の販売や買収合併などにより、郊外への支店拡張を進め、事業を拡大していった。Big C (Casino group)は二〇一〇年にCarrefourと合併、TOPs（タイ資本のセントラルグループが運営するコンビニエンス・ストア）は二〇一二年にファミリーマート（日系コンビニエンス・ストア）と合併、セブンイレブン（CP ALL）は二〇一三年にMakro（SHBホールディングス）を買収、108 Shop（TCCグループのコンビニエンス・ストア）は二〇一三年にLawsonと合併した。

タイの近代的な小売市場の発展は、近代的な小売業者による「店舗展開」に代表される。小売業者は競合他社との競争が激化する中で売上拡大を目指し、新たに店舗を開店させ、店舗運営に必要なテクノロジーや施設の近代化を重点的に行った。さらに、近代的な小売業者（表1）はタイ国内における競争をさけるために、小売りビジネスのモデルを海外市場へと拡張した。ドイツ、デンマーク、イタリア、ベトナム、マレーシアで百貨店を新規出店している。さらに、小売業者の中にはコンビニエンス・ストアのコンセプトを本国に導入し、ベトナム、ラオス、中国などで海外店舗を開店させる動きもある。

表１　タイにおける近代的な小売店舗の形態

	百貨店	ハイパーマーケット/スーパー センター/ディスカウントストア	キャッシュ＆キャリー	スーパーマーケット	コンビニエンス・ストア	専門店
製品カテゴリー	various: fashionable, high quality/guarantee Imported products	offer wide range of products and brands, consumer goods, basic quality	variety, middle quality goods	mainly offers food items, consumer goods, fresh foods along with non-food	消費財,調理済み食品,インスタント食品,小さいサイズの日用品など	personal care products, own brand
標的市場	middle-upper	lower-middle	Small retailers, customers who buy in bulk	middle-upper	利便性を最優先する人	middle-upper
サプライヤー	domestic, foreign, brand name	Domestic	Domestic, foreign	domestic	国内	domestic, foreign
在庫日数	60-90 days	30-45 days	1 month	10-15 days	15-20 日	30 days and 7 months for import stuff
価格	High price	low price/ wholesale price	wholesale price	mixed pricing	定価（高価格）	similar level to department store
販売促進	TV, CM, Magazines, Membership card, credit cards,	membership card, credit cards, aggressive expansion &frequent discounts	membership card, aggressive expansion of outlets and discounts	membership card, Promotions and discounts	TVCM, クレジットカード, キャラクタースタンプ	membership card, Discount
キープレーヤー	Central, The Mall, Robinson	Tesco Lotus, Big C	Makro, Carrefour	Tops, Home Fresh Mart, Foodland	セブンイレブン、ファミリマート、ローソン108	Watson, Boots, Supersports

出所：Krungsri Research (2017)、TDRI(2017)より筆者作成

三　なぜ、タイのセブンイレブンは一万店舗を突破したのか

この節では、近代的なコンビニエンス・ストアの伝統的な小売業者に対する競争優位性について説明する。具体的には、セブンイレブンの店舗経営に関するビジネスモデルや伝統的小売業者に対する競争優位性について概説し、セブンイレブンがタイの小売セクターでどのように成功を収めたのかを明らかにする。

1　伝統的小売の諸問題への対応

一九八九年のセブンイレブン開店当初は、夜勤の勤労者やビジネスマンを主な客層としていたが、近年は、幅広い年齢層向けに商品・サービスを提供している。一九九〇年代後半から、タイの地方においても、近代的なコンビニエンス・ストア（セブンイレブンやファミリーマートなど）の業態が認知されるようになり、伝統的小売で経験していた不衛生、公平性を欠く価格設定、低品質などの問題を解決してくれる新たな小売として受け入れられた。現在提供される商品やサービスを表二に示す。セブンイレブンは、ワンストップとなる店舗形成を目指し、あらゆる種類の商品とサービス提供を進めており、都市部のみならず地方においてもタイ人の日常生活を支える拠点となっている。

表２　セブンイレブン提供の主な商品・サービス

商　　品：	●弁当、スナック菓子、デザート、サンドイッチ、パン類、インスタント食品、レトルト商品、ホットフード（フライドチキンや点心など）といった食品をメインに販売。 ●暖かい／冷たい飲み物（水、スポーツドリンク、ソフトドリンク、牛乳、栄養ドリンク類）、アルコールを扱い、季節や売れ行きにより品揃えを変更。 ●日用雑貨類では、スキンケア用品や化粧品、バッテリー、ＣＤｓやテープ、傘、新聞・雑誌（宗教儀礼に関するものが主）、日本の漫画などを提供。 ●日本と異なり、トイレやごみ箱の設置はない。
サービス：	●ATM、各種サービスの予約端末を設置。外国のクレジットカードやデビットカードに対応。スポートイベントやコンサート、テーマパークなどのチケット予約、高速バスなどの予約が可能（基本的に英語非対応）。 ●光熱費や通信費、保険など各種支払いサービス。 ●体重計を設置し測定サービスを提供。また、レンタサイクル、eXta Plusの名で薬局サービス、EVパーキング、セルフ・チェックアウトなどの多様なサービスを提供。 ●入国管理局のビザ延長の手数料の支払い代行サービス ●銀行業務代行（預金・引き出す）サービス

出所：現地調査（2018年11月22日～27日）より、筆者作成

2　「セブンイレブン」型ビジネスモデルの導入

Naris Thamkuekoo氏（二〇一四年当時、CP ALLのアシスタント・マネージング・ダイレクター）は、セブンイレブンの店舗運営に関するビジネスモデルの骨格について図1のように説明している。コンビニエンス・ストアのビジネスモデルの中で最も重要な点は、「フロントライン」と「バックオフィス」の二つであり、店舗が消費者グループとの対面を促進する役割を有する。セブンイレブンの店舗運営を効率的に行うため、利用客対応を担当する「フロントライン」と商品やサービスの購入・配送・店舗内在庫管理・商品選択・迅速な対応を可能にする情報交換などを担当する「バックオフィス」の二つの部署を各店舗が有する。

バックオフィス：ネットワーク技術、輸送、夜間配送、在庫管理を担う。商品メーカーのほとんどが自社の商品を大量に小売業者へ出荷していたことから、伝統的な小売業者は商品をストックするための十分なスペースが必

図1　タイ・セブンイレブンのビジネスモデル

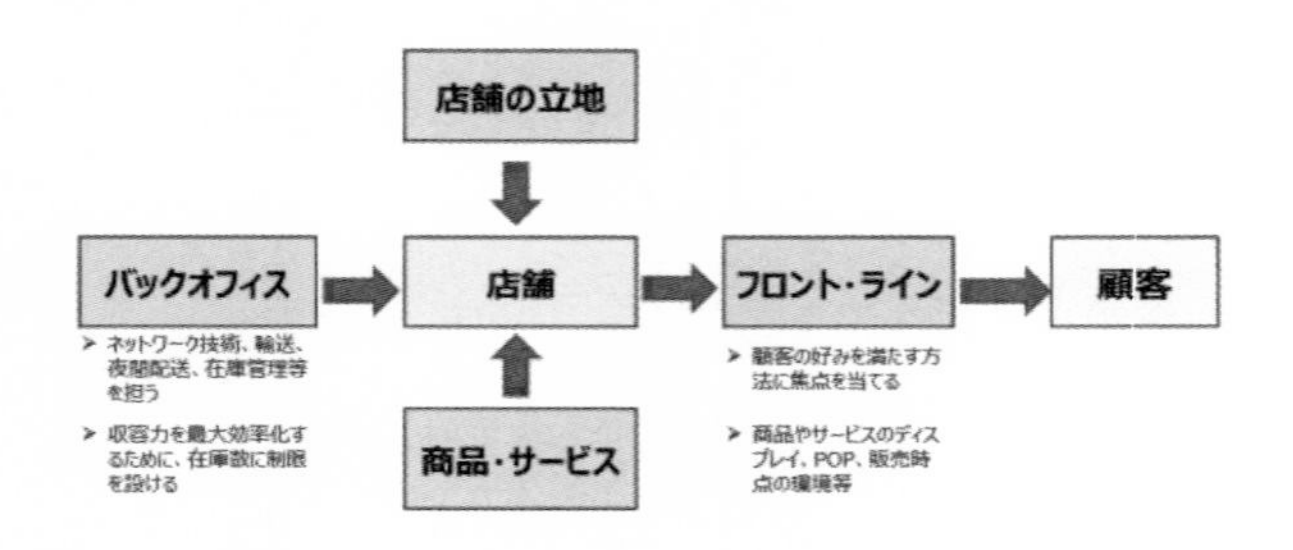

出所：MGR Online (2014)
（2014年3月17日配信、2017年10月12日閲覧）より、筆者が一部修正

要であった。しかし、コンビニ店舗では在庫スペースを十分に確保できないため、収容力を最大効率化するために、在庫数に制限を設ける。

フロントライン：見込みのあるコンビニの利用者に関する一連のビジネス活動である。例えば、商品やサービスのディスプレイ、商品購入時点でのプロモーション活動、販売時点の環境、消費者の好みに合った商品のパッケージングなどが含まれる。

バックオフィスとフロントラインに加えて、コンビニエンス・ストアの立地や商品やサービスの種類は見込みのある消費者が来店するための重要な要素となる。最適な流通システムを整備しており、セブンイレブンは品質の良い商品を妥当な価格で供給することを可能にしている。

3　新しい商品戦略「二：八の法則」

一日に二店舗以上の開店ペースを保つ新規店舗数の拡大路線により、セブンイレブンは新製品やサービスを店舗に導入することで販売量を維持している。各商品がプロダクト・ライフサイクルの過程に従い成長し成熟するにつれて、多くの顧客は徐々にその商品に飽きてしまい、販売量の減少に至る。販売量低下段階の問題を解決するために、各店舗への新商品の導入を打ち出している。新商品は顧客の店舗利用を促進し、店舗の販売数増加につながるためである。セブンイレブンの店舗では新商品の導入と同時に、人気のない既存商品を店頭から取り下げる。通常、セブンイレブンでは一店舗につき平均して二二〇〇種類の商品を扱う。店員は週ごとに約五〇種類の商品、月ベースで約二〇〇種類の商品を店頭から取り下げる。各店舗は既存商品を取り下げた種類の数と同じだけの新商品を投入することから、全取扱商品の約一〇%にあたる商品が毎月入れ替わる。一〇か月で約二〇〇〇種類の商品入れ替えが行われる計算である。商品の入れ替をめぐり各店舗は難しい判断を行っている。競合相手の新商品導入、経済動向、地域の消費者の好みや人気など様々な要素を考慮しなければならないからである。

各店舗は顧客全体の二割である優良顧客が売上の八割をあげていると考える「パレートの法則(二:八の法則)」に基づき、統計的な方法で各店舗の品ぞろえ最適化を実施する。セブンイレブンの店舗では既存商品のスクリーニングを実施し、取扱商品をA、B、Cの三ランクに振り分ける。Aランクは最も高い販売量を誇る商品であり、Bランクは中間の販売量、Cランクは販売量低迷と区分される。セブンイレブン独自の購入時点販売管理システムにより日単位で全取扱商品の販売記録がとられ、販売量から取り下げる商品が自動的に判別される。

タイの伝統的な小売業者と比較し、近代的なコンビニエンス・ストアは商品販売量の把握に関する優れた情報技術を有するため、商品と購買動向に関する情報へのアクセスがしやすく、また、日・時間単位で消費者ニーズの変化に対応することが可能である。月ベースで約二〇〇〇種類の商品入れ替えは、伝統的な小売店舗にはないコンビニエンス・ストア独自の来店誘発である。さらに、「パレートの法則」に従い、Cランクに分類された人気のない商品の陳列による販売機会ロスを最小限に抑え、販売量の高いAランクの商品を増加させ利益の最大化を図る。このような販売管理システムにより、近代的なコンビニエンス・ストアのオーナーは、店舗ごとに、不人気な商品のための在庫スペース最小化と人気の高い商品の販売量増加を実行することが可能である。

4　近代的管理による流通システムの導入：サプライ・チェーン・マネジメント

タイの近代的なコンビニエンス・ストアが有するもう一つの成功の鍵は、店舗の積極的な展開を後押しし、顧客ニーズへの迅速な対応を可能にするサプライ・チェーン・マネジメントの導入である。図2に示すように、セブンイレブンはサプライヤーの商品をコンビニ各店舗へ効率的に配送する流通センターを新たに設置し、情報システムを統括する。セブンイレブンでは短時間で生鮮食品や品質を保った商品を配送可能にし、流通システム全体における在庫や物流にかかるコストを削減するために、複数の流通センターを設置する。この流通方法では、サプライヤーは自社の商品を扱う各店舗へ直に卸す必要がなく、セブンイレブンの流通センターへ出荷す

図２　コンビニエンス・ストアのサプライ・チェーン

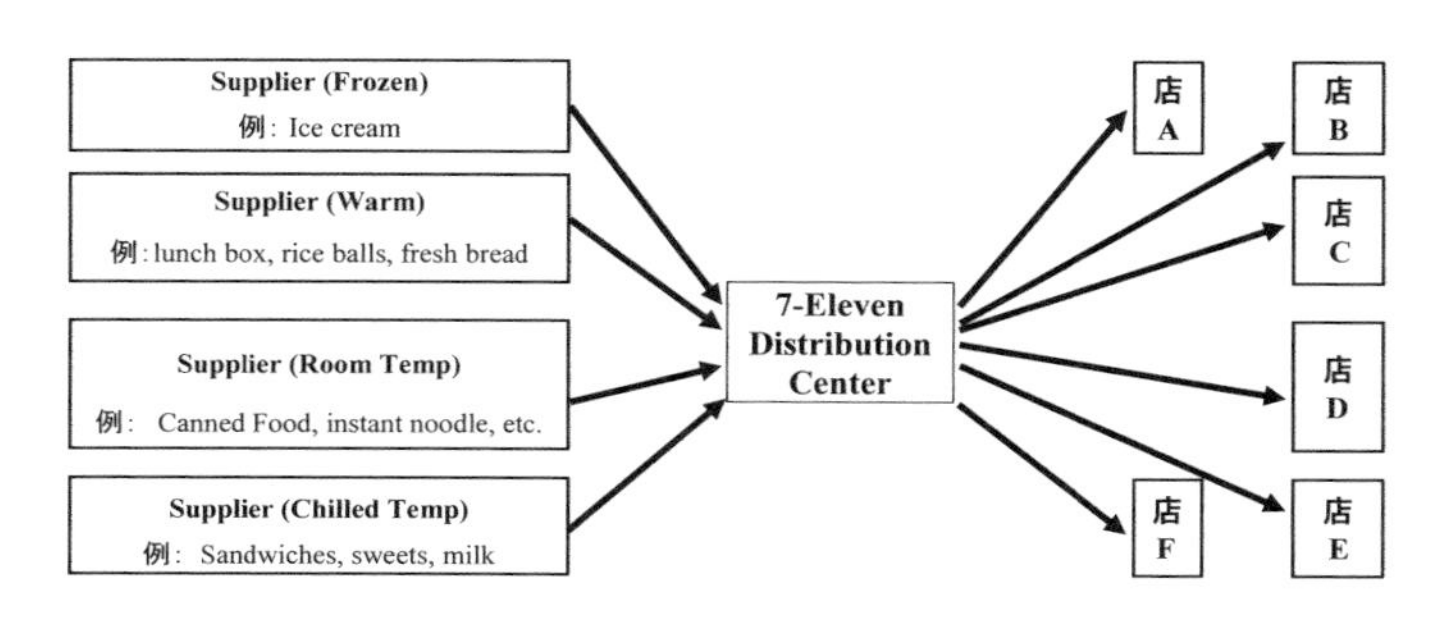

るだけである。流通センターが各店舗の注文に応じて商品を分類し、多様な商品を一括して店舗へ配送する。セブンイレブンの店舗は一定のサービスの質を保ちつつ、品質・配送時間などにおいて顧客満足を維持しながら、サプライ・チェーンに係るコストを軽減することを可能にしている。コンビニエンス・ストアのサプライ・チェーン・マネジメントについて理解を深めるため、セブンイレブンの注文システムについて説明する。配送コストや在庫コストなどサプライ・チェーンに関連するコスト軽減を図るため、セブンイレブン企業とサプライヤーが情報システムを統合することにより得られる利点について説明する。

例えば、セブンイレブンの店員は商品を発注し、POS端末や店舗のコンピュータを使って流通センターからサプライヤー、セブンイレブン本社へ注文情報を送信する（図3）。Puapairoj et al.

図3　セブンイレブン店舗の発注フロー

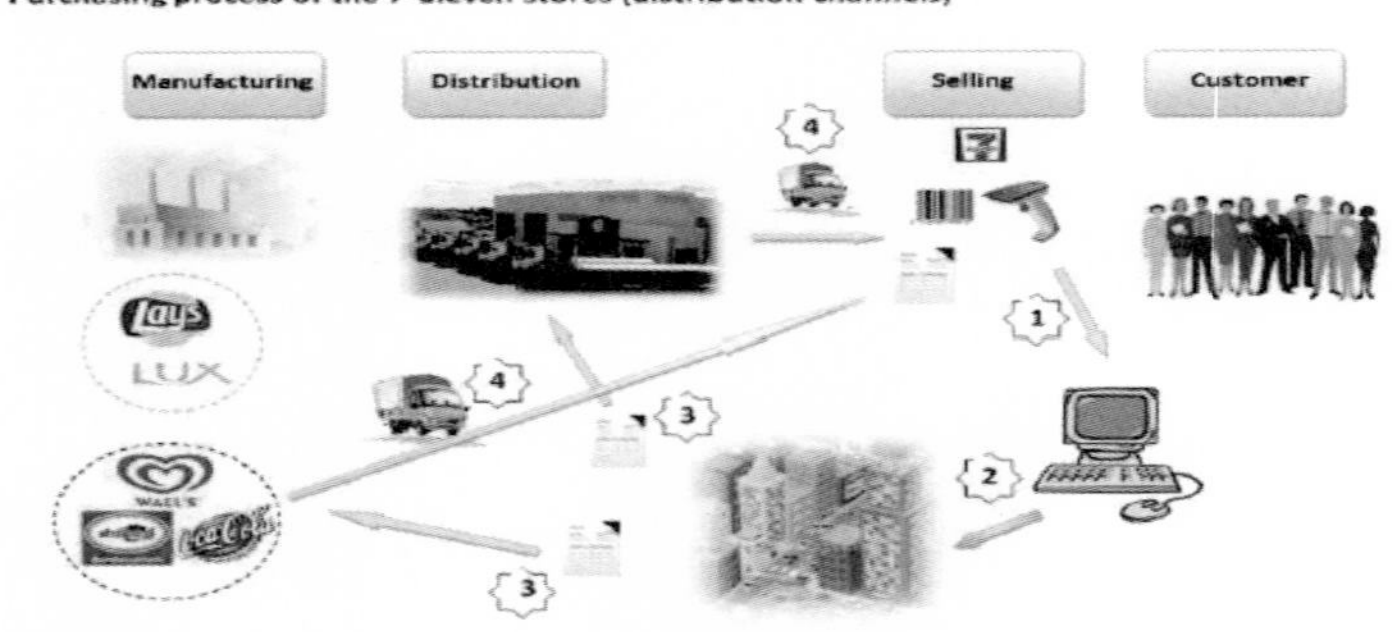

出所: Puapairoj et al. (2009, May). *Innovative Logistics of 7-Eleven Thailand*. [Paper on M.A., Marketing]
(Available from Chulalongkorn Business School, Thailand)

(二〇〇九)によれば、セブンイレブン本社はデータ分析を実施し、分析した結果と受注内容をサプライヤーや流通センターの在庫管理スタッフへ同時に送信する。このため、サプライヤーは製造する商品の種類と量を、在庫管理スタッフは扱うべき商品について速やかに知ることができる。サプライヤーが受注商品を指定された流通センターへ納品し、在庫管理スタッフは倉庫に商品を並べ、店舗ごとの配送パッケージを準備する。たくさんのサプライヤーから納品されるため、流通センターではバーコードを読み取り、商品チェックを二重に実施するなどの工程を経てトラックによる店舗配送に備える。各店舗へ商品が配送されると、店員が商品の受け取り確認を行い陳列する。一台のトラックは複数の店舗へ配送する。セブンイレブンの店舗は在庫コストを極力削減するために、少ない数の在庫商品で毎日の店舗運営を可能にする仕組みを構築している。それは、「ジャスト・イン・タイム」というコンセプトに基づくと理解することができる。ＰＯＳシステムを通して集計された購入者の性別、推定年齢、購入商品、時間、購入量などのデータは、セブンイレブン本社に送信された後、地域、商品、購入時間などの軸により購入情報が集約される。集約の結果を店舗やサプライヤーにフィードバックし、事業効率化や顧客対応の改善に活かされる。

5　中小食品メーカーとの協同

Bayak Kamnuwat氏(CP Allのアシスタント・マネージング・ディレクター)へのインタビュー(SMART SME Channel、二〇一七)によると、セブンイレブンの店舗で販売される商品は中小食品メーカーによりものが多く、CP AllIが権利を有する商品の約一〇％の種類に相当するという。中小企業の商品の多くはセブンイレブンのロゴマークが付与されるため、一般的には中小企業が製造した商品の見分けがつきにくい。

セブンイレブンのロゴマークは セブンセレクト、セブンフレッシュ、セブン限定の三カテゴリーに分かれる。セブンセレクトはセブンイレブンが数ある中小企業の商品の中から選択し販売する商品であり、セブンイレブンのオリジナルではない（写真2）。セブンフレッシュはパンやフルーツなど賞味期限が短い生鮮食品類を指し、セブンイレブンに販売委託された商品である（写真3）。セブンフレッシュの商品のうち二割程度はCP AllIが製造したCPブランド商品である。セブン限定は消費者ニーズに合うように中小企業と共同で開発した商品であり、セブンイレブンが独占的に店舗で販売する権利を有する。セブンイレブンの商品流通チームはコンビニ競合店と差別化を図るために、中小企業のサプライヤーを選択する。中小企業一八〇〇社の商品が掲載されたセブンイレブンの商品カタログの中から店頭に陳列する商品を選択する。通常は、その中から二〇〇社ほどの商品が店頭に並ぶ。中小企業各社は価格ポリシー（例：商品価格帯は六〇～八〇バーツ）、パッケージングポリシー（例：小分け）、味と品質、工場の信頼性と衛生管理の基準、その他必要事項を順守することが求められ、中小企業の新規商品が店頭に並ぶまでに数か月から一年以上を要する。

このような中小企業の協力があり、セブンイレブンと中小企業は長期的な関係を維持している。コンビニ競合他社と比較し、セブンイレブンの店舗で販売される商品は品質が高く、消費者の好み

写真２　タイのセブンセレクト商品の一部

出所：筆者撮影（2019年11月）

写真３　タイのセブンフレッシュ

出所：筆者撮影（2019年11月）

に合わせた味を近代的なパッケージで提供すると評価される。

四　おわりに

セブンイレブンがタイの小売市場において店舗展開に成功した要因として、1）伝統的小売の諸問題への対応、2）「セブンイレブン」のビジネスモデルの導入、3）新しい商品戦略「二：八の法則」、4）中小企業との協同体制による商品選択の四点があげられる。セブンイレブンはタイで初めてのコンビニ運営会社であり、先発優位性を持ち、他の日本型コンビニ（例、ファミリーマート、ローソンなど）と比べ、ブランドイメージが認知されやすいといえる。加えて、セブンイレブン店舗は積極的な商品開発や運営改善、そしてワンストップとなる店舗形成を目指しあらゆる種類の商品とサービス提供に挑戦してきたことから、タイ社会の中で企業に対する高い信頼性を築いている。ファミリーマートやローソンなどの日本型コンビニが、後発に優位な未開拓市場を見出さない限り、セブンイレブンから市場を奪うことは険しい道であるといえるだろう。

注

(1)　本稿における近代的小売（modern trade）は、効率的な店舗経営や在庫管理などを行う近代的な小売業者を意味する。

参考文献

Brand Buffet (2019) แล็บการตลาดของ SME" ทำความรู้จักอีกหนึ่งบทบาท ร้านเซเว่น อีเลฟเว่น
配信：2017/8/23, 閲覧：2017/12/2
【https://www.brandbuffet.in.th/2017/08/seven-eleven-sme-management/】

CP All Sustainability Report 2017, CP All Public Company Limited. (In Thai)

CP All Sustainability Report 2016, CP All Public Company Limited. (In Thai)

Jantawatcharagorn, Jirarat (2016) Factor Influencing the Purchasing Decision Making of Ready-to-Eat Product at the Conveniences Store in Bangkok Area, Panyapiwat Journal, Vol.8(1), Jan-April 2016, 39-51

Krungsri Research (2017) Bank of Ayudhya (www.krungsri.com)

MGR Online (2014) ถอดกลยุทธ์ '7-11' ทำร้านสะดวกซื้ออย่างไร? ให้รวยยั่งยืน
配信：2014/3/17 閲覧2017/10/12
【http://www.manager.co.th/Smes/ViewNews.aspx?NewsID=9570000027724】

Puapairoj, K., Triumlertlum, K., Sukittiporn, K., Prabkri, N., Boonwongkorn, T., Hoonsuwan, T., et al. (2009, May). Innovative Logistics of 7-Eleven Thailand. [Paper on M.A., Marketing]. (Available from Chulalongkorn Business School, Thailand)

Rittiboonchai, V. (2013). Marketing mix factors that influence purchase decisions in the convenience store Seven Eleven students of the University. Panyapiwat Journal, 4(2), 20-24. (in Thai)

SMART SME Channel เซเว่นฯเผย! เทคนิคนำของเข้ามาขายในร้าน และสินค้าขายดีจาก SMEs 配信：2017/7/24 閲覧：2017/11/12 【https://www.smartsme.co.th/content/72294】

Thai Development Research Institute (TDRI) 【https://tdri.or.th/en/】

初等教育におけるプログラミング教育の動向

平良直之

平良　直之・たいら　なおゆき

所属：産業情報学部　産業情報学科

主要学歴：琉球大学大学院理工学研究科博士課程修了

所属学会：日本オペレーションズ・リサーチ学会、日本知能情報ファジィ学会、システム制御情報学会

主要論文及び主要著書：

一．平良直之、宮城隼夫、山下勝己「加法形一対比較行列を用いた多目的意思決定」情報処理学会、Vol.41、No.9、二四六七―二四七四頁、二〇〇〇。

二．平良直之、宮城隼夫、山下勝己「意思決定問題における直積空間上の測度」システム制御情報学会論文誌、Vol.15、No.1、一七―二四頁、二〇〇二。

三．Kaori Ota, Naoyuki Taira, Hayao Miyagi「Group Decision-Making Model in Fuzzy AHP Based on the Variable Axis Method」電気学会論文誌C、Vol.128、No.2、三〇三―三〇九頁、二〇〇八。

四．大田かおり、平良直之、宮城隼夫「ファジィ分類行列による集団意思決定のためのクラスタリング」日本知能情報ファジィ学会誌、Vol.21、No.2、二五六―二六四頁、二〇〇九。

※役職肩書等は講座開催当時

一　はじめに

情報処理技術の発展に伴い、コンピュータとインターネットは企業にとって欠かすことのできないインフラになり、最近ではＩｏＴやＡＩといった新しい技術もサービスに活用されている。また、日常生活においてもスマートフォンは深く浸透しており、私たちは多種多様なサービスをスマートフォン経由で享受している。その一方で情報系技術者不足は深刻な問題となっており、国力強化の為にも我が国の教育改革は急務と言える。

本稿では、初等教育に関する諸外国の動向と我が国の先進的事例を紹介し、情報教育の課題を整理する。また、プログラミング教育の効果検証として行った取り組みを紹介する。

二　社会と企業活動の変容

社会と企業活動の変容という話題において、近年ではＩＴ革命というキーワードがよく用いられた。これは、アルビン・トフラーが著書「The Third Wave（第三の波）」の中で用いた言葉である。人類は道具を作り獲物をとって生活する社会から農業を主体に食料を安定確保する社会へ移り変わり、次に人力を機械で代替し大量生産と大量消費を行う社会へと変容した。トフラーは著書の中で、これらの変容は農業革命や産業革命によるものであり、今後はＩＴ革命という第三の波により知識と情報を活用する頭脳労働が主体となる社会へ変容すると予言した。

実際、一九九〇年代以降の情報処理技術の発展およびコンピュータとインターネットの普及はめざましく、MicrosoftやAmazon、Facebookといった大企業が台頭し、売上高と純利益の規模を見ても、IT関連企業が世界経済に大きな影響を与えていることがわかる[(1)]（表1）。

これらの企業の収益構造は様々であるが、AlphabetやFacebookの売上の多くはインターネット広告が占めており、その背景には従来の広告媒体の限界にある。

従来、企業にとっての広告媒体は、テレビやラジオ、新聞、雑誌といったものがほとんどであった。そこでは、視聴率の高いゴールデンタイム（あるいは購読者が多い新聞、雑誌）での広告は多数の視聴者を期待できるが高額であり、また深夜やローカル局での広告は比較的安いが視聴者数は期待できないという事情があった。

広告投資の効果をより高めるため、不特定多数ではなくニー

表1　世界5大IT企業の2018年売上高

ランク	社名	売上高	純利益
1	Apple	2656億ドル	595億ドル
2	Amazon	2329億ドル	101億ドル
3	Alphabet	1368億ドル	307億ドル
4	Facebook	558億ドル	221億ドル
5	Microsoft	1104億ドル	166億ドル

出所）Visual Capitalist「How the Tech Giants Make Their Billions」

ズのある顧客への積極的なＰＲ、既存顧客の囲い込みと新規顧客の獲得、これらを実現する手立てがインターネットの活用であった。インターネット上のサービスを消費者へ無償で提供するかわりに、広告主の商品・サービスを消費者へ紹介する、広告効果に見合った費用を広告主がインターネットサービス提供者へ負担する。これがインターネット広告の大まかな仕組みである。

ニールセンの調査によると我が国のインターネットサービス月間利用者数においてYahoo JapanとGoogle、YouTubeは五〇％を超え、これらのサービスが日常生活に欠かすことができないほど浸透していることが示された。[(2)] なお、表１におけるAlphabetはGoogleとYouTubeの持株会社である。

表２　2018年日本におけるトータルデジタル利用者数TOP10

ランク	サービス名	平均月間利用者数	平均月間リーチ
1	Yahoo Japan	6,743万人	54%
2	Google	6,732万人	54%
3	You Tube	6,276万人	50%
4	LINE	5,973万人	48%
5	Rakuten	5,051万人	40%
6	Facebook	5,044万人	40%
7	Amazon	4,697万人	38%
8	Twitter	4,365万人	35%
9	Instagram	3,431万人	28%
10	Wikipedia	3,169万人	25%

出所）nielsen「TOPS OF 2018: DIGITAL IN JAPAN」

広告のみならず、消費者ニーズや消費者行動を踏まえた商品開発、販路拡大、既存サービスの新たな展開など、現在の企業にとって情報技術とインターネットの活用は必須だと言えよう。新たなサービス展開の例として、金融業界ではインターネットバンキング、小売業界ではデジタルカタログやオンライン予約、宅配サービス、飲食業界ではスマホアプリによるクーポン配信、運送業界ではスマホアプリによる乗車予約、配送日通知、時刻表・乗換検索など、枚挙にいとまがない。

その一方で、マイケル・A・オズボーンらが二〇一三年に発表した論文「The Future of Employment（雇用の未来）」が大きな話題となった。(3) これは七〇二業種がコンピュータに取って代わられる可能性を調査したものであり、今後一〇～二〇年で米国総雇用者の約四七％の仕事が自動化されると結論付け、世界中に衝撃を与えた。

我々は、この見解を〝多くの職業がなくなる〟と悲観的に捉えるのではなく、情報技術の活用で効率化できる仕事は自動化され、新たに必要とされる仕事が発生すると捉えるべきである。過去の歴史を振り返ると、産業革命前後はブルーカラー、ＩＴ革命前後にはホワイトカラーと呼ばれる新たな労働形態が生じている。メンタルヘルスケアやロボットエンジニア、データサイエンティストなどは新たな仕事と言えるかもしれない。オズボーンは、野村総合研究所との共同研究も踏まえ「創造性や協調性が必要な業務は代替される可能性は低い」と述べており、また教育のあり方について「創造性と社会的知性こそ集中して子供たちに身につけさせるべきスキルである」と提言している。(4)

次章では、国内外におけるプログラミング教育の動向について述べる。

三　国内外におけるプログラミング教育の動向

1　諸外国におけるプログラミング教育

プログラミング教育は着実に進展している。先進的な取り組みを行っている国では、プログラミング教育を初等教育から必須化している。本節では、国外におけるプログラミング教育の動向を文献(5)より整理する。

情報教育進展の背景は国・地域によって異なるが、「情報技術が日常生活に密接に関わっている」、「IT業界の人材不足が深刻な問題になっている」など情報技術の知識の必要性が共通した認識となっている。また、プログラミング教育は問題解決能力や創造性、協調性を習得させることを主目的とし技術の習得のみが目的ではない、といった内容が多い。プログラミング教育開始時期と科目の位置づけを表3に示す。表中の〝未統一〟は位置づけが統一されておらず、学校現場の判断に委ねられていることを示す。〝その他〟は、確認できなかった、あるいはカリキュラムとして位置づけられていないことを示す。例えば、シンガポールとカナダのオンタリオでは、授業カリキュラムとして位置づけてはいないが、課外活動として学習機会を提供している。

開始時期は表3の通りであるが、初等教育では必須だが中等教育では選択になることもある。また、教育内容は、ナショナルカリキュラムで統一しているケースと学校現場の判断に委ねられているケースがある。例えばイングランドでは「アルゴリズムとは何か」、「簡単なプログラムの挙動予

表３　プログラミング教育開始時期と科目の位置づけ

	必須	選択	未統一	その他
初等教育	イングランド、 オーストラリア	エストニア、 インド	カリフォルニア	フィンランド、 オンタリオ、 シンガポール
中等教育前期	ハンガリー、 ロシア、香港	ドイツ、韓国、 台湾		ポルトガル、 アルゼンチン
中等教育後期		フランス、 イスラエル、 南アフリカ	イタリア、 ニュージーランド	スウェーデン、 上海

出所）文部科学省「諸外国におけるプログラミング教育に関する調査研究」[(5)]より作成

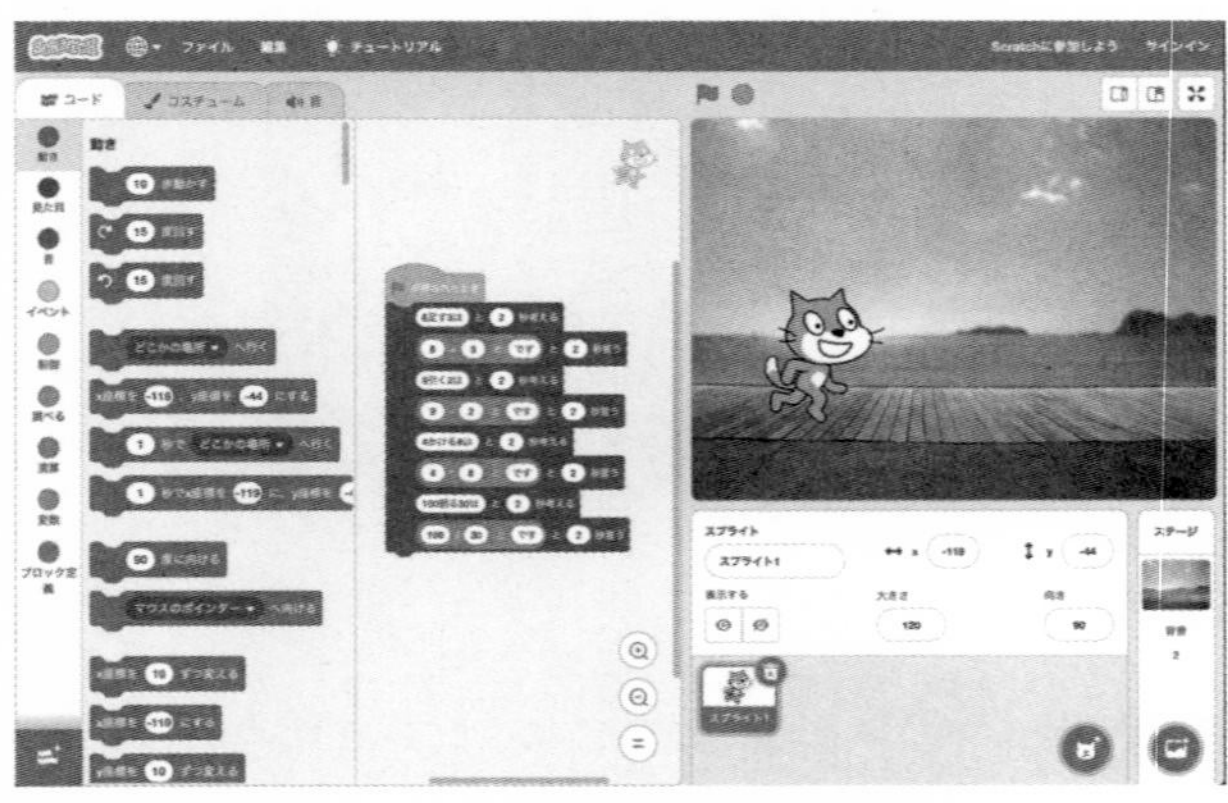

図１　ビジュアルプログラミング言語（スクラッチ）

```
class keisan {
        public static void main(String[] args){

                System.out.println("8足す3は" + (8+3) + "です");
                System.out.println("9引く2は" + (9-2) + "です");
                System.out.println("4かける8は" + (4*8) + "です");
                System.out.print("100割る30は" + (100/30));
                System.out.println("余り" + (100%30) + "です");
        }
}
```

図２　オブジェクト指向プログラミング言語（Java）

測」といった具体的な指導内容をナショナルカリキュラムで示している。同調査によると、使用するプログラミング言語は基本的に学校現場の判断に委ねられているようである。但し、学習段階で使用言語は異なり、初等教育ではビジュアルプログラミング言語（スクラッチ等）、次の段階では汎用プログラミング言語（C言語等）、さらにオブジェクト指向プログラミング言語（Java等）というように変更されることが多い（図1・図2）。

一方、児童の評価方法について、カリフォルニアでは〝自己評価〟、〝学習者同士の相互評価〟、〝目標設定〟など、ドイツでは基本原理や用語に関する筆記テストに加えて〝議論への貢献〟、〝プロジェクトワーク〟、〝コンテストにおける成果〟などで評価することを推奨している。しかしながら、ほとんどの国・地域では評価方法を明確に定めておらず、指導者の判断に委ねられているようである。

2　我が国におけるプログラミング教育

我が国におけるプログラミング教育は、二〇一六年四月の産業競争力会議での議論(6)を基に、注目されるようになった。同会議において、文部科学大臣は「初等中等教育では、情報活用能力の育成と教育環境の強化を行う。特に発達の段階に即したプログラミング教育の必修化を図る」と発言している。また、「情報スキルやプログラミングだけではなく、論理的に思考し創造的な課題解決ができる力やコミュニケーション能力も重要である」との意見も出された。

その後、二〇一六年六月に公表された日本再興戦略二〇一六では、初等中等教育の改革と高等教育等を通じた人材力の強化があげられた。[7] ここでは、「初等教育において、社会や世界の変化に対応した教育を地域・社会と連携しながら実現し、次世代の学校に相応しい、新たな価値を創造する情報活用能力の育成が必要である」としている。また「プログラミング教育については、小学校において体験的に学習する機会の確保、中学校におけるコンテンツに関するプログラミング学習、高等学校における情報科の必修化、といった発達の段階に即した実施を図る」とした。

加えて、文部科学省有識者会議では、「プログラミング教育とは、子どもたちにコンピュータに意図した処理を行うよう指示することができることを体験させながら、将来どのような職業に就くとしても、時代を超えて普遍的に求められる力としてのプログラミング的思考を育むことであり、コーディングを覚えることが目的ではない」とまとめられた。[8] 同有識者会議は、プログラミング教育で何を目指すべきかを次のようにまとめている。

①知識・技能

小学校では、身近な生活でコンピュータが活用されていることや、問題の解決には必要な手順があることに気づくこと。中学校では、社会におけるコンピュータの役割や影響を理解するとともに、簡単なプログラムを作成できるようにすること。高校では、コンピュータの働きを科学的に理解するとともに、実際の問題解決にコンピュータを活用できるようにすること。

②思考力・判断力・表現力等
発達の段階に即して、プログラミング的思考を育成すること。
③学びに向かう力・人間性等
発達の段階に即して、コンピュータの働きを、よりよい人生や社会作りに活かそうとする態度を涵養すること。

さらに、中央教育審議会教育課程部会情報ワーキンググループは、情報科の成果が十分ではなかったとの認識のもと、教科目標のあり方を改めて検討している[9]。その内容は、有識者会議での育成する資質・能力をより詳細に整理したものとなっている。

①知識・技能
●情報と情報技術を適切に活用するための知識と技能
●情報と情報技術を活用して問題を発見・解決するための方法についての理解
●情報社会の進展とそれが社会に果たす役割と及ぼす影響についての理解
●情報に関する法・制度やマナーの意義と情報社会において個人が果たす役割や責任についての理解

②思考力・判断力・表現力等

●様々な事象を情報とその結び付きの視点から捉える力

●問題の発見・解決に向けて情報技術を適切かつ効果的に活用する力

・必要な情報の収集・判断・表現・処理・創造に情報技術を活用する力

・プログラミングやシミュレーションを効果的に実行する力

・情報技術を用いたコミュニケーションを適切に実行する力 等

③学びに向かう力・人間性等

●情報を多面的・多角的に吟味しその価値を見極めていこうとする態度

●自らの情報活用を振り返り、評価し改善しようとする態度

●情報モラルや情報に対する責任について考え行動しようとする態度

●情報社会に主体的に参画し、その発展に寄与しようとする態度

前節の諸外国の状況と比較すると、我が国のプログラミング教育は先進的であるとは言い難いが、ナショナルカリキュラムを模索している点では諸外国の状況を踏まえた議論を行っていると言える。しかしながら、具体的な教育内容は引き続き議論が必要である。

3　プログラミング教育に関する先行研究

プログラミング教育に関する先行研究として、実践結果報告、教育効果に関する諸議論の整理、初等教育導入に関する問題点の整理、教員育成に関する試み、など取り上げられるテーマは様々である。(10)―(13)

三井は、小学校二年生二九名を対象にプログラミング授業を実践している。(10) 授業に要した時間は一コマ四五分の授業を二コマである。この授業の特徴は、プログラム言語にScratch Jrを採用したこと、授業を協働学習としてデザインしたことにある。実践結果について、参加児童全員が二コマという限られた時間で「動き」、「制御」、「イベントの発生」等の要素を組み込んだ作品を制作できたと報告している。また、協働学習の効果について、作品の出来に交流人数は関係ないと結論づけている。これは、協働学習は効果がないという意味ではなく、交流が少なかった児童は理解が早く集中して取り組んだ為だと考察している。

山本らは、小学校四年生五六名を対象に実践している。(11) 授業に要した時間は総合的な学習の授業を四コマである。この授業の特徴は、プログラムがどのようなものであるかを考えさせ、その必要性に気づかせることに時間を費やした点である。また、Sphero（ロボットボール）をTickle（専用ビジュアルプログラミング言語）を用いて制御するプログラムに取り組ませた。実践結果について、参加児童はプログラミングに興味と関心を示し、生活に必要だという感想を持ったと報告している。また、同教室を通して、基本的な知識を習得できたと結論付けている。

一方、立田は、初等教育における教育上の問題点について整理しており、プログラミング教育は「他教科のように一年間通して教育する状況には至っていない」、「一年間で何をどの程度できるようにするのかが定まっていない」、「英語教育の必修化も確定しており教員の負担が非常に大きい」ことに警鐘を鳴らしている。[12] また、教員育成に関する先行研究について、村松らは教員を目指す学生に対するプログラミング教育の実践結果を報告している。[13] 報告の結論として、「一定の共通内容は担保しつつも、各科コースの多様な取り組みを保障し、共有することで、プログラミング教育の展開に役立つ知見が生み出される」と述べている。また、ビジュアルプログラミング言語とテキスト言語を併用したプログラミング教育の必要性、実践情報を共有する仕組み、さらに教材リソースの開発の必要性についても提言している。

以上を整理すると、プログラミング教育は児童に受け入れられる題材であり、プログラミングに関する基本的な知識を指導することは可能であると言えよう。しかしながら、現状のままではカリキュラムマネジメントを学校現場に依存することになり、教員の負担が大きく、教育の質の観点からも問題になる。すなわち、各学年での学習達成目標を設定することや年間を通して教育する状況を整えることが課題と言える。また、教員の指導力向上と負担軽減、他教科との連携、授業実践内容を教員間で共有する仕組み、教材開発を支援する仕組みの検討が必要である。さらに、児童の学習理解度を測る事例や授業の改善点を客観的に分析する事例も今後のプログラミング教育実践には必要だと言えよう。

4　プログラミング教育の取り組み

プログラミング教育の取り組みは各地で始まっている。[14] 東京都の聖学院中学校は学研プラスが運営する「Gakken Tech Program」を授業の中で実施した。[15] この授業は、グループ単位で授業に参加させ、プログラミング体験に加えてコミュニケーション力を育める仕組みとなっている。また授業の最終日には成功したことや失敗した原因を整理しプレゼンテーションを行うことで、プログラミング知識、分析力と問題解決力、プレゼンテーション力を総合的に身につけることを狙いとしている。また、Gakken「Tech Program」は二〇一七年一二月から小中学生向けのプログラミング一DAYキャンプを東京・神奈川で開催している。この取り組みは、タイピングからプレゼンテーション、プログラミングを一日で体験できるカリキュラムとなっており、参加児童の保護者へのアンケートには「とても満足」や「満足」という回答が寄せられているという。

プログラミング教育の実践は、民間企業の協力を得た学校単位の取り組みだけでなく、地域として取り組む事例もある。新潟市は、インダストリ四・〇の到来と人口減少の対策を念頭に、若年層へのプログラミング教育を推進している。[16] 同市は、二〇一六年九月に中高生を対象としたアプリ、ゲーム、メディアアートの開発を学ぶプログラミング教室を実施し、二〇一七年三月には小学校高学年を対象としたレゴロボットによる組み込みプログラミング教室を実施している。また、柏市は二〇一七年四月から市立小学校全校でプログラミング教育を開始している。[17] 同市は、プログラミング体験の教育上のねらいを、「知識・技能の習得」、「思考力・判断力・表現力の育成」、「学びに向から力・人間性の涵養」と明確に定めている。柏市の取り組みは、総合的な学習の時間を使って実施されており、教育委員会が授業計画を作成することで、どの学校でも同等の授業が実施されるよう配慮している。また、今後の展開として、クラブ活動や放課後子ども教室などで作品作りを推進していくとともに、成果発表の場としての作品コンテスト実施も検討している。

沖縄県においても、民間を中心にプログラミング教育が進展している。[18] AID IT KIDSはＩＣＴメディアリテラシー学習からスクラッチプログラミング、ロボットプログラミング等を題材にプログラミング的思考の育成に取り組んでいる。[19] また、ツクルはプログラミング教室を開催するだけでなく教員向けの研修も手がけている。[20] CoderDojo Urasoeは非営利で運営されており、メンターは全員ボランティアという特徴を持ち、Ｕ22プログラミングコンテストで大臣賞を受賞した児童を輩出している。[21] さらに、地域の取り組みとして、那覇市では不定期ではあるが公民館を会場に児童向けプログラミング教室を開催している。[24]

次章では、「プログラミング思考を育むには何から教えれば良いか」、「プログラミングの基本概念を理解できるか」、「興味・関心を抱かせるにはどうすれば良いか」を検討するために、社団法人ツクルさんと共同で実施したプログラミングスクールの概要と成果について紹介する。

図3　AID IT KIDS

図4　ツクル

図5　CoderDojo Urasoe

四　プログラミング教育の実践

一般的なプログラミングの学習方法として市販書籍の活用がある。書籍では、まず「変数と定数」、「演算子」、「制御文」といった基本概念の紹介、次に言語特有の概念の解説、応用例題の解説といった構成が大半である。一方、三で述べたように、プログラミング教育の目的は、コーディングを体験させながらプログラミング思考を育むことである。本取組の目的は、限られた時間内で児童がどの程度関心を抱き理解できるか、また体験した内容をどの程度活用できるかを確認することにある。

1　プログラミングスクールの概要

本スクールでは児童の興味と関心を引き出すことを優先し、単純なゲームの制作を通して、プログラミングの考え方を理解させるスタイルをとった。また、使用言語は、児童がプログラミング思考の理解に集中できるよう、スクラッチ[25]を採用した。スクラッチは、MITメディアラボが開発したビジュアルプログラム言語であり、四〇カ国語以上に翻訳され一五〇カ国以上で使用されている。スクラッチによるプログラムは、スプライトと呼ばれるキャラクターの動きをスクリプト（プログラムコマンド）を組み合わせて作成する。使用できるスクリプトは一二〇種類以上あり、これらは一〇種類のカテゴリで整理されている。スクラッチの詳細は、文献(26)・(27)などを参照されたい。

(1) 実施期間、授業の構成、参加人数

本スクールは、参加費を無料とし、沖縄県内の小学生以上の児童に参加者を募った。授業構成は、ゲーム制作を一五パートに分け解説と演習を繰り返し、終了後に自由にゲームをアレンジする時間を設けた。

実施期間：二〇一七年八月（計三回実施）
授業構成：ゲーム制作解説および演習九〇分、ゲームアレンジ三〇分（計一二〇分）
参加者数：一二二名

(2) 作成プログラムの内容

作成プログラムは、ドラゴンと勇者が鬼ごっこをするゲームである。ゲームルールは、(i)ドラゴンが羽ばたきながらランダムに動き、(ii)勇者は足踏みしながらマウスポインターへ向かって逃げ、(iii)制限時間内にドラゴンに捕まらなければゲームクリアの背景が表示され、逆に捕まればゲームオーバーの背景が表示される。

本ゲームを設計するにあたって、変数や演算子、制御文といった基本概念の使用を念頭においた。また、アニメーション処理とタイマー処理の実装により、児童に興味を抱かせながらプログラミングを体験させることを目指した。

2　プログラミングスクールの実施結果

本スクールでは、ゲーム制作の解説・演習を一五パートに分け、各パートでの取り組み状況を補助スタッフに記録させた。

まず、パート一では児童に完成ゲームをプレイさせゲーム内容を観察させた。次に、パート二ではスクラッチの画面構成と基本用語、操作方法を解説しドラゴンを動かすプログラムを試させた。パート三以降は児童の集中力と理解力を考慮し、各パート五分程度とした。取り組み状況の記録内容（得点基準）を表4に示す。解説終了後のゲームアレンジの取り組み状況については、全作品のアレンジ内容を確認し、表5で評価することにした。

解説と演習の取り組み状況について、参加児童の最高得点は一五・〇〇、最低得点は五・二〇、平均得点は一二・五三という結果を得た。受講児童の六五％が一二点以上であることから、演習状況は概ね良いと判断できる（図6）。

比較的平均得点が低かったパートは、ドラゴンの初期位置設定、およびゲームオーバーとゲームクリアの背景画像の変更、であった。前者は初期位置を〝座標〟で設定する必要があり、児童が学校でまだ学んでいない内容であった。後者は、条件分岐を用いる処理であり、論理的に物事を整理する思考力が必要になる。これらを踏まえると、「実現したい処理内容を単純化し、児童が未学習であることも踏まえた上で、イメージし易い丁寧な解説を心掛ける」ことが必要である。また、「論理的に物事を整理する」、「共通する部分を見出し活用する」といった思考力を育むにはより丁寧な指導が必要であることが確認された。

ゲームアレンジ後の作品について、ドラゴンのキャラクター画像変更や動作スピードの変更といった簡易なアレンジがほとんどであった。また、ゲーム時の風景を変更しデザイン性に工夫する、ドラゴンをコピーし複数配置することでゲーム性を高めるといった作品もあった。表5を基に児童

表4　取り組み状況の記録内容

記録内容	得点
サポートなしに自身の理解で取り組めた。	1.0
友人や保護者のアドバイスを得て取り組めた。	0.6
補助スタッフのアドバイスを得て取り組めた。	0.3
理解できず補助スタッフに操作してもらった。	0.0

表5　ゲームアレンジの評価基準

基 準	内 容
基準A	既存スプライトやステージの画像をアレンジした。
基準B	既存プログラムの設定値や処理手順をアレンジした。
基準C	既存スプライトのコピーを追加した。
基準D	基準Bと基準Cを満たす新たなスプライトを追加した。
基準E	既存プログラムでは使わなかったスクリプトを利用した。
基準F	授業で取り組んでいない、新たな動作・処理を追加した。

注）既存スプライトおよび既存プログラムとは、ゲームアレンジ前に制作したものを指す。

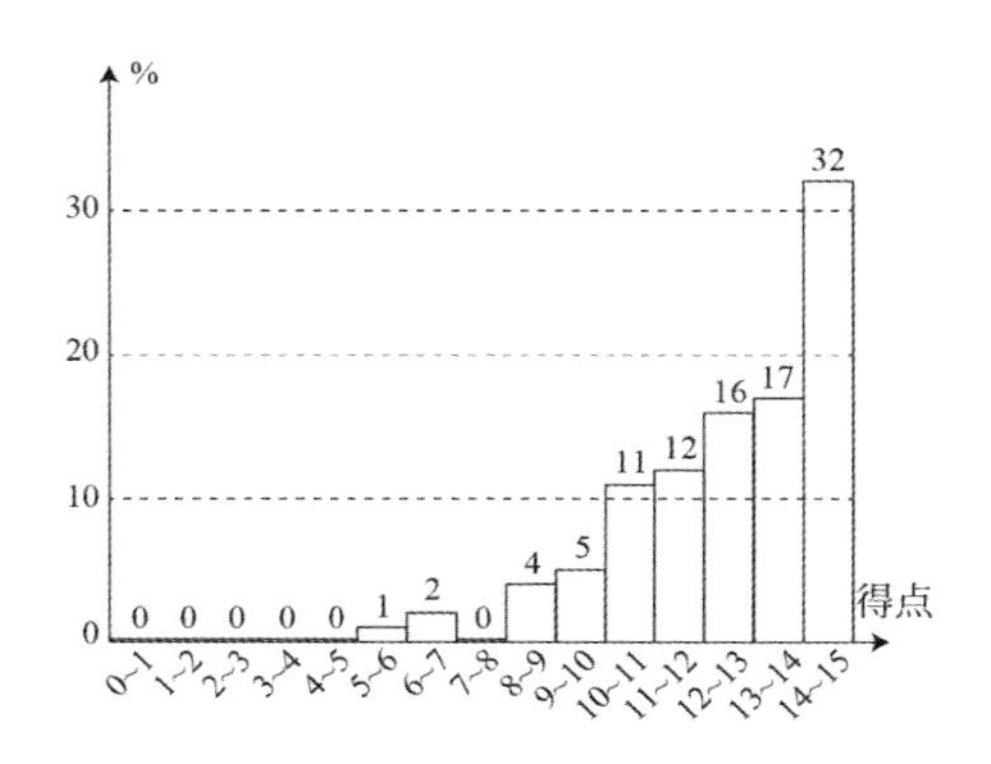

図6　得点の度数分布（ゲーム制作）

のアレンジ状況を整理した結果を表6に示す。

基準Aと基準Bをクリアした作品は九三％（＝113/122）、九九％（＝121/122）であることから、三〇分という短い時間内でも、興味を抱きアレンジを試みたことが確認できる。また、基準Cが二二％に対し基準Dは七九％となった。この結果から、スプライト（ドラゴン）を増やすだけでなく、増やしたスプライトの処理にもアレンジを加え、ゲーム性の向上を積極的に試していたことがわかる。一方、基準Eおよび基準Fをクリアした作品は少数であった。この点については、「作品アレンジの時間を十分確保する」あるいは「演習で取り上げなかったスクリプトや処理について、適宜ヒントを与え自ら試すことも促す」、「学んだスクリプトで工夫できることを議論する時間を設ける」といったことに改善の余地があると判断できる。補足として、基準E（解説・演習時に学んでいないスクリプトの利用）をクリアする作品を制作した児童の半数以上がプログラミング初体験であり、基準Fについても初体験の児童の作品もあった。例えば、小学校四年生のA君は、プログラミング初体験にも拘わらず、新たなルールを追加したゲームを制作した。その内容は、ドラゴンの後ろを着いて回るキャラクターを配置し、勇者はドラゴンだけでなくそのキャラクターからも逃げるものである。マウスの動きに合わせて勇者が移動するという

表6　評価基準をクリアしたアレンジ作品

	基準A	基準B	基準C	基準D	基準E	基準F
作品数	113	121	27	96	21	12
作品の割合	93%	99%	22%	79%	17%	10%

処理を敵キャラに活用した柔軟な発想には大変驚かされる。

五　おわりに

情報処理技術の発展および情報端末とインターネットの普及の影響は想像以上に大きく、我々の日常生活は変化し、企業にとっては業務スタイルを変化させざる終えない。今後は、ＩｏＴやＡＩ技術の新たな活用も見込まれ、創造力と社会的知性がより求められるであろう。学校教育も変革に迫られており、プログラミング教育はその一端である。初等教育におけるプログラミング教育では、「試す」、「失敗する」、「うまくいく」、を通して論理的思考と創造性を磨くことに重点が置かれるが、カリキュラムマネジメントや他教科との連携といった課題が残る。何より、現場の教諭にとって負担であり、押しつけることはできない。また、社会的知性をどう磨くかについては、さらに議論が必要である。教育改革が無駄にならないためには、小中高大の連携、産学官の連携についても模索し、我が国にとって必要な教育を社会全体で議論し実践することが必要であろう。

謝辞

本稿には社団法人ツクルと共同で実施したプログラミングスクールの成果が含まれる。実施内容の企画から運営に至るまで多大なる貢献を頂いたツクルの大森氏に深く感謝したい。

参考文献

(1) Visual Capitalist「How the Tech Giants Make Their Billions」、https://www.visualcapitalist.com/how-tech-giants-make-billions/。

(2) nielsen「TOPS OF 2018: DIGITAL IN JAPAN」『ニュースリリース』、https://www.netratings.co.jp/news_release/、2018.12。

(3) Carl Benedikt Frey and Michael A. Osborne「THE FUTURE OF EMPLOYMENT: HOW SUSCEPTIBLE ARE JOBS TO COMPUTERISATION」、https://www.oxfordmartin.ox.ac.uk/downloads/academic/The_Future_of_Employment.pdf、2013.9。

(4) 野村総合研究所「人工知能との共存」『Thought Leaderに訊く』、https://www.nri.com/jp/knowledge/report/lst/2016/fis/thoughtleader/03、2016.3。

(5) 文部科学省「諸外国におけるプログラミング教育に関する調査研究」『情報教育指導力向上支援事業』、http://www.mext.go.jp、2015.3。

(6) 日本経済再生本部「第26回産業競争力会議議事要旨」『産業競争力会議』、https://www.kantei.go.jp、2016.4。

(7) 日本経済再生本部「日本再振興戦略二〇一六」『これまでの「日本再興戦略」について』、https://www.kantei. go.jp、2016.6。

(8) 文部科学省「小学校段階における論理的思考力や創造性、問題解決能力等の育成とプログラミング教育に関する有識者会議について」、『調査研究協力者会議等（初等中等教育）』、http://www.mext.go.jp、2016.6。

(9) 文部科学省「情報ワーキンググループにおける審議の取りまとめ」、『教育課程部会情報ワーキンググループ』、http://www.mext.go.jp、2016.8。

(10) 三井一希「学習者の相互作用を軸とした小学校低学年におけるプログラミング教育の実践」、『コンピュータ&エデュケーション』、Vol. 40、pp. 61-66、2016。

(11) 山本・鈴木・岳野・鹿野「初等教育におけるタブレットを活用したプログラミング学習の提案」、『教育情報研究』、Vol. 33、No. 1、pp. 41-48、2017。

(12) 立田ルミ「小学校におけるプログラミング教育の導入と問題点」、『情報学研究』、Vol. 6、pp. 89-92、2017。

(13) 村松・島田・東原ほか「教員養成におけるプログラミング教育の指導力育成の試み」、『教育実践研究』、Vol. 16、pp. 1-10、2017。

(14) 西日本新聞「プログラミング」『教育はいま』、https://www.nishinippon.co.jp。

(15) ナチュラル『ICT 教育ニュース』、http://ict-enews. net。

(16) 新潟市「新潟市におけるプログラミング教育の取り組み」『ＩＴ産業・コンテンツ産業の活性化』、https://www.city.niigata.lg.jp、2017.8。

(17) 柏市役所「プログラミング教育」『柏市教育委員会』、http://www.city.kashiwa.lg.jp。

(18) Coder Dojo Kashiwa、http://www.coderdojo-kashiwa.com。

(19) AID IT KIDS、https://aid-sch.jp。

(20) ツクル、https://tsukurukids.com。

(21) CoderDojo Urasoe、http://www.coderdojo-urasoe.com/。

(22) Tech Kids School Okinawa、https://techkidsschool.jp/school/okinawa。

(23) レゴ@スクール、https://legoschool.jp/locations/naha。

(24) 那覇市役所「那覇市公民館」、https://www.city.naha.okinawa.jp/shisetsu/bunka/kouminkan/hosizora/index.html

(25) Scratch、https://scratch.mit.edu/。

(26) 石原正雄『スクラッチ2.0アイデアブック』、カットシステム、二〇一四。

(27) 杉浦学『Scratchではじめよう!プログラミング入門』、日経BP社、二〇一五。

観光産業における観光ブランド構築の意味

李　相典

李　相典・イ　サンジョン
所属：産業情報学部　企業システム学科

主要学歴：KYUNGHEE大学（韓国）、観光学部
KYUNGHEE大学（韓国）一般大学院、ホテル観光学科（ホテル観光経営学、修士）
神戸大学　経営学研究科（経営学、博士）

所属学会：日本商業学会、日本マーケティング学会、日本国際観光学会、韓国観光学会

主要論文及び主要著書：

①LEE S.(2019). The relationship between destination brund experience and brand trusti difference by travel information search type. Asia journal of information and Communications. Vol.11(1). 33-45

②「デスティネーション・ブランド・エクイティの特徴と研究課題」、『日本マーケティング学会』第38号（1）、二〇一八年。単著。

③「観光客ベース・デスティネーション・ブランド・エクイティー・モデルの検証：リピート観光客の感情的信頼と経済的価値による違い」、『碩学舎ビジネス・ジャーナル』第39号、二〇一六年。単著。

④「観光客ベース・デスティネーション・ブランド・エクイティーモデルの構築：CBBEのディメンションの検討とブランド信頼の適用可能性」、『日本国際観光学会論文集』第23号、一六一―一七〇頁、二〇一六。単著。

⑤「デスティネーション・ブランド・エクイティーの概念モデルの確立に向けたCBBEの再検討」、『神戸大学経営研究科六甲台論集』第61巻第4号、一九―三七頁、平成二七年。単著。

⑥「日本の旅行社ブランドの競争関係の研究」、『大韓経営学会論文集』、第26巻第4号、八六九―八八九頁、二〇一三。共著。

※役職肩書等は講座開催当時

一　はじめに

二〇一一年以降、毎年世界には一〇億人[(1)]以上の観光客が多様な観光地を選択している。観光客の観光地選択において影響を及ぼす要素としては、観光資源の魅力、買い物施設の水準、美味しい食べ物、親切な人々、そして観光活動に関する安全性や物価水準など、様々な要素がある。したがって、観光客は複雑な要素を考慮し、自分の観光目的や希望する観光経験を想定しながら慎重に観光地を選択する傾向が高い。

一方、観光地の側から見ると、観光客の観光活動のために必須的に提供すべき宿泊施設や飲食サービスをはじめて、有形・無形の観光資源に対する情報を効率的で効果的に観光客に伝達しなければならないという課題がある。しかし、それぞれのサービスを提供するホテルやレストランのような企業または個別業者、観光資源を管理する事業者や管理組織、そして地域祭りのための住民参与など、観光客の消費活動の対象になる様々なサービス提供の主体である「利害関係者（Stakeholder）」が存在する。この各主体は自分に有利な情報を観光客に伝えるため自分なりの情報とメッセージを発信している。観光地の中長期的なマーケティング戦略から見ると、この利害関係者から発信されている様々なメッセージがその観光地の統合メッセージ、つまり観光地イメージの構築を妨げる原因になると考えられる。したがって、中長期的に一つの国家や都市のような観光対象を魅力的な観光商品として、イメージを構築するためには利害関係者間の複雑な欲求をコントロールし、統合して導出したマーケティング戦略を持続的に推進することが重要な課題となる。

統合メッセージに基づき、中長期的な観光マーケティング及び多様な観光客誘致プロモーション・キャンペーンを持続的に続いていくためには観光地を象徴できる「観光ブランド」が求められる。観光ブランドはある観光地が観光客に伝えようとする象徴的なメッセージと同時に、その観光地の中長期的な観光ビジョンを内包する。また、実務的に様々な利害関係者との協力による共同マーケティング樹立やプロモーション・イベント開催において求心点の役を果たす。さらに、観光客に高い認知または記憶された観光ブランドは他の観光地より差別的な地位を持ち、これは中長期的な観光客誘致に肯定的に作用できる。

本章では、観光ブランドの基礎的な知識とともに、観光ブランド構築が持つ意味について考えてみよう。

二　観光ブランド時代の到来

1　ブランド時代

現在、我々は日常生活で自分が必要な物や手伝いについて、その物や手伝い（手伝いの場所を含め）を特定の名前で呼ぶ時代に住んでいる。例えば、昨日は仕事が終わった後にAsahiを飲んだという。この場合、ビールという物の名称ではなく、Asahiという特定の名前、つまり製品のブランドで呼ぶことである。また、昼の時、ランチの後にスタバに行きたいとしたら、コーヒーを飲みたいという意味で解釈できる。この場合も、コーヒーという飲み物の名称ではなく、スタバというコーヒーを提供するサービス施設のブランドで十分コミュニケーションが通じる時代に我々は住んでいる。まさに、現在の我々は日常生活で多くの製品やサービスの固有の名前を自分も知らないうちに覚えながら暮らしている。これはその製品やサービスを人々に販売するために企業から行われた様々なマーケティング努力の結果かもしれない。

企業は自社の製品やサービスを人々に売るため、如何にも早く、深く、そして長く自社の製品やサービスを認識または記憶させるのかを工夫する。その一環として魅力的な名称、つまり「ブランド・ネーム」を開発する。その後、企業のマーケティング組織によって、人々に人気のある製品やサービスを作っていく「ブランディング」が進められる。ブランドネームの開発とブランディングはすべて「強力なブランド構築」という企業目標に基づき、はじめてから徹底的に計画されて進められる。

ブランドネーム開発は強力なブランド構築においてはじめての段階である。すべてのブランディングはその製品やサービスを示すブランドネームから始まる。消費者が特定製品やサービスに対して、他の製品やサービスよりどれほど幅広く又は具体的に比較できるのかもしくは選好度の水準が高いのかについての評価はそのブランドネームを知るかどうかから始まるからである。しかし、世の中すべての製品（一部ＰＢ[(2)]）製品を除く）やサービスは固有のブランドネームを持つ反面、消費者がすべての製品やサービスのブランドネームを認知または記憶するのは難しい。Interbrand(2018)の「グローバル・ブランド・トップ10」調査によれば、アップルやグーグル、アマゾン、マイクロソフト、コカ・コーラ、マクドナルドなど、我々がよく知っている企業ブランドネームが高いブランド資産を保有したことが分かる。これはブランド認知度が高い企業であればあるほど企業価値も高いということを意味する。つまり、ブランドネームの認知水準がその企業全般的な価値を測定できる尺度になることである。しかし、現実の世界で消費者が認知する製品やサービスのブランドネームは極めて限られている。また、同じ製品やサービスであっても、消費者の国家や地域によって、その認知水準や選好水準が異なることも事実である。

2　観光トレンド変化と観光ブランド

二一世紀に入ってから、交通技術の発展は場所の移動という物理的な制約を一層緩和させ、国と国との間に人的交流や経済交流が活発になり始まった。その結果、他の国に対する情緒的な障壁が低くなることにつれて、全世界的に観光活動が爆発的に増加する傾向をもたらした。特に、過去各国の首都重心の航空路線がLCC(Lost Cost Carrier)の登場とともに各国の中小都市まで拡大され、海外観光客の観光地選択の幅は一層多様で複雑になった。また、観光産業の重要性に対する各国間の利害一致は入出国の障壁(ビザ免除など)を下げる結果を招き、海外観光市場は著しい成長と変化を迎えた。このような観光環境の成長と変化は観光客行動に影響を与え、二つの大きな観光トレンド変化を起こした。

第一に、同じ観光地を再び訪問するリピーター観光客の増加である。かつて、西ヨーロッパや英米地域の国民たちは夏のバカンス期間やクリスマスシーズンのような休暇期間を利用して海外旅行活動を活発に展開してきた。特に西ヨーロッパの観光客にとって、近接した他の国に国境を越えて休暇を行くのは特別な海外観光の意味より余暇活動のような認識に近かったかもしれない。なので、このような認識を持つ西ヨーロッパの観光客は自分のライフスタイルや価値観に合わせた観光地に繰り返し訪問するトレンドがアジア地域の観光客より早く表れた。

リピーター観光客のトレンドは日本をはじめ韓国、台湾、中国、そして最近東南アジア諸国のようなアジア観光市場でも表れている。アジア地域の経済成長は各アジア諸国の観光客に新しい観光チャンスを与えた。観光経験が蓄積されたアジア観光客の中でも自分のライフスタイルや価値観に合わせた観光地に繰り返し訪問するトレンドが徐々に増加傾向を見せている。この変化はデータからも確認できる。例えば二〇一八年日本に訪れた海外観光客の中でリピーター観光客比率は六二・一％（観光庁、二〇一九）、沖縄の場合は八六・四％（沖縄県、二〇一八）をそれぞれ示された。

第二に、個人観光客の増加である。一般的にFIT（Foreign Independent Tour / Free Individual Traveler）と呼ばれる個人観光客は一人や家族など限られた同伴者で構成されたメンバーで観光活動を楽しむ観光形態である。個人観光客はできる限り旅行社の観光商品を利用せずに（もしくは最小限のサービスだけ利用）、自ら立てた旅行計画にあわせて必要なサービスのみ購買（予約）する特徴を見せる。このような個人観光客の増加現状も西ヨーロッパや英米地域の観光客から表れ、徐々にアジアおよび全世界の観光客に拡大されてきた。

個人観光客の増加トレンドも前述した交通技術の発展などの観光環境の変化によって観光客の海外観光機会が拡大された背景と関係深い。しかし、最も強く影響を与えた原因は情報技術の発展である。インターネットという言葉で象徴される情報化時代の到来は、個々人の自由な情報獲得を可能にした。すべての観光活動に必要な各種の情報収集の源泉、必須的なサービス施設への予約システム、そして位置追跡システムなど、情報化時代の恵みは海外観光において観光客が持っていた情報不在による不安要素を解消させた。情報化時代による変化は既存旅行社のような仲介業者の役割を縮小させ、結果的に旅行社から提供されてきた多様な団体旅行商品やパッケージ商品の利用率の低下をもたらした。この変化をデータから見ると、二〇一八年日本に訪れた海外観光客の中で個人観光客比率は八六・一％（観光庁、二〇一九）、沖縄の場合は八二・六四％（沖縄県、二〇一八）が個人旅行者であった。

以上の二つの観光トレンド変化は観光地のマーケティング戦略において、観光ブランド構築に関する重要性を認識するきっかけになった。

観光地マーケティングにおいて観光地を一つの「商品サービスのブランド」の観点からアプローチする仕組みはリピーター観光客と個人観光客の増加という市場需要のトレンド変化に対して観光地側が対応するために登場した概念である。観光マーケティングのために観光ブランド理論が導入されたのは次の三つの背景があげられる。

第一に、世界各国および都市は製造産業の成長鈍化とともに経済成長の長期間停滞につれて、新しい経済活性化の動力として観光産業の可能性を確認し、それを育成するための多様なマーケティング戦略や政策に注目を始めた。特に、観光客の誘致競争において競争優位を占めるために観光地の認知度や選好度を向上させる対策が求められた。

第二に、海外観光における様々な環境が改善されることによって、海外観光市場はますます成長された。この変化に合わせて過去観光産業の育成に積極的ではなかった国家と都市が観光産業の競争に新しく飛び込んでくることになり、観光地間の競争が加速化された。つまり、選択可能な観光地の数が増えることによって、競争する他の観光地との差別化のための理論的な土台が求められるようになった。ブランド理論は新しく観光産業に飛び込んだそれぞれの国家と都市の核心要素を探し、観光客の選択に影響を与える洗練したメッセージやイメージを開発・発掘するにおいて効果的に活用された。

第三に、観光マーケティングは多様な利害関係者（Stakeholder）間の協力が要求される特徴を持つ。宿泊や交通サービスを含め、観光客の観光活動に必要なすべてのサービスは個別企業ではなく、その観光地の各種サービス企業と関連組織や地域住民など多様な関係者から提供されるサービスによって提供される。よって、各利害関係者間の欲求や目的が異なるため、統合的なマーケティングを展開することは簡単ではない。観光ブランドはこのような利害関係者間の個別マーケティングとは別に観光地全体の差別されたイメージを構築し、統合したメッセージを伝えるに効果的な方法であった。つまり、標準化された観光地の象徴的なイメージを観光客に刻印させるための様々な観光地マーケティング活動、そして中長期的に選好度の高い観光地に維持していくためのマーケティング戦略の樹立において、観光ブランドが求められる時代になったということである。

3　なぜ観光ブランドなのか

観光客誘致の成果を基準としてみると、過去から特定地域の政治的・商業的中心地だった国家と都市が現在でも観光客に重要な観光地として選択されている。例えば、ヨーロッパのフランス、イタリア、アジアの中国のように昔からその地域の歴史、社会、経済の中心地だった国が今の時代でも観光先進国であり、その国の首都がトップの観光都市である。これは国際観光において核心移動手段である航空路線（国際空港）の存在可否と密接な関係がある。また、観光客の制約された時間の間で他の国家と都市の歴史、文化観光資源を体験できる場所が過去から高い名声を守ってきたその地域の重要国家と都市に密集されているからである。

観光ブランドとは、簡単に言うとその国家と都市の名称である。その国家と都市が歴史的にその地域で中心的な役割を果たしてきたところであれば、さらにその名称は高い認知度を保有する。ヨーロッパのフランスやイタリアのような国、その国の首都であるパリやローマのような都市の名称を知らない観光客はたぶんないだろう。企業もしくは製品やサービスのブランド観点から見ると、トヨタやコカ・コーラのように世界の人々が知っているほどの高いブランドネーム、つまり、ブランド認知度を保有していることと同じである。

一般的に顧客は信頼できる企業の製品やサービスを購買しようとする。仮に多少高額の製品やサービスであれば、もしくはこれまで使用の経験がない場合は市場でその効用や価値が検証されて信頼できる製品やサービスを購買予想リストとして考える。ここで、高い信頼を持った製品やサービス、多くの顧客の使用経験によってその機能や価値が検証されてきた製品やサービスを「パワー・ブランド」と言う。同じ観点から見ると、海外観光経験が十分ではない観光客がせっかくの海外観光機会ができた時に、その観光客は自分が行きたい観光地を選択する時に、できる限り安全で自分の観光経験が十分価値のある時間になってほしいと期待する。つまり、フランス(パリ)、イギリス(ロンドン)、日本（東京）のようにその国家と都市の名称が観光地として高い認知度と魅力を認められている選択肢が優先的に考慮対象になる可能性が高まる。同じくそれらの国家と都市は他の観光地と比べて高いブランドパワーを保有したと考えることができる。しかし、認知度の高い国家と都市が必ず観光客に選好されるわけではない。地域や国家間の紛争が激しい観光地は観光客にとって一次的に訪問を避けたい選択肢として認識される。また、交通は便利だが、特別で魅力的な観光資源が存在しない観光地は観光客の訪問動機を誘発させるのが制約的である。

表1は、二〇一七年度国家ブランド競争力と観光客数、都市ブランド競争力と観光客数を発表した様々なデータをまとめた結果である。これは毎年多様な専門機関から国家及び都市に関するブラ

ンド競争力を評価し、その結果を発表したデータとその年の観光客数を比較した表である。結果を見ると、国家ブランドの場合、貿易投資部門のブランド競争力とその年の観光客数との結果では、八ヵ国家が重なる。反面、国家ブランドの観光部門競争力と観光客数との結果では四カ国家のみ重なる。都市ブランドの結果でも、場所資産評価や都市競争力の結果と都市に訪問した観光客数との結果でそれぞれ五ヵ都市と三ヵ都市のみ重なる。

表1によれば、国家ブランドの貿易投資部門や都市ブランドの場所資産評価と都市競争力のような各国家と都市に関する全般的なブランド競争力、つまり、世界の経済、社会・文化に大きな影響を及ぼす国家と都市が必ず観光部門でも高い競争力を保有したとは言えない。ただし、国家ブランドの観光部門結果のように観光の評価要素を通じて評価されたブランド競争力と観光客数との間には相当な関係があることが確認できる。このデータから、国家と都市のブランド競争力を観光産業に関する評価要素[(3)]によって評価した場合、その結果と実際観光部門成果（観光客誘致数）との間には相互正の相関関係があると予測できる。

しかし、表1の結果はまだ信頼できる水準のデータが蓄積されていないため、明確な判断基準にはならない。それにもかかわらず、表1の結果を通じて、「国家と都市の観光ブランド競争力が高ければ高いほど、観光客誘致にポジティブな影響を与える」という仮説を提示することは可能だろう。さらに、表1を通じて確認できる示唆は、バンコクのように経済、社会・文化など、全般的な都市ブランド競争力は多少低い都市であっても、観光産業分野でだけは世界的な都市との競争で十

表1　国家と都市ブランド競争力と観光客数

ランキング	2017年国家ブランド競争力と観光客数★			2017年都市ブランド競争力と観光客数★★		
	国家ブランド（貿易投資部門）	国家ブランド（観光部門）	観光客数（国際観光客数）	都市ブランド（場所資産評価）	都市ブランド（都市競争力評価）	観光客数（都市観光客数）
1	米国	米国	フランス（86.9百万）	ロンドン	パリ	バンコク（20.1m）
2	イギリス	タイ	スペイン（81.8百万）	シンガポール	ロンドン	ロンドン（19.3m）
3	ブラジル	スペイン	米国（76.9百万）	ニューヨーク	シドニー	パリ（17.4m）
4	中国	香港	中国（60.7百万）	パリ	New York	ドバイ（15.8m）
5	香港	オーストラリア	イタリア（58.3百万）	シドニー	ロサンゼルス	シンガポール（13.9m）
6	カナダ	フランス	メキシコ（39.3百万）	アムステルダム	ローマ	ニューヨーク（13.1m）
7	オーストラリア	中国	イギリス（37.7百万）	ロサンゼルス	メルボルン	クアラルンプール（12.6m）
8	フランス	ドイツ	トルコ（37.6百万）	東京	アムステルダム	東京（11.9m）
9	インド	イギリス	ドイツ（37.5百万）	サン・フランシスコ	サン・フランシスコ	イスタンブール（10.7m）
10	シンガポール	イタリア	タイ（35.4百万）	トロント	バーリン	ソウル（9.5m）

出典：
★ 国家ブランド(貿易投資部門、観光部門)：Bloom Consulting(2017・2018)「Country Brand Ranking」
★ 観光客数(国際観光客数)：UNWTO (2018)「Tourism Highlights」
★★都市ブランド(場所資産評価)：RESONANCE (2017)「WORLD`S BEST CITY BRANDS」
★★都市ブランド(競争力評価)：GFK (2018)「Press Release」(https://www.gfk.com)
★★観光客数(都市観光客数)：Mastercard(2018)「Press Release」(https://newsroom.mastercard.com)

分な競争力を備えることが可能であるということである。言い換えれば、観光産業の育成や復興を通じて、新しい経済成長と社会的な発展を叶えようとする国家と都市においては、強力な観光ブランド構築という目標設定が新たな成長動力もしくは観光産業を再建（Rebuilding）するきっかけになれると言えよう。

三　観光ブランドに関する諸理論

1　諸ブランド・コンセプトに基づいた観光ブランド

これまで、観光マーケティングに関する研究において、観光客の行動を説明したり、理解したりするために多様な概念が適用されてきた。その中で、観光ブランドという概念は新しいというよりも、既存の「ブランド理論」を国家や都市のような観光地に適用した概念である。例えば、ブランド理論の「ブランド・イメージ」というコンセプトは、観光ブランドの研究において「デスティネーション・ブランド・イメージ」というコンセプトに振り替えて進められてきた。また、観光地ブランドと関連した理論の発展および体系化のために適用されてきた「ブランド理論のコンセプト」は観光地を構成する要素、または観光地マーケティングの発展方向など、研究者たちの視角によって多様な方法で適用されてきた。しかし、製品やサービスを対象にした「ブランド・コンセプト」を観光地の領域に適用するには、まだ様々な限界が存在することも現実である。なぜならば、一つの観光ブランドは多様で複雑なサービスの束で構成されているため、開発から維持・管理に関する責任主体が曖昧であり、逆に観光ブランドによって生じた成果に関する所有権も明確に区別することが難しいという製品・サービスブランドとは異なる特徴を持つからである。

Balakrishnan（2009）によれば、観光地は有形の要素（歴史的遺跡など）と無形の要素（多様なサービス）で構成され、観光ブランド戦略を樹立するには、このような二つの要素の価値を増加させることが必要であると述べる。しかし、それぞれの観光地が保有している核心的な要素が異なるため、その観光地の観光ブランドの構築に適用するブランド理論のコンセプトも異なるようになる。

初期の観光ブランド模索は、一つの場所としての観光地の特徴や魅力に関するブランディング戦略について議論している。この視角は、観光地の特徴や魅力が他の競合観光地との差別化戦略を立てることにおいて、核心的な要素として作用するという仮定に着目した。つまり、「ブランド・イメージ」や「ブランド・パーソナリティー」のようなブランド・コンセプトがその理論的な根拠として適用された。そして、二〇〇〇年以降、観光地に対する核心価値を一層強調するために「ブランド・アイデンティティ」というコンセプトが適用された。

一方、二〇〇〇年以降から、観光ブランドに関する関心は観光地の選択または観光経験後の観光地評価プロセス、つまり観光ブランドを構成する様々な属性（要因）間の因果関係を明らかにしようとする流れに変化し始めた。これは観光の客体である観光地（マーケターなど）によるブランディング時代から、観光の主体である観光客が選好する観光ブランドを開発する時代に変化したことを意味する。言い換えますと、観光ブランドというのを、観光地の魅力を観光客にアピールするために必要なツールだという観点から、観光客の観光地選択または繰り返しの訪問において実際に影響を及ぼす核心ツールという観点にその意味が強化されたということである。

観光ブランドに関する観点の変化は、経済水準の発展につれて、観光機会の拡大および増加とともに観光地間の競争も一層深化されたことが背景であると考えられる。つまり、観光地マーケティングにおいて、新たな観光客を誘致する戦略とともにリピーター観光客の誘致も重要な課題になることにつれて、観光客の再訪問意図に高い影響を及ぼす先行要因を明らかにすることが重要な課題となったからである。

図1　観光ブランドにおける諸ブランド・コンセプトと主な研究内容

ブランド諸理論		観光ブランドへの適用	
区分	主な研究者	区分	主な研究内容
Brand Image	Aaker(1991) Keller(1993)	Destination Brand Image	◆ 観光環境と全般的イメージ ◆ 観光地イメージ競争力評価 ◆ 観光地ポジショニング戦略
Brand Personality	Aaker(1997)	Destination Brand Personality	◆ 観光地の特徴と観光客の性格との間の様々な関係 ◆ 観光地の差別化戦略
Brand Identity	AZOULAY and KAPFERE(2003)	Destination Brand Identity	◆ 観光地アイデンティティの規定によるCore Valueの導出 ◆ 象徴的メッセージの開発
CBBE	Aaker(1991) Keller(1993)	Customer Based Brand Equity for Destination	◆ ブランドとしての観光地選択における意思決定・評価プロセスに関する因果関係
Brand Experience	Brakus et al.(2009)	Destination Brand Experience	◆ ブランドとしての観光地での観光経験に関する観光客の評価プロセス

出典：筆者作成

図1は、これまで観光ブランドに適用してきたブランド諸理論とその理論に基づいた観光ブランドの重要内容をまとめたことである。

2　諸観光ブランド・コンセプトの関係

観光地をブランド視角から捉えるため、これまでブランド・イメージ、ブランド・パーソナリティー、ブランド・アイデンティティのようなコンセプトとともに、CBBE理論から最近のブランド・エクスペリエンス理論まで様々なブランド・コンセプトや理論が適用されてきた。ブランド・コンセプトが観光分野に本格的に適用されはじめたのは一九九〇年後半から二〇〇〇年前半の時期である。二〇〇〇年以前、観光地にブランド・コンセプトや理論を探索的な水準で適用した反面、二〇〇〇年以降からは、ブランドとしての観光地に対して、その可能性と意味が高め始めた。

観光ブランドの特徴は、それぞれのブランド・コンセプがそれぞれ独立的な関係ではなく、相互関係的につながっていることである。例えば、ブランド・イメージを中心とした戦略であっても、観光地パーソナリティーまたは観光地アイデンティティと関連付けて戦略を樹立することが不可欠である。なぜならば、観光地のブランド・イメージを差別化するためにはその観光地のパーソナリティーまたはアイデンティティのような本質から検討しなければならないからである。つまり、差別化のためには、現在のイメージに関する分析が行われた後、差別化に必要な観光地の核心要素を把握するには、パーソナリティーまたはアイデンティティの検討から得られた象徴的な要素が何かを発掘しなければならないからである。

図2は、諸観光ブランドに適用された様々なブランド・コンセプト間の関係とその変遷の流れについて表れたことである。

3　観光ブランドの構築

現在観光ブランドを運用する国家と都市は自らの固有な場所的特徴、差別性、そして象徴性を強調するためにブランド・ネーム（国家名・都市名）とともにブランド・スローガンを開発し、それを積極的に利用している。ブランド・スローガンはその国家と都市のアイデンティティを表現することであり、観光ブランドの構築においてアイデンティティを成り立つ過程は最も重要な段階である。

Morgan et al (2011) によれば、観光地のアイデンティティはその観光地に関する核心的

図２　諸観光ブランド・コンセプトの関係と流れ

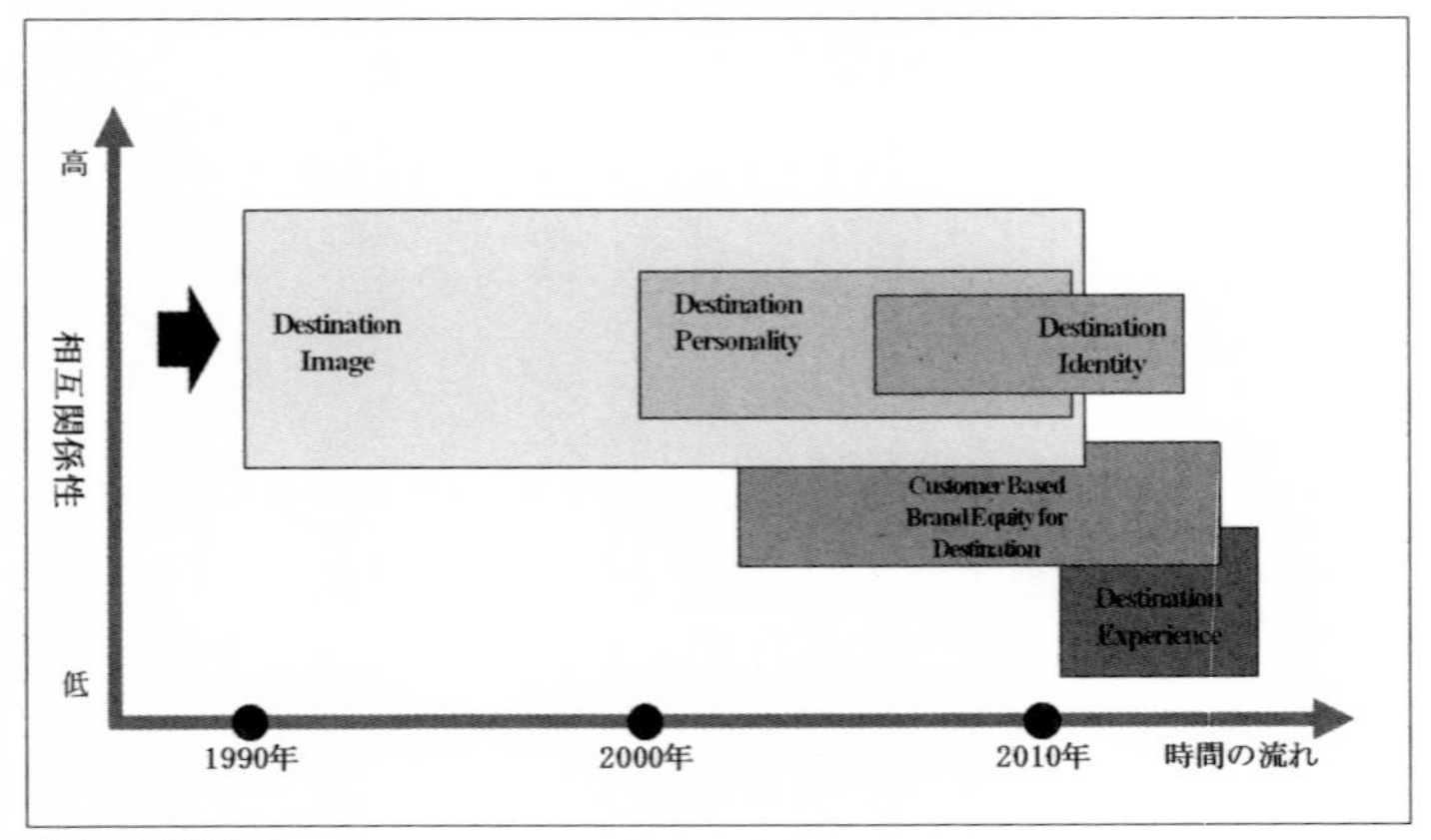

出典：筆者作成

価値、つまり、観光客がその観光地に訪問するにおいて期待する多様なベネフィットを表現することであり、観光地の特徴について観光客が最初に思い浮かぶイメージである。その観光地が保有した様々な観光コンテンツ（観光資源など）とサービス水準など、魅力的な観光地として観光客にアピールするすべての資産（Asset）から観光客に提供できる機能的、感情的、競争的なベネフィットまで、複雑な観光活動と関連したすべての内容を圧縮的に表現したことがアイデンティティである。要するに、観光ブランドとは、その国家と都市が保有した数多くの観光資源や魅力要素を効率的で明確に表現できる一つの言語表現を導出し、それを専門的なデザイン作業の過程を通じて視覚的に具体化（ブランド・ロゴなど）したことである。

観光ブランド構築とは他の観光地との差別化されたイメージを強化していく過程である。その過程で

図３　観光ブランドの構築プロセス

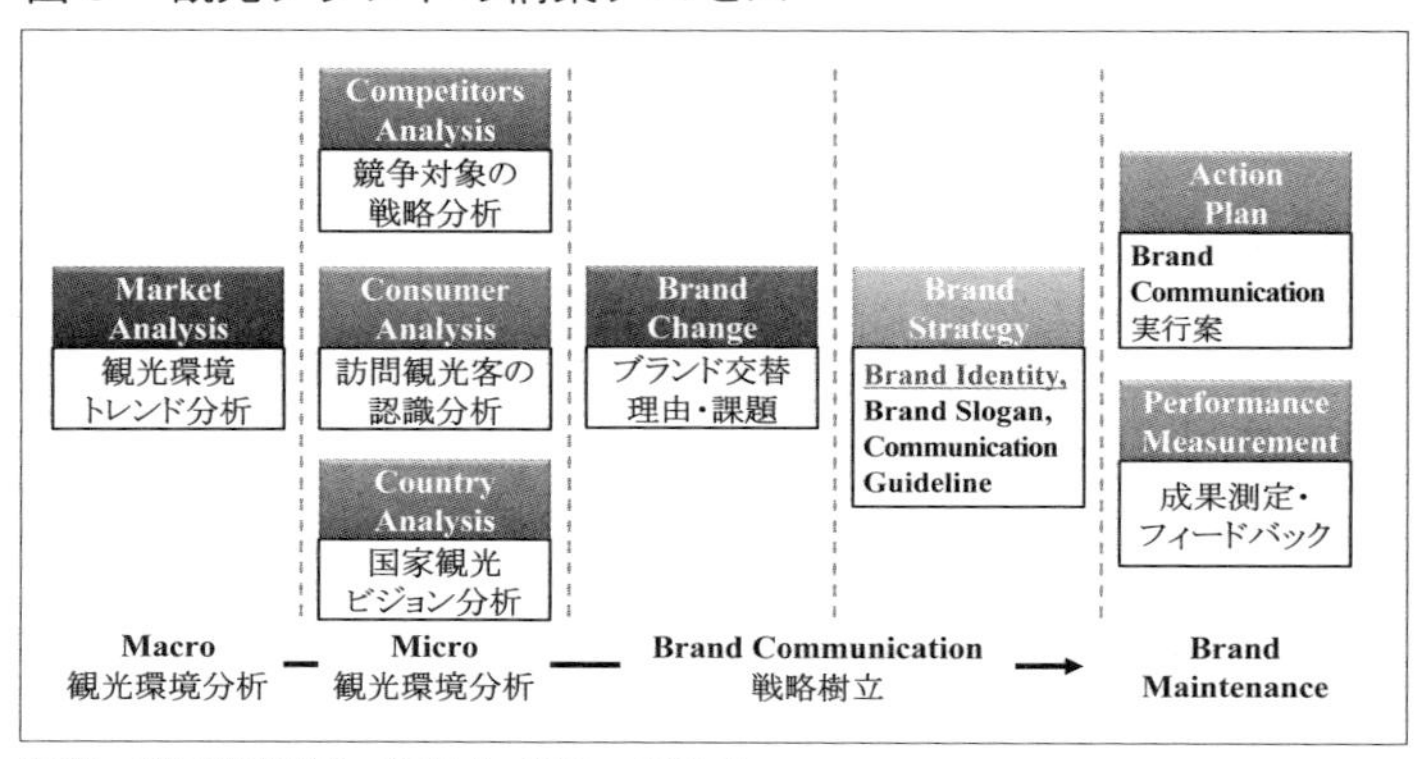

出典：韓国観光公社（2014）参照、再構成

観光ブランドができる限り観光客誘致とリピーター観光客の増加にポジティブな影響に繋がるように多様なマーケティング活動に効果的に利用するのが重要である。図3は観光ブランドを構築していく過程を説明する。強力でポジティブな観光ブランド構築のためには製品やサービスのブランドと同じように外部環境の変化に合わせて絶えずに修正と補完が求められる。結局、観光ブランド構築とは、Macroの環境、Microの環境に合わせながら、持続的に観光ブランドの有効性を検討し、新しい変更または変化が必要な時に適切に対応することである。ここでの対応というのは、アイデンティティの再検討、ブランド・コミュニケーション戦略の変化、成果測定過程などが持続的に行われる過程を言う。

四　日本における競争観光ブランド

1　日本の観光ブランドと競争観光ブランド

都市イメージ改善と観光客誘致という明確な目的のために開発された最初の観光ブランドは米国のニューヨーク市の「I♥NY」である。一九七五年Milton Glaser氏によって開発されたこの観光ブランドは現在まで変更せず持続的にニューヨーク市を象徴している。また、ニューヨーク市に訪問した多くの観光客が購入する様々なスーベニア（観光記念品）に「I♥NY」が利用される。つまり、強力でポジティブな観光ブランドは観光地を象徴するイメージとメッセージを伝えるとと

図4　ニューヨーク市の観光ブランド「I ♥ NY」

出典：ウェブサイト検索

もに、その地域の製造産業にも肯定的な波及効果をもたらす。

日本の初期観光ブランドは二〇〇三年開発され二〇〇九年まで活用された「ようこそ日本（Yokoso Japan）」から始まる。この観光ブランドは日本のおもてなしという固有の価値観に基づき、日本に訪れた海外観光客を歓迎する意味を含めたことである。しかし、世界の観光客に「ようこそ」という日本語の意味を伝えるため再度その意味を説明すべき過程が求められた。これは日本語の知識や訪問経験があってある程度日本の文化を理解する観光客には問題にならないが、まだ日本語能力も日本に関する興味もそれほど十分ではない観光客にメッセージを伝える際には効果的ではなかった。

それ故に、日本観光庁は二〇一〇年新しい観光ブランド「Japan, Endless Discovery」を発表することになる。これは「尽きることのない観光に出会える国、日本(Emotional Experience Without End)」というメッセージであり、繰り返し訪問しても毎回新しい文化・歴史・ト

図５　日本観光ブランドの変化

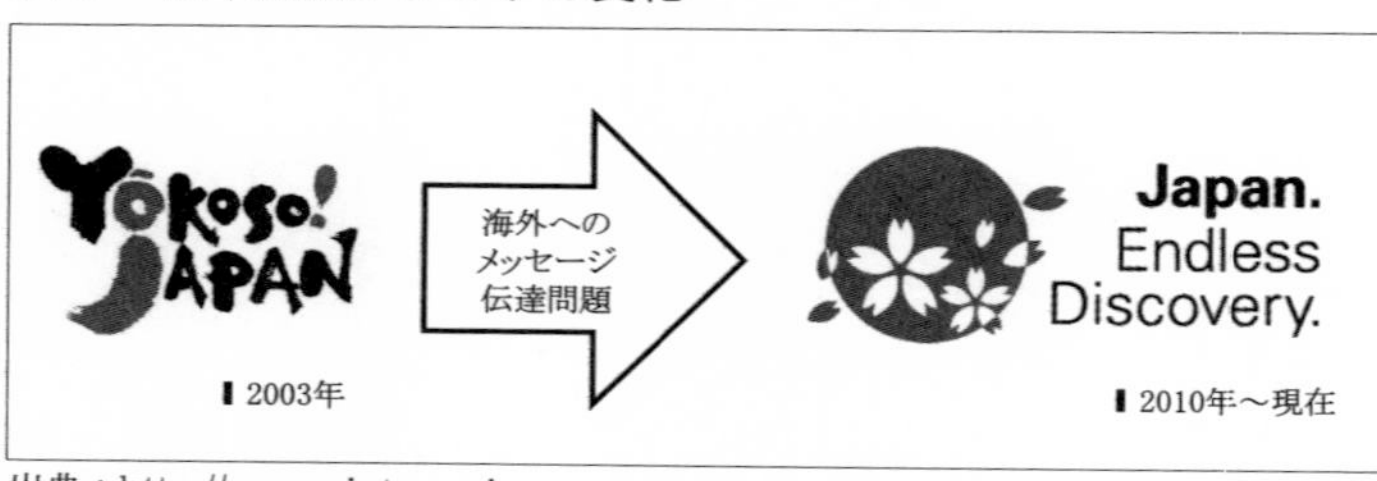

出典：http://www.jnto.go.jp

レンディな経験が可能なところという意味を持つ。日本への訪問における核心価値を多様な文化（Various Cultural）とトレンディな経験（Trendy Experience）という二つの価値に設定したこの観光ブランドは、ブランドロゴのビジュアルにおいても、日本を体表する「桜」のイメージを活用し、美しい自然、伝統、文化、芸術を象徴した。

２　日本と競争観光ブランドの状況

日本の観光ブランドは二〇一〇年発表した後、現在まで世界の観光客に向かうすべての観光マーケティング活動やプロモーションで活用されている。また、日本全地域の観光地や観光スポット、観光関連企業との共同マーケティング活動や地域イベントなどで、観光客に向かって宣伝されている。日本と競争関係に置かれている周辺国でも同じ時期に観光ブランドの改善又は開発が行われた。日本と競争関係に置かれている主な国として、韓国、中国、台湾、香港、シンガポール、タイという六つの国を挙げることができる。

第一に、韓国は二〇一四年「Imagine your Korea」という観光ブランドに新しく変更した。これは「韓国について、これまで知らなかった無限の魅力を観光客自分だけの想像で体験しなさい」というメッセージを含めたブランド・スローガンである。第二に、中国は二〇一三年「Beautiful China」という観光ブランドを開発した。これは中国の多様な文化と歴史的遺産、そして美しい自然を強調するブランド・スローガンであり、ブランドロゴは中国の伝統カリグラフィーをモダンに再解釈したビジュアルで表現した。第三に、台湾は二〇一一年から「Taiwan, The Heart of Asia」という観光ブランドを使用している。これは台湾人の親切さやぬくもりのような情緒的なメッセージと、東北アジアの中央に位置した地理的近接性のメリットを伝えるブランド・スローガンである。第四に、香港は二〇一一年から「HONGKONG, Asia's World City」という観光ブランドを活用している。これは香港の多様で洗練された国際都市としてのイメージを強調したブランド・スローガンである。その他、タイは二〇一〇年から「Amazing Thailand」、シンガポールは二〇一〇年から「Your Singapore」という観光ブランドをそれぞれ使って持続的な観光マーケティングとプロモーションを行っている。

日本の観光ブランドと競争している六つの観光ブランドとの状況を図6のようにポジショニング・マップで表した。縦の軸は観光ブランド開発においてのデザイン側面を伝統的魅力と現代的魅力という二つのカテゴリで分けて比較したことである。横の軸は観光ブランドの核心価値やメッセージが観光地観点と観光客観点という二つのカテゴリの中でどちらに基づいているのかを比較したことである。結果を見ると、日本観光ブランドは比較的現代的で観光客観点の特徴を持っており、

図６　日本観光ブランドと競争観光ブランドとのポジショニング

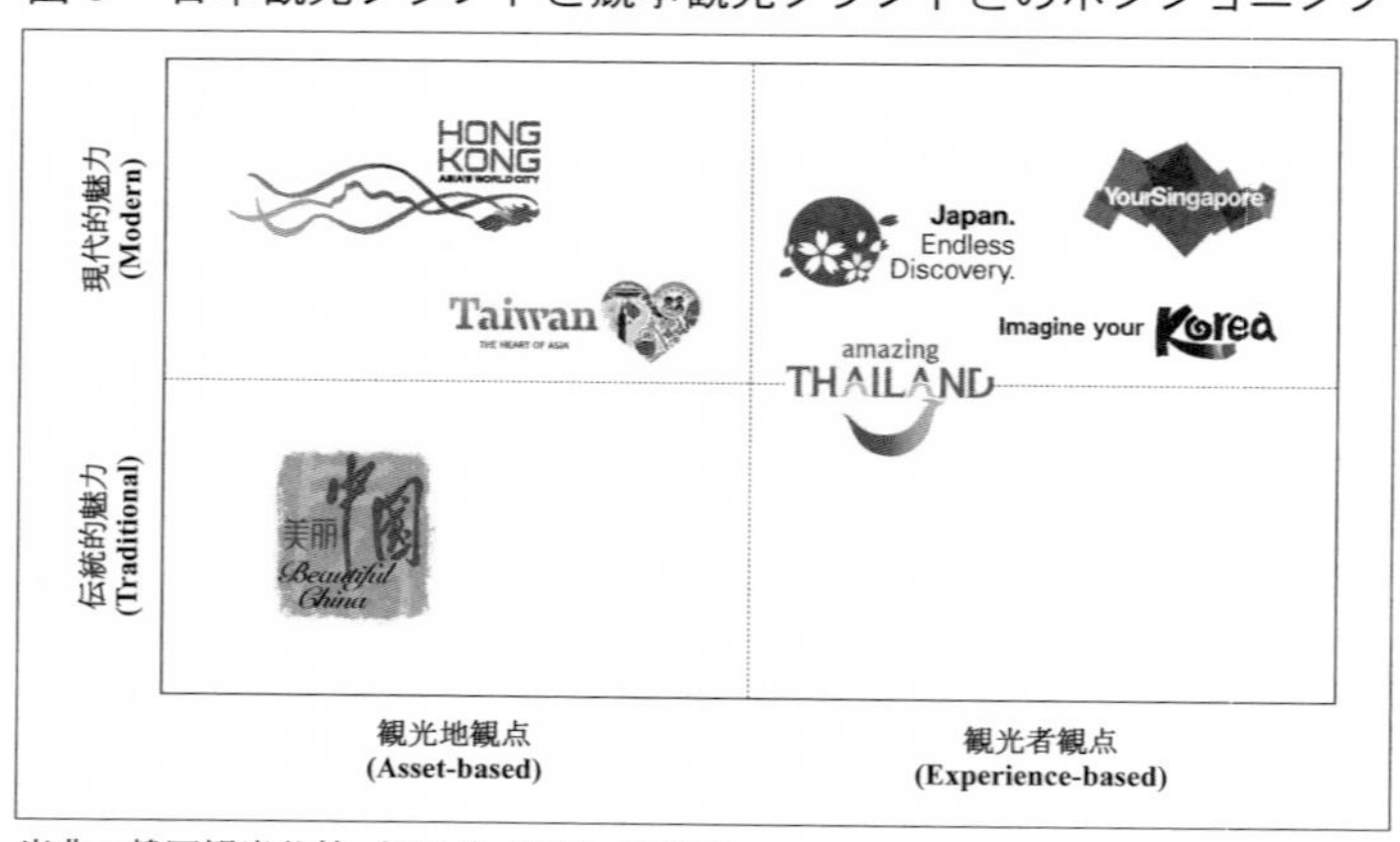

出典：韓国観光公社（2014）参照、再構成

シンガポールや韓国、タイとの競争が他の国と比べて激しい状況[(4)]であることが分かる。

3　日本の観光ブランド政策

各国の観光ブランドの構築に関する中長期的な管理と運用はその国の観光関連政府機関が事務を果たす。日本の場合、二〇〇八年一〇月一日国土交通省の外局として設置された「観光庁（Japan Tourism Agency：JTA）」が観光ブランドに関する政策立案機関であり、観光庁で立案された重要政策は具体的な施策と事業に樹立され、「日本政府観光局（Japan National Tourism Organization：JNTO）」によって遂行・執行される。

観光庁は毎年発行する「観光白書」を通じて、観光ブランド構築に関する核心的な政策方向を発表している。平成三〇年版の観光白書に乗せられた観光ブランドに関する核心目標とは、「質の高い観光地としての日本の観光ブランド・イメージの確立」のである。その内容は次のようである。

【平成三〇年版、観光白書、二〇八頁】

第八節　1．⑵質の高い観光地としての日本の観光ブランド・イメージの確立

『日本政府観光局（JNTO）において実施している、欧米豪市場を中心に存在する「海外旅行には頻繁に行くが日本を旅行先として認知・意識していない層」をターゲットとした「Enjoy my Japanグローバルキャンペーン」（二〇一八年（平成三〇年）二月開始）について、引き続き世界的な広告会平成三〇年度観光施策二〇四社やアドバイザリーボードの知見を活用しつつ、対象地域を拡大するとともに、ビジュアル・コンテンツを一層充実させつつ、デジタル・マーケティングを活用することで、より効果の高いキャンペーン展開を図る。また、海外主要局等、欧米豪において影響力のあるメディアを通じて、番組編成関係者等との人脈構築を進めつつ、日本の歴史・伝統文化やアクティビティ等を数多く発信する。また、有力雑誌等のメディアや旅行会社、海外の著名人を日本各地に数多く招請し、日本の歴史・伝統文化やアク ティビティ等を体験してもらい、その映像を強力に発信する。』

平成三〇年の観光白書から現時点での日本の観光ブランド政策はブランド認知度向上を核心目標としていることが分かる。そのために、日本政府観光局（JNTO）がマーケティングおよびプロモー

ション対象として注目しているターゲットは主に欧米豪市長であり、主要な事業内容は大型イベントやキャンペーン開催、日本に関するビジュアル・コンテンツの充実化による新たなイメージ構築、そして、情報発信方法の多角化による効率的な情報伝達という三つの内容で要約できる。

五　沖縄の観光ブランド構築戦略

1　沖縄の観光ブランド

現在の沖縄の観光ブランドは二〇一三年三月に発表した「Be. Okinawa」である。この観光ブランドの発表まで、沖縄では青い空のイメージを使用したロゴやポスターに沖縄らしさにキャッチフレーズを開発してプロモーションが行われた。「BLUE SEA BLUE SKY OKINAWA」、「やっぱりいいね、おきなわ」のようなキャッチフレーズはその当時のプロモーション・キャンペーンの特徴や目的に合わせて使用された例である。しかし、臨時的に開発された様々なロゴやキャッチフレーズはその当時のイベントやキャンペーン以降、その役割や必要がすぐ消滅されてしまった。また、沖縄の統合したイメージ構築に必要な観光マーケティングやプロモーション活動を展開する際に、体系化したメッセージの伝達に制約が存在した。それ故に、沖縄県では外国人観光客誘致に向けての「官民一体化のためのコンセプト」の必要性が台頭された。つまり、沖縄の観光マーケティングの効率化のための「新しい観光ブランド」の開発に取りかかるようになった。

沖縄県は全世界的な水準の観光ブランディングを目指し、「沖縄観光ブランド構築事業」を二〇一二年九月よりスタートした。これは日本の地方自治体では初めての取り組みであった。観光ブランド開発のために、まず一、〇〇〇人の沖縄県民から意見調査を通じて、「美しい海とあたたかい人に囲まれて本当の自分を取り戻せる島」というアイデンティティを導出した。その後、世界一五ヵ国一七地域でのアンケート調査と多数の会議での専門家意見聴取を重ね、二〇一三年三月二八日に「Be. Okinawa」を発表するようになる。

沖縄の「Be. Okinawa」という観光ブランドの開発方向は三つの観点からその意味がある。まず、観光地としての沖縄アイデンティティを外部専門家ではなく、地域住民の意見に基づいて導出したことである。観光ブランド構築は、中長期的に地域住民からの協力と参与（地域祭り開催など）が何より重要であるため、地域観光産業のために開発した観光ブランドについての全般的な地域住民の理解が求められる。したがって、沖縄のように開発最初から地域住民のアイデアや意見に基づいた観光ブランド開発は中長期的に地域住民からの支持を得ることが可能になり、一層効果的なマーケティング活動や地域祭・イベント開催などの有利な環境造成ができるようになる。

次に、沖縄観光ブランドは始めてから海外観光市場に向けて開発したことである。沖縄観光統計（沖縄県、平成三一年）をみると、二〇一一年外国人観光客数は三〇一千人だったが、二〇一八年三、〇〇一千人までおよそ一〇倍増加（年平均成長率を三八・九％）した。同じ期間国内観光客数は五、二二七千人から六、九九八千人までおよそ一、七〇〇千人増加（年平均成長率四・三％）した結果と比べて外国人観光客の増加率が目立つ。沖縄に訪れる主な外国人観光客は台湾、中国、韓国、香港、その他東南アジア諸国の順番であり、沖縄はこれ以上日本国内観光地ではなく、ますます国際的な観光地のポジションに位置付けられている。このような沖縄を囲むインバウンド観光市場のトレンド変化に合わせて沖縄観光ブランドは開発初期から海外市場に向けてメッセージを伝えることを想定して開発された。

最後に、沖縄観光ブランドは開発段階から多様な利害関係者との統合または共同マーケティングに適切なブランド・スローガンとデザインを選択した。これは利害関係者らの個別なマーケティング活動（販促物や動画、オンラインなど）においても「Be. Okinawa」という沖縄観光ブランドがその中で入っても違和感にならないように初期から綿密な企画の下で進められたと思われる。また、シンプルなデザインとスローガンは外国人観光客に「意味を伝える」、「記憶に残せる」という観光ブランドの核心役割にも適切である。

図７　沖縄の観光ブランドの開発方向

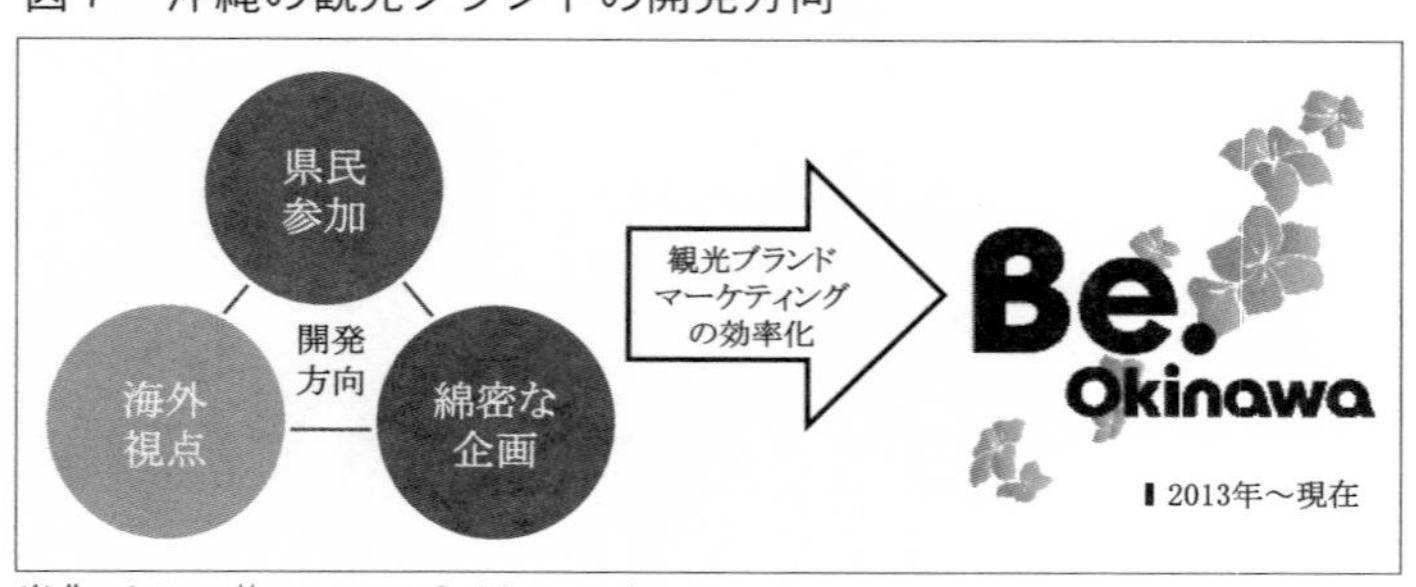

出典：https://www.pref.okinawa.jp

2　沖縄の観光ブランド戦略

沖縄県は「Be. Okinawa」を発表した後、ブランド認知度を向上させるために「沖縄観光ブランド戦略推進事業」を展開している。二〇一七年度の推進事業の内容を見ると、沖縄旅行未経験者層の開拓やリピーター層の維持と拡大、海外市場へのブランド・イメージの浸透、効率的な情報発信の仕組みづくりという三つの事業目的を持ち、五つのカテゴリで事業が構成されている。

まず、ウェブ、ソーシャルネットワークを活用したブランド・イメージの発信事業は「Be. Okinawa」のコンセプトに基づいた動画を製作・広報する事業である。次に、航空会社及び旅行社との共同マーケティング事業は機内映像や機内雑誌、旅行専門雑誌などの媒体に「Be. Okinawa」を露出させ、ブランド認知度を向上させる事業である。第三に、国内重要都市及び県内観光地との協力事業は東京、大阪などの大都市の屋外広告や県外・内の有名な観光地と観光スポットで「Be. Okinawa」を持続的に露出させる事業であり、この仕組みもブランド認知度の増進のためである。第四に、実際の送客と誘致に繋がる仕組みは沖縄県の「ビジット沖縄計画に沿った施策の推進」と連携し、航空社などの訪問可能性の高い人々を対象にしたイベントで沖縄旅行商品や沖縄県産品をプレゼントにして実際観光客を誘致する事業である。最後に推進事業の効果測定は「沖縄観光ブランド戦略推進事業」に関する総合的で客観的な効果を測定し、今後の課題導出や改善方向、そしてマーケティング戦略樹立に必要な示唆を確認する業務である。

ここで、沖縄の「Be. Okinawa」という観光ブランド構築のために「沖縄観光ブランド戦略

図８　沖縄の観光ブランド戦略推進事業

1. ウェブ、ソーシャルネットワーク活用	2. 航空社及び旅行社と共同マーケティング	3. 国内主要都市及び県内観光地と協力	4. 実際の送客と誘致に繋がる仕組み	5. 推進事業の効果測定
➢ Be.Okinawaインデックスページ ➢ WEBプロモーション	➢ ANA・JAL等プロモーション	➢ Be.Okinawaポスター ➢ Be.Okinawa＋サウンドパンフ ➢ 公休タワーマンションDM ➢ プレミアム・フライデー・タイアップ企画 ➢ サンゴの日イベント	➢ ANAタイアップ・キャンペーン	➢ 各執行内容についての効果測定

出典：沖縄県（2017）の参照、再構成

推進事業」で最も集中したのは動画部門である。沖縄の「Be. Okinawa」動画は二〇一四年「OKINAWA : A Journey of Discovery」という第一弾をはじめ、二〇一五年第二弾「OKINAWA : The Secret is out」、二〇一六年第三弾「Life, by OKINAWA」、そして二〇一七年新企画第一弾「LIVE NUCHIGUSUI」まで至っている。二〇一四年の第一弾は欧米豪の市場をターゲット中心にしたキャンペーン・メッセージを発信したが、第二、三弾からはターゲット市場をアジアまで拡張した内容やメッセージに進化した。また、二〇一四年から二〇一六年までの三つのキャンペーン動画は沖縄で楽しめる様々な観光活動に関するメッセージとイメージを強調したが、二〇一七年から開始した新キャンペーンではその動画のストーリ構成が大きくチェンジされた。つまり、二〇一七年から開始した「ぬちぐすい」というキャンペーン動画では、沖縄の方言である「ぬちぐすい（命の薬）」という言葉を利用し、ただの観光地としての沖縄ではなく、「人生の中で、心や体に栄養になるところ」という新しいメッセージを伝える。これは沖縄という観光地の訪問価値を単なる観光活動の場所ではなく、観光客の人生の一部になる場所という一層情緒的一体感を狙っている戦略であり、持続的なリピーター観光客を確保しようとする意味が含まれている。

３　沖縄の観光ブランドの課題

沖縄の「Be. Okinawa」という観光ブランドが現在観光客の訪問もしくは観光地としての沖縄についてどのような影響を及ぼすのかはまだ明確に判断できない。観光ブランドの影響については持続的な評価システムによるデータ蓄積が必要であるが、まだ沖縄の「Be. Okinawa」に関する評価データは十分ではない状況である。但し、二〇一七年の「沖縄観光ブランド戦略推進事業」の報告書に「Be. Okinawa」に関する認知度と選好度と関連した評価結果から今後の課題について考えることができる。この調査は二〇一七年の「沖縄観光ブランド戦略推進事業」にて展開したプロモーション効果の測定及び「Be. Okinawa」の評価を四〇〇〇人の日本人を対

図９　「Be. Okinawa」キャンペーン「ぬちぐすい」

出典：沖縄県、http://beokinawa.jp

象にして得られた結果である。

まず、「Be. Okinawa」に関する認知度を確認できる「広告接触率」の調査結果では、「Be. Okinawa」を知っていると答えた比率はただ一五％程度に過ぎない。もしかして、マーケティングやプロモーション活動が国内より少なかった海外観光客を対象にした場合、一層低い水準だったかもしれない。二〇一八年の事業報告書ではこのような調査結果がなかったため一回の評価結果しか見えないが、「Be. Okinawa」に関する今後の課題としてはこの認知度水準を向上させることが何より重要であると考えられる。特に、観光ブランドに関する事業の評価において、共通調査内容（観光ブランドに関する測定項目）を開発し、持続的に観光ブランドの比較評価ができるようにする仕組みも備えなければならない。加えて、観光ブランドの認知度を向上させるためには広告や広報の専門家、特にメディアやSNS関連マーケティング専門家の配置のような組織構築と、全体観光ブランド関連予算の増加など、一定期間の間に積極的・攻撃的な政策的意思決定が求められる。

次に、「Be. Okinawa」に関する選好度を確認できる「広告のクリエイティブに対する好感度」の調査結果では、ポジティブな答え（そう思うとややそう思う）が八二・三％を示した。しかし、結果値だけでは良好であると見えるが、ポジティブな評価の強度から見るとただ二六・四％のみ強く同意したことが分かる。もちろんこの結果は二〇一七年の「沖縄観光ブランド戦略推進事業」の広告キーコピーとそれらを活用したコミュニケーションの例（クリエイティブ）を見た人々の意見であるため、「Be. Okinawa」に関する全般的な好感度が強くない水準だと言うのはまだ早い。そ

図10 「Be. Okinawa」の認知度

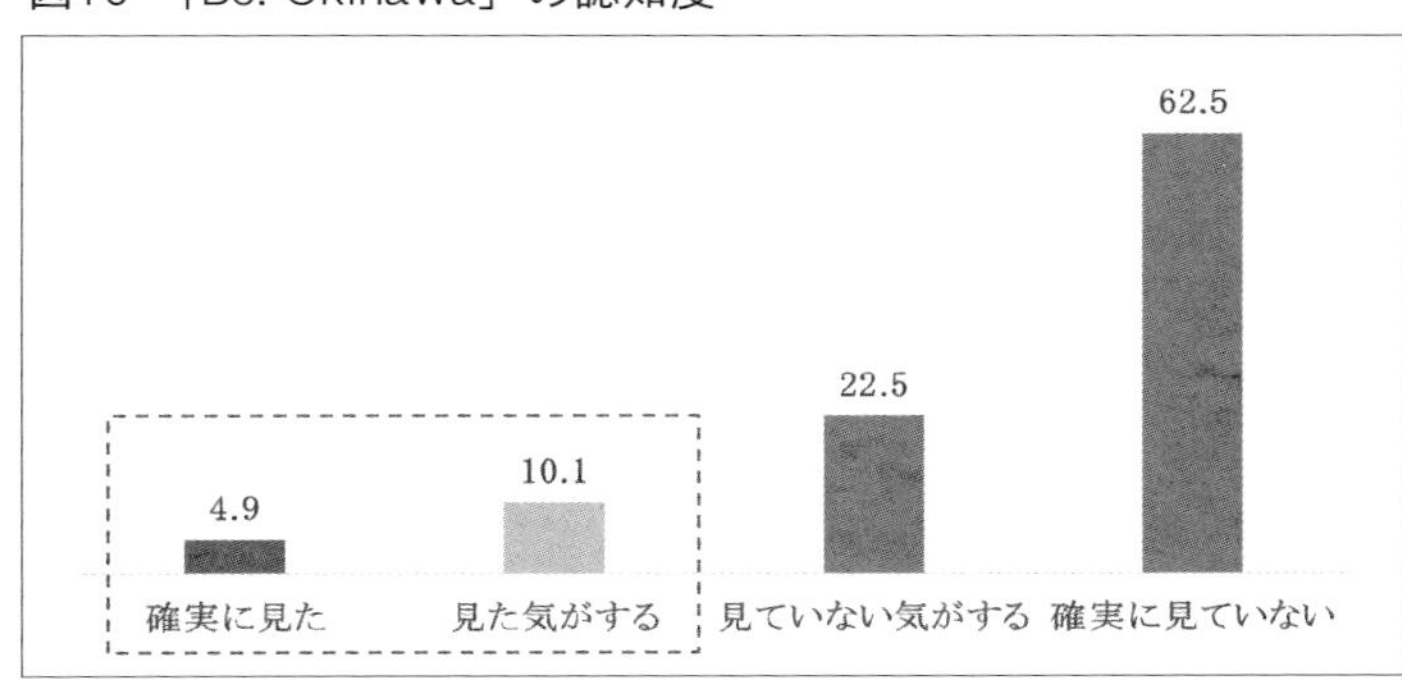

出典：沖縄県（2017）参照、再構成

れにもかかわらず、この結果から今後の課題として「Be. Okinawa」の広告やコミュニケーションのクリエイティブに関して一度考え直す必要がある。例えば、同じ調査で、クリエイティブに関する他の質問の中で「個性を感じる」という項目は一四・九％、「共感できる」は十五・七％をそれぞれ「そう思う」と答えた。言い換えれば、二〇一七年の「Be. Okinawa」の広告やコミュニケーションが人々に沖縄という観光地に関するメッセージやイメージを伝える際にその内容が差別的または印象的な何かを持ってなかったということである。したがって、沖縄の「Be. Okinawa」に関する好感度を向上させるためには広告キーコピーや動画・画像のイメージ、そしてそれらを活用したストーリーテリングなど、各種のメディア関連製作物の開発に新しい工夫が求められる。

図11　「Be. Okinawa」の選好度

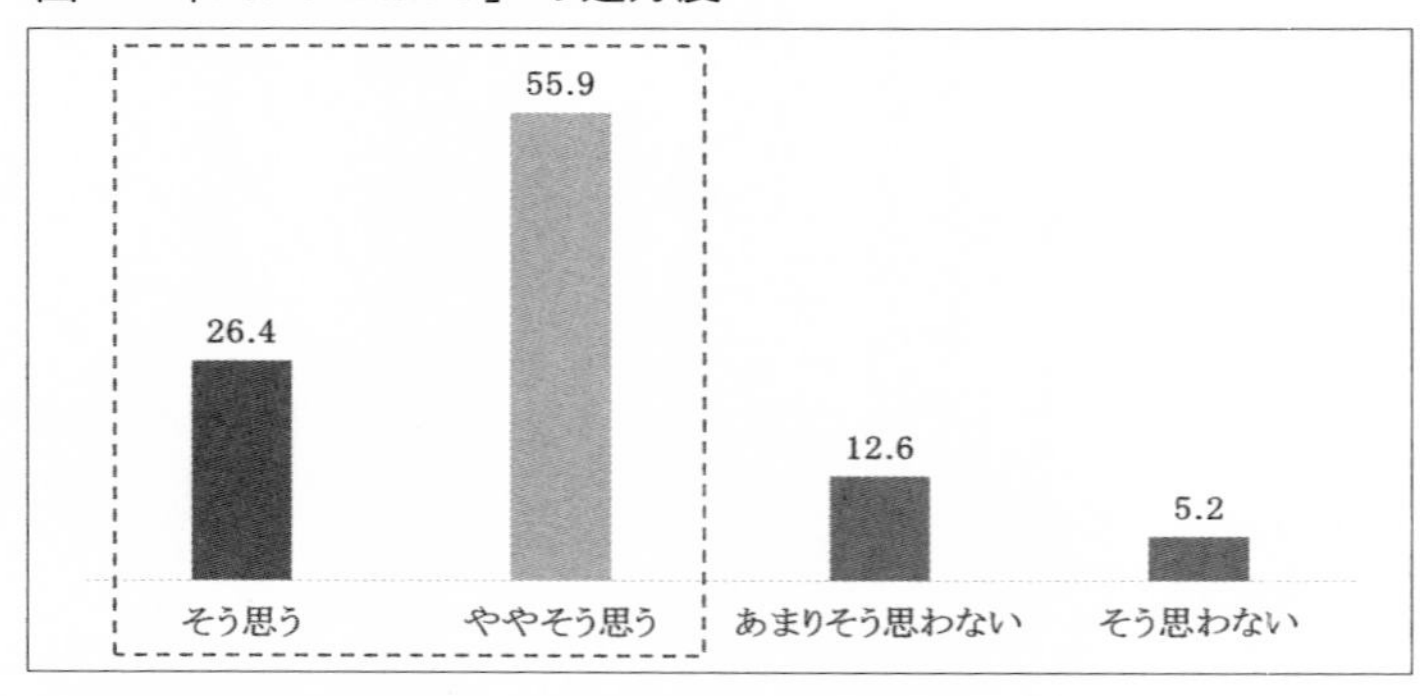

出典：沖縄県（2017）参照、再構成

六　おわりに

今の時代は観光産業の重要性に関して世界の各国や都市が認識しており、競争国や都市との差別的なイメージを構築するために、そして多くの観光客誘致やリピーター観光客を確保するために、多くの国や都市は観光ブランドを活用している。

観光ブランド構築の意味についてまとめてみると、大きく「観光地の経済的な側面」と「観光地マーケティング側面」に分けることができる。

まず、観光地の経済的な側面からの意味には、観光地ブランド資産価値の増進と地域の関連産業への波及効果という二つのメリットがあげられる。観光地の認知度や好感度を向上させるのはその観光地に関するポジティブなイメージを幅広く形成させることであり、その成果は持続的な観光需要の創出につながって結論的にその観光地を囲む観光とサービス関連産業にプラスの効果をもたらす。ここで、観光地ブランド資産とは、観光客が観光地を選択する際に自分の過去訪問経験や口コミ又は知人からのお勧めなどで確認される観光地に関する評判であり、その評判が他の観光地よりポジティブで良い観光地はブランドパワー、いわゆる観光ブランド資産を保有したと考えられる。要するに、観光ブランド資産を高めると、持続的な観光客誘致につながり、中長期的に地域の観光産業と連携された様々な産業に波及効果が行われ、安定的な観光と地域関連産業クラスターの構築を期待できるという意味である。

次に、観光地マーケティング側面からの意味には、中長期的な観光ビジョンの共有と競争観光地との明確な差別化の実現という二つメリットがあげられる。一つの観光地を競争力のある観光地につくるのは様々な利害関係者間の協力が必要である。観光ブランドを構築するのはその利害関係者から発信される多様なマーケティング・メッセージを統合することから始まる。また、観光地の持続的な成長や発展のためには利害関係者がビジョンを共有することが何より重要である。観光地のビジョンの下で、必要な共同マーケティング戦略を樹立し、一貫性のある推進計画を維持していくのはその観光地の核心競争力になり、結論的に他の観光地との差別的イメージを作り出す原動力になる。要するに、観光地の中長期的なビジョンを提示し、そのビジョンに合わせて色んな利害関係者が協力することで、競争する他の観光地との明確な差別的ポイントを観光客が知覚できるようにすること、それが観光ブランド構築の意味である。

観光ブランドの構築のためには次のように四つの課題が提起される。

第一に、観光ブランド管理の持続性を維持することである。そのためにはブランド・マーケティング専門家による中長期的な管理プログラムを運用する必要がある。また、全体観光ブランド管理のための必須予算を確保する政策的判断も求められる。

第二に、利害関係者間の協力を強化することである。これは観光ブランド構築において、最も重要で難しい課題であり、観光地内の利害関係者間の異見に対応できる組織やコントロール・システムを運用する必要が求められる。また、統合または共同マーケティング（キャンペーン、イベント）が実際に利害関係者の利益に戻ってくることについて納得させるなど、その協力体系を強化させる仕組みを工夫すべきである。

第三に、新しいスターを発掘することである。観光客やリピーター観光客を誘致するためには観光地の既存観光資源だけではなく、新しい観光魅力要素の提案が不可欠である。新しいランドマークの開発、メガ・イベントの開催、そして魅力なストーリーテリングによる観光資源の再発見など、新しい訪問価値が創出できる魅力要素を絶えずに探さなければならない。

第四に、成果管理システムの運用である。製品やサービスのようにすべてのブランド・マネジメントには成果管理システムが必須である。特に、観光ブランドを構築のために所要される予算の場合、多くのケースでその観光地が属している自治体から提供されるため、その予算と執行実績に関する管理とそれによる成果測定が求められる。ここで、成果測定はその自治体の固有の測定項目ではなく、競争関係の観光地との比較できる共通項目で測定することで、他の観光地とのブランド競争関係を持続的にモニタリングすることが重要である。

観光ブランド構築は短期間で行われることではない。それにもかかわらず、今の時代において、観光産業の価値とその成長可能性を考えてみると、競争観光地よりいち早くスタートしなければならない課題であることは間違いない。したがって、短期間でその成果や利益を確信できない観光ブランド構築の課業はその観光地が属している政府や自治体が中心的な役割を果たすべきであると考えられる。中長期的なビジョンの下で、利害関係者間の持続的な協力を得ることで、観光ブランド構築は実現できる。沖縄の「Be. Okinawa」がニューヨーク市の「I♥NY」のように、世界の人々に認識させるためには絶えずに「Be. Okinawa」という観光ブランドを大切に管理しなければならない。

※注

(1) UNWTO（国連世界観光機関）のデータを見ると、二〇一一年から「国際観光客数」は一〇億人を超えてきた。

(2) Private Brand。小売店・卸売業者が企画し、独自のブランドで販売する商品である。

(3) Bloom Consultingの国家ブランド・観光部門の評価方法を見ると、1）経済的パフォーマンス（観光収入、観光収入成長率）、2）デジタル・ディマンド（文化、一般情報、具体的な観光活動）、3）CBS（Country Brand Strategy）評価、4）オンライン・パフォーマンス（様々なSNSの評価）という四つのディメンションとその測定項目や評価ツールによって行われている。

(4) ポジショニング・マップによる分析結果の場合、近接しているブランド間の競争が激しいと解釈し、ブランド間の距離があればあるほど競争水準が弱くなると判断する。

【参考文献】

(1) 韓国観光公社（二〇一四）。「二〇二〇韓国観光ブランド・マーケティング戦略」

(2) 観光庁（二〇一九）。「訪日外国人の消費動向：二〇一八年年次報告書」。

(3) 観光庁ウェブサイト（http://www.jnto.go.jp）

(4) 観光庁（平成三〇年）。「観光白書」

(5) 沖縄県（二〇一七）。「平成二八年度国内需要安定化事業：沖縄観光ブランド戦略推進事業の義務完了報告書」

(6) 沖縄県（二〇一八）。「平成二九年度観光統計実態調査」。

(7) 沖縄県（平成三一年）。「平成三〇年度沖縄県入城観光客統計概況」

(8) 沖縄県ウェブサイト（https://www.pref.okinawa.jp）

(9) 沖縄県。http://beokinawa.jp

(10) Aaker D. A.（1991）. Managing Brand Equity. New York, The Free Press.

(11) Aaker J. L. (1997) . Dimensions of Brand Personality. Journal of Marketing Research, 34 (Aug) , 347-356.

(12) AZOULAY A. and KAPFERER J. N.（1998）. Do brand personality scales really measure brand

personality?. BRAND MANAGEMENT, 11（2）, 143–155.

(13) Balakrishnan M. S.（2009）. Strategic branding of destination: a framework. European Journal of Marketing, 43（5/6）, 611-629.

(14) Bloom Consulting（2017・2018）, Country Brand Ranking. https://www.bloom-consulting.com

(15) Brakus J. J., Schmitt B. H., and Zarantonello L.（2009）. Brand Experience: What Is It? How Is It Measured? Does It Affect Loyalty?. Journal of Marketing, 73（3）, 52-68.

(16) GFK（2018）, Press Release. https://www.gfk.com

(17) Interbrand（2018）, Best Global Brands 2018. https://www.interbrand.com/

(18) Keller K. L.（1993）. Conceptualizing, Measuring, and Managing Customer-Based Brand Equity. Journal of Marketing, 57（1）, 1-22.

(19) Mastercard（2018）, Press Release. https://newsroom.mastercard.com

(20) Morgan N., Pritchard A., and Pride R.（2011）. Destination Brand: Managing Place Reputation. Butterworth-Heinemann; 3 edition.

(21) RESONANCE（2017）, WORLD`S BEST CITY BRANDS. http://media.resonanceco.com

(22) UNWTO（2018）, Tourism Highlights. https://unwto-ap.org

沖縄県におけるスポーツツーリズム再考

慶田花　英　太

慶田花　英太・けだはな　えいた
所属：産業情報学部　企業システム学科
主要学歴：琉球大学大学院（保健体育専修）
所属学会：日本体育学会、九州体育・スポーツ学会、日本スポーツ社会学会、日本スポーツ産業学会、日本スポーツマネジメント学会、日本栄養士会、沖縄県栄養士会、日本スポーツ栄養学会
主要論文及び主要著書：
①「沖縄県における総合型地域スポーツクラブの育成状況と課題」琉球大学教育学部教育実践総合センター紀要第15号、一五～二二頁、二〇〇七年、共著
②「沖縄県における総合型地域スポーツクラブの育成状況と課題⑵」琉球大学教育学部教育実践総合センター紀要第16号、八七～九四頁、二〇〇八年、共著
③「生涯スポーツ社会の実現に向けて～沖縄県の総合型地域スポーツクラブの育成状況と課題～」琉球大学生涯学習教育研究センター研究紀要№6、二〇一二年、共著
④「沖縄県におけるスポーツの果たす可能性を探る」沖縄国際大学公開講座25 産業情報学への招待、二〇一六
⑤「第13章 沖縄のスポーツツーリズム」ブックウェイ スポーツツーリズム概論、二〇一八

※役職肩書等は講座開催当時

一　はじめに

沖縄県は、豊かな自然と温暖な気候に恵まれており、スポーツを行うために適した環境にあるため、プロ野球春季キャンプ、サッカーキャンプ、那覇マラソン、武道（空手）、マリンスポーツなど、県外・国外からスポーツをするためやスポーツをみるために多くの観光客が訪れるようになり、「スポーツツーリズム」において注目される地域となった。

しかし、そのようなスポーツをすることに恵まれた環境にいる沖縄県民のスポーツ活動の実態はどうだろうか。「県民の体力・スポーツに関する意識調査報告書」（沖縄県、二〇一二）によると、沖縄県民のスポーツ実施率は五四・七％であり、「スポーツの実施状況等に関する世論調査」（スポーツ庁、二〇一九）の全国値五五・一％とほぼ同じ結果となっている。運動やスポーツの実施状況については、沖縄県は他都道府県と同じ程度であると認識することができる。しかし一方で、沖縄県民の体型はどうだろうか。「平成二三年度県民健康・栄養調査」（沖縄県福祉保健部、二〇一三）によると、沖縄県民の男性の肥満率（ＢＭＩ≧二五）は二〇歳代で三四・〇％、三〇歳代で四二・三％、四〇歳代で五〇・八％と、二〇歳代で三〇％を超え、四〇歳代では五〇％を超えている。つまり、四〇歳代～五〇歳代では二名に一名が肥満という状況である。この割合は全国でもかなり大きい状況である。肥満の要因は食生活等を含めた複合的な生活習慣に起因しているために運動不足のみが原因であるとは言えないが、スポーツを行うことに適した島「スポーツアイランド沖縄」をキャッチコピーとして観光客やスポーツ選手を誘致している島の実態としては、この状況を見つめ直す必要があるのではないだろうか。

そこで本稿では、沖縄県におけるスポーツツーリズムを推進する背景や現状を概観し、その課題を整理していく。そして、沖縄県におけるスポーツツーリズムの推進と地域住民のスポーツ振興（する・みる・ささえる）を繋げ、スポーツツーリズム推進と地域住民のスポーツ振興の今後のあり方について提起することを試みたい。

二　沖縄県におけるスポーツツーリズム

本章では、沖縄県のスポーツツーリズムの推進を図るための根拠となる沖縄県の計画等について説明する。そして、主なスポーツツーリズムの事例と現状を示した上で、沖縄県におけるスポーツツーリズムの課題を整理する。

1　沖縄県の観光

平成三〇年度の沖縄県入域観光客数は九九九万九、〇〇〇人で、年度目標の一、〇〇〇万人には届かなかったものの、前年度比で四一万九、一〇〇人（四・四％）の増加であり、六年連続で過去最高を更新している。その要因として、県は「行政や民間が一体となったプロモーション活動により、沖縄の認知度向上や旅行意欲の喚起を図ったこと」「離島直行便など国内航空路線の拡充による国内客の増加」「海外航空路線の拡充・クルーズ船寄港回数の増加による外国客の増加」を挙げている。また、観光収入においても、七、三三四億七、七〇〇万円で前年度比三五五億五、一〇〇万円(五・一%)の増加であり、入域観光客数同様に六年連続で過去最高を記録している。その要因として、観光客数の増加とともに国内客の一人あたりの消費額が増加したことを挙げている。

沖縄県では、観光を県経済のリーディング産業と位置づけ、様々な環境整備や取り組み等を進めてきた結果、現在は国内有数の観光地として評価されているが、世界的な不安定な経済状況をはじめとした様々な要因により持続的な観光産業の維持・発展させていくことが求められている。その具体的施策として、観光客に対して多様で魅力ある観光体験を提供するために、多様なツーリズムを展開している。その一つのツーリズムとして、温暖な気候を活かしたスポーツツーリズムの推進を図っている。

2　沖縄県におけるスポーツツーリズムの根拠

沖縄県の観光振興は、「沖縄二一世紀ビジョン基本計画（改定計画）」（沖縄県、二〇一七）を踏まえつつ「第五次沖縄県観光振興基本計画（改訂版）」（沖縄県、二〇一七）において観光の振興に関する基本的な方向性を明らかにしている。さらに、「沖縄観光推進ロードマップ（改訂版）」（沖縄県、二〇一九）において中長期的なビジョンを示し、そのビジョンの目標を達成するために単年度ごとの数値目標とその達成に向けた具体的な行動計画である「ビジットおきなわ計画」に基づいて推進されている。

二〇一九年三月に改定された「沖縄観光推進ロードマップ（改訂版）」において、数値目標として観光収入一・一兆円、入域観光客数一、二〇〇万人と従来の数値目標である観光収入一兆円、入域観光客数一、〇〇〇万人より上方修正されており、目標達成のために滞在日数の延伸や一人あたりの消費額の増加、リピーターの確保や新たなターゲットの掘り起こし等が必要とされている。

その数値目標を達成するために「第五次沖縄県観光振興基本計画（改訂版）」（沖縄県、二〇一七）において、具体的施策として多様なツーリズムの展開が示され、その一つとしてスポーツツーリズムが期待されている。その理由として、沖縄県は年間平均気温が約二三℃と一年を通して温暖な気候のために、スポーツを行うためには優れた環境であることが挙げられる。特に、スポーツ選手にとって寒さはケガのリスクを高める要因にもなるため、温暖な気候の沖縄県は冬の時期の合宿地として最適な環境と言える。そのため、スポーツツーリズムの中でもスポーツコンベンションと言われるスポーツ合宿の誘致には積極的に取り組んでいる。

次にスポーツに関連する計画等からスポーツツーリズム推進の根拠を提示していく。まず、沖縄県のスポーツ振興の基本的方向性を定めた「沖縄県スポーツ推進計画」（沖縄県、二〇一三）を見てみると、スポーツを活用した地域活性化の推進を図るためにスポーツツーリズムの推進を謳っており、スポーツツーリズムのメッカとして沖縄の国際的ブランド価値の確立を目標としている。また、沖縄県のスポーツ関連産業の拡大を図るために策定された「沖縄県スポーツ関連産業振興戦略」（沖縄県、二〇一五）においても、スポーツ関連産業振興に向けた八つのシナリオとして「六．国内外観光客を対象としたスポーツツーリズムの基盤強化」「八．コーディネート機能の充実によるスポーツ合宿の誘致」が想定されており、スポーツツーリズムがスポーツ関連産業の拡大にも期待されている。さらに、昨今の沖縄県におけるスポーツ合宿・キャンプの件数が増加している背景から、スポーツコンベンション誘致をこれまで以上に拡大発展するために「沖縄県スポーツコンベンション誘致戦略」（沖縄県、二〇一五）が策定された。この戦略は、二〇二〇年の東京オリンピック・パラリンピックが開催されることを契機に、国内外からのスポーツ合宿・キャンプの誘致を積極的に推進するために、県・市町村・競技団体・その他関係機関等が一体となって地域の盛り上がりや経済効果を産み出し、地域活性化に繋げることを目的に策定された。この戦略の策定により、よりスポーツコ

表1　沖縄県のスポーツツーリズムに関連する主な計画や取り組み等

年度	名　称
2010	「スポーツツーリズム戦略推進事業」開始
2011	文化観光スポーツ部（スポーツ振興課）の設置
2012	「沖縄21世紀ビジョン基本計画」策定 「沖縄県観光振興基本計画（第5次）」策定 ※上記計画でスポーツツーリズム推進が明記された。
2013	「沖縄県スポーツ推進計画」策定 「スポーツコミッション沖縄」設置
2015	「沖縄県スポーツ産業振興戦略」策定 「沖縄県スポーツコンベンション誘致戦略」策定
2017	「沖縄21世紀ビジョン基本計画（改定計画）」」策定 「第5次沖縄県観光振興基本計画（改訂版）」策定

ンベンションの誘致とともに地域の受け入れ体制や環境整備が行われるようになった。

このように、沖縄県においては観光に関連する計画等だけでなく、スポーツに関連する分野においてもスポーツツーリズムの推進を計画等に盛り込み、積極的に推進する基盤を整備していることがわかる。その背景として、二〇一一年に組織再編として設置された「文化観光スポーツ部」の存在がある。この組織再編は、沖縄県の文化やスポーツなどの資源を観光と結びつけ、より効果的な施策展開を図るために従来の文化環境部と観光商工部、教育庁保健体育課の学校体育以外のスポーツ関連業務を統合させたものである。この統合前においては、スポーツは教育委員会の管轄だったため、スポーツを活用した産業の拡大等において観光商工部との連携を十分に行うことができなかった。そのため、この統合によってスポーツと観光を結びつけることが可能となり、スポーツ産業の拡大のためにスポーツツーリズム推進を図ることができるようになったのである。

3　スポーツコミッション沖縄

沖縄県におけるスポーツツーリズムを推進していく上で重要な役割を果たしているのが二〇一五年四月より本格的に稼働したスポーツコミッション沖縄である。スポーツコミッション沖縄は、スポーツ合宿や大会等の受け入れを主としたスポーツコンベンションの拡大・発展を目指し、表2の六つの役割を担っている。

スポーツコミッション沖縄が設立される以前までは、県外や海外から合宿に来るチームのほとんどが自分たちで合宿先に関する情報を収集し、施設の予約等の合宿に係る全ての作業を行なっていた。そうなると、毎年定例的に合宿を行なっているチームはノウハウが蓄積され円滑に合宿が行えるものの、初めて沖縄で合宿を行いたいと希望するチームにとっては多大な労力が必要となってくる。そのため、沖縄で合宿を行うための情報を市町村や競技団体、宿泊施設・交通機関等と連携しながら集約し、合宿の実施をより円滑に行えるようにワンストップ窓口の役割を果たしているのがスポーツコミッション沖縄である。また、合宿に来るチームに対する合宿地となる市町村の歓迎の機運を高めるのもスポーツコミッション沖縄の大きな役割である。その成果として、ここ近年ではスポーツ合宿を行う市町村における歓迎セレモニーやレセプションパーティー等の様子がメディアで紹介さ

表2　スポーツコミッション沖縄の役割

表2　スポーツコミッション沖縄の役割
1. スポーツコンベンション受け入れ（コーディネート業務）
沖縄県外・海外からの問い合わせ対応
2.関係機関との連携体制構築
スポーツコンベンション受け入れに係る関係機関（市町村、競技団体）との連携強化
3.マーケティング
市町村の支援策や取り組み等に関する情報収集、沖縄県内のスポーツ環境の動向把握
4.情報発信
Webサイト・ガイドブック等の活用による沖縄県内スポーツ環境ＰＲ
5.スポーツコンベンション実施の機運醸成
歓迎セレモニー等の開催によるスポーツコンベンション受け入れの継続・発展に向けた機運醸成
6.誘致活動
キーパーソン招聘や競技団体への訪問等、関係機関と連携した誘致活動の実施

スポーツコミッション沖縄HP
(http://www.sports-commission.okinawa/about）より抜粋

図1「スポーツコンベンション開催実績一覧【平成29年度版】」

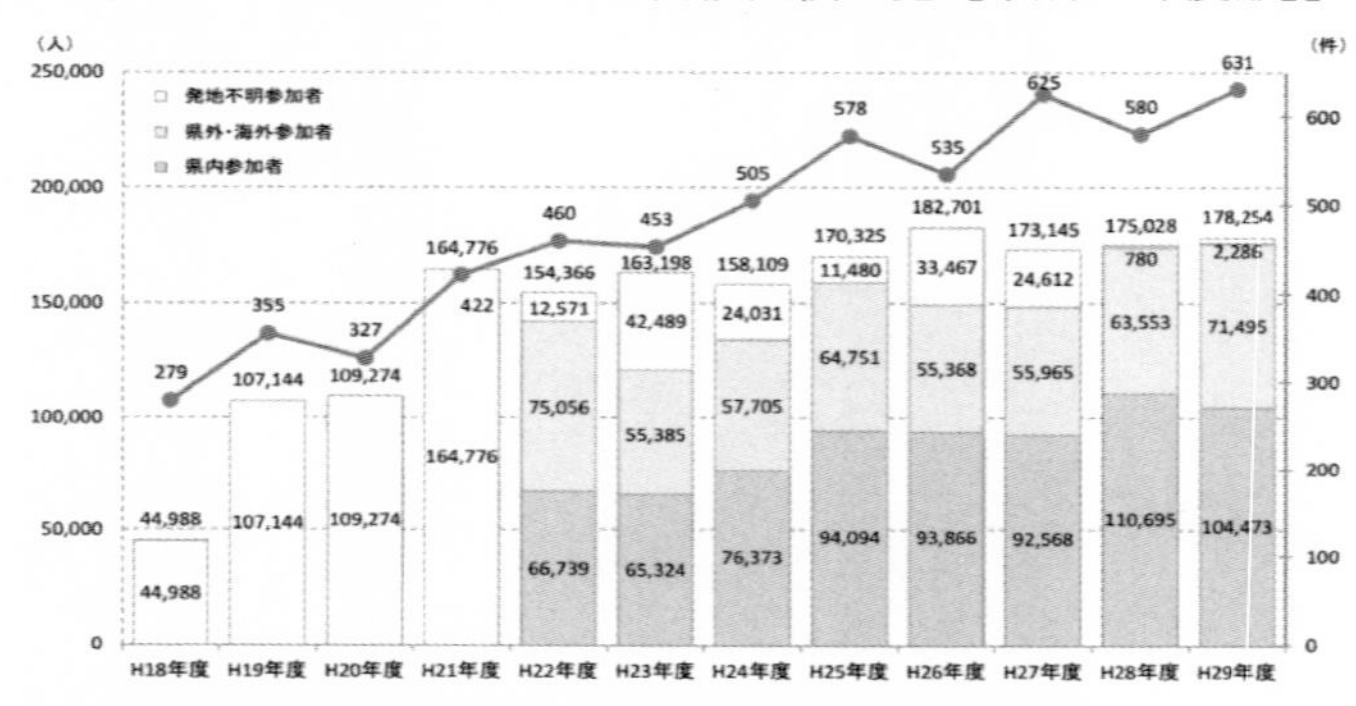

	H18年度	H19年度	H20年度	H21年度	H22年度	H23年度	H24年度	H25年度	H26年度	H27年度	H28年度	H29年度
スポーツコンベンション件数	279	355	327	422	460	453	505	578	535	625	580	631
スポーツコンベンション参加者	44,988	107,144	109,274	164,776	154,366	163,198	158,109	170,325	182,701	173,145	175,028	178,254
県内参加者					66,739	65,324	76,373	94,094	93,866	92,568	110,695	104,473
県外・海外参加者					75,056	55,385	57,705	64,751	55,368	55,965	63,553	71,495
発地不明参加者	44,988	107,144	109,274	164,776	12,571	42,489	24,031	11,480	33,467	24,612	780	2,286

（沖縄県）より抜粋

れる機会も増えてきている。

図１は沖縄県におけるスポーツ合宿等のスポーツコンベンション開催実績数を表しているが、開催件数は年度によって多少のばらつきがあるものの、平成二四年度以降は五〇〇件以上のスポーツコンベンション件数を維持しており、平成二九年度は六三一件で過去最高の件数を記録している。このように、スポーツコンベンションの件数はここ数年で比較的増加の傾向を表しており、スポーツコミッション沖縄が果たす役割は益々重要になってきている。

４　沖縄県におけるスポーツツーリズムの実態

沖縄県のスポーツツーリズム推進の根拠としての施策等について概観してきたが、

ここでは沖縄県のスポーツツーリズムの中で経済的にも社会的にも影響力の大きい「プロ野球春季キャンプ」「Jリーグキャンプ」「マラソン大会」について、その実態について見ていく。

(a)プロ野球春季キャンプ

沖縄県におけるプロ野球キャンプは、沖縄県の観光課題の一つである繁忙期と閑散期の平準化の対策のために、閑散期である冬場の観光客増加の起爆剤として取り組まれた背景がある。一九七九年に日本ハムファイターズ（二軍）が糸満市の西崎球場で実施したキャンプを皮切りに、二〇一九年の春季キャンプでは日本プロ野球のチームが九球団、韓国プロ野球が七球団の計一六球団が実施した。「沖縄県内における二〇一九年プロ野球春季キャンプの経済効果」（りゅうぎん総合研究所）によると、プロ野球春季キャンプの経済効果は

図2「沖縄県における2019年プロ野球春季キャンプの経済効果」

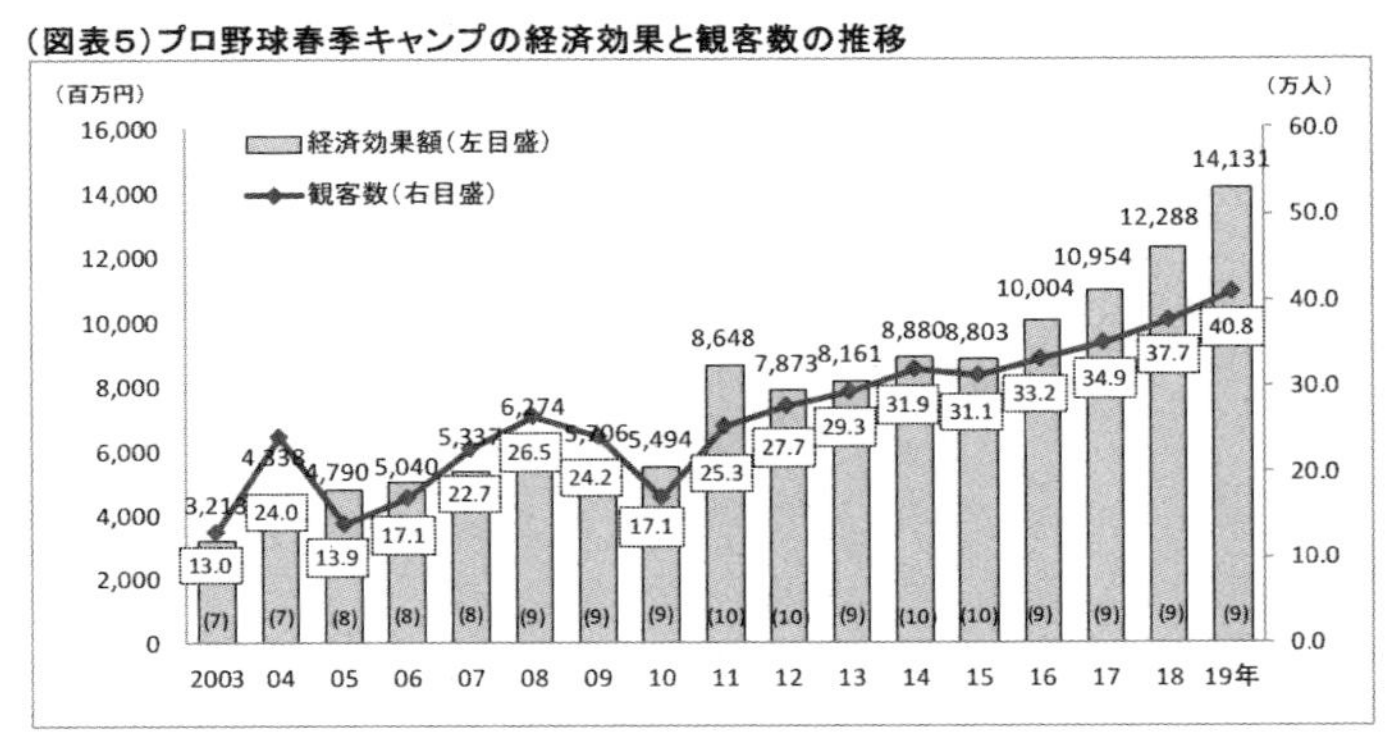

(りゅうぎん総合研究所)より抜粋

一四一億三、一〇〇万円となり、二〇一六年に一〇〇億円を超えた後も四年連続で過去最高を記録している。また、延べ観客数も四〇万八、〇〇〇人で、経済効果と同様に二〇一六年から四年連続で過去最高を記録している。その要因としては、「沖縄県の入域観光客数が好調に推移しいていること」「注目選手の参加などによるチーム人気の高まりでファンが増えたこと」「SNSなどを活用したPR活動によりファンサービスの認知が広まりリピーターが増えたこと」「周年記念イベント開催の効果」などが挙がっている。また、二〇一九年シーズンの日本プロ野球公式戦の一試合平均入場者数が三〇、九二九人とここ数年徐々に増加しているように、日本プロ野球の人気が高まっていることも要因の一つであると推測できる。

(b) Jリーグキャンプ

沖縄サッカーキャンプHPによると、沖縄サッカーキャンプは沖縄観光の新たな魅力の創出や着地型観光の拡充を図るため、平成二二年度からサッカーキャンプの誘致に取り組んでいるプロサッカーチームの誘致プロジェクトと説明されている。二〇一九年はJリーグ所属のチームが一九チーム、大学や海外のチームを含めると計二七クラブがキャンプを実施している。経済効果も、沖縄サッカーキャンプの始まった二〇一〇年の二億一、六二五万円から、二〇一八年には二〇億四、四七八万円と増加しており、プロ野球春季キャンプに次ぐスポーツコンベンションとして期待されている。

また、沖縄県では平成二四年度からサッカー場の芝生を管理する人材を育成する「芝人（しばんちゅ）養成事業」を実施したことにより、県内サッカー場の芝生環境の改善に努めてきたことも、参加チーム数が増加した要因と言える。

(c)マラソン大会

沖縄県内で開催されるマラソン大会は、沖縄観光の閑散期とされる一一月から翌年四月にかけて多く開催されており、閑散期におけるスポーツツーリズムの一つの資源となっている。『「マラソンin沖縄」に対する県外ランナー意向等調査』（内閣府沖縄総合事務局、二〇一五）によると、沖縄県内における主なマラソン大会の参加者の内、県外・海外からの参加者は各大会ともに一定数おり、沖縄本島内で比較的参加者数が多く、認知度も高い「おきなわマラソン」においては一九・〇％が県外・海外からの参加者となっており、多くの参加者がこの大会に参加するために沖縄県に訪れていることがわかる。また、宮古島市で行われている「宮古島一〇〇kmワイドーマラソン大会」においては、県外・海外からの参加者の割合が五三・九％と参加者数の半数を超えており、マラソン大会がスポーツツーリズムとしての大きな役割を果たしていることがわかる。さらに、沖縄県内で最大規模を誇るＮＡＨＡマラソンにおいては、二〇〇八年から二〇一八年における参加者数に占める県外・海外からの参加者割合がすべて三〇％を超えており、四〇％を超える年も多い。ＮＡＨＡマラソンにおいては、毎年大会が開催されるたびに一〇、〇〇〇人以上の県外・海外からの参加者がいることがわかる。そのＮＡＨＡマラソンの開催による経済効果も注目されており、「第三二回Ｎ

AHAマラソンの経済波及効果」（りゅうぎん総合研究所、二〇一七）によると、第三二回NAHAマラソンの経済波及効果は一九億七、八〇〇億円になると報告しており、地域に大きな経済効果をもたらしていることがわかる。このように、沖縄観光の閑散期に開催されているマラソン大会は、地域住民の交流や体力向上、健康維持等の目的のみならず、スポーツツーリズムとして大きな役割を果たしていることがわかる。

その他にも、沖縄県では沖縄観光コンベンションビュー

表3　県内マラソン大会における県外・海外参加者率

大会名	参加者数	県内	県外	海外	県外・海外参加率
古宇利島マジックアワーRUN in 今帰仁村	2,681	2,285	317	79	14.8%
あやはし海中ロードレース大会	10,001	9,571	242	188	4.3%
中部トリムマラソン大会	4,232	4,204	22	6	0.7%
尚巴志ハーフマラソン in 南城	12,453	12,070	298	85	3.1%
NAGO ハーフマラソン	2,766	2,449	290	27	11.4%
おきなわマラソン	17,283	13,991	2,665	627	19.0%
東村つつじマラソン	861	853	8	0	0.9%
なんぶトリムマラソン	8,345	8,204	141	0	1.7%
エコアイランド宮古島マラソン	1,403	965	438	0	31.2%
宮古島 100km ワイドーマラソン大会	1,513	697	816	0	53.9%
石垣島マラソン大会	7,082	2,548	1,616	2	22.8%
伊江島一周マラソン大会	2,582	2,376	204	2	7.9%
伊平屋ムーンライトマラソン	1,234	855	373	6	30.7%
久米島マラソン	1,662	1,145	511	6	31.1%
たらま島一周マラソン大会	423	392	31	0	7.3%
日本最西端与那国島一周マラソン大会	511	385	126	0	24.6%
鯨海峡とかしき島一周マラソン大会	764	587	177	0	23.1%
竹富町やまねこマラソン	1,602	1,193	409	0	25.5%

『マラソンin沖縄』に対する圏外ランナー意向等調査」を基に筆者作成

表４　NAHAマラソンにおける県外・海外参加率

年度	参加者数	県内	県外	海外	県外・海外参加率
2018	28,395	15,254	9,064	727	34.48%
2017	28,362	14,865	9,127	882	35.29%
2016	26,573	15,447	9,929	1,197	41.87%
2015	26,679	15,778	10,063	838	40.85%
2014	26,905	15,769	10,004	1,132	41.45%
2013	27,697	16,927	10,298	472	38.88%
2012	24,333	13,742	10,215	376	43.52%
2011	23,988	13,501	10,151	336	43.71%
2010	23,402	13,402	9,674	326	42.73%
2009	30,081	18,036	11,672	373	40.04%
2008	26,973	16,906	9,742	325	37.32%

NNAHAマラソンHPより筆者作成（http://www.naha-marathon.jp/history/history.html）

ローを中心に「スポーツアイランド沖縄」をキャッチコピーとして、スポーツツーリズム誘客促進事業を行っている。このＨＰでは、先ほどのマラソン大会以外にも、ゴルフやＳＵＰ、ヨガなど沖縄の豊かな自然を活用し、さらに競技性のさほど高くなく少人数で実施することができるスポーツをＰＲしているのが特徴である。プロ野球キャンプやサッカーキャンプ等のみるスポーツやマラソン大会のような比較的強度の高いスポーツではなく、観光と同時に気軽にスポーツを実践したいという層をターゲットにしていると推測できる。これらの比較的強度が低く、日常的なスポーツ活動の少ないスポーツライト層に対するプログラム提供は観光における滞在日数の延伸と消費額の向上にも少なからず寄与するものと思われる。

また、国土交通省四国運輸局が国内外から多くのサイクリング旅行者が訪れる瀬戸内海のしまなみ海道、自転車による街づくりを進める名護市、びわ湖一周サイクリングの滋賀県守山市の三エリアを「サイクリング・ゴールデンルート」と銘打ち、ＰＲ動画を作成している。ツール・ド・おきなわでも有名な沖縄県北部へのサイクリング旅行者の増加も今後は期待できるのではないだろうか。

さらに、沖縄県は空手発祥の地として県外・海外からの空手愛好者による武道ツーリズムにも力を入れている。二〇二〇東京オリンピックでは正式種目として採用され、空手の修行や大会のために沖縄に訪れる人々も増加されると期待されている。

図3 スポーツアイランド沖縄HP（https://okinawasportsisland.jp/）

三　スポーツツーリズムの課題

沖縄県は多様な観光形態の一つとしてスポーツツーリズムを積極的に推進していることを述べてきたが、ここで沖縄に住んでいる地域住民の視点からこれらのスポーツツーリズム施策をどのように考えているのか整理していきたい。例えば、これだけ多くのスポーツチームが合宿に来るとなれば、施設が不足することは推測でき、合宿に来たくても来ることができないチームもあるはずである。そのような施設不足の中、地域住民のスポーツ活動場所を保証することができるのだろうか。

そこで、沖縄県におけるスポーツツーリズムの課題をスポーツ関係者（スポーツ団体、スポーツ実施者、行政関係者等）へのヒアリングと筆者が担当する「スポーツ演習」の講義の受講学生から意見を聴取し、整理することとした。さらに、その整理した課題に様々な資料や論文等の知見を加え整理した。なお、スポーツ関係者へのヒアリングは筆者が各所で会った際に非構造化インタビューとして実施し、受講学生の意見はグループワークによる発表やレポート等で記述した内容を整理している。

その結果、下記の六つの課題に整理することができた。そこで、その課題について説明していく。

〈スポーツツーリズムの課題〉

①施設利用の制限

②施設整備に係る予算確保

③地域住民の気運情勢
④地域住民との交流
⑤ボランティアの確保
⑥観光公害

①施設利用の制限

沖縄県のスポーツツーリズムとして最も有名なプロ野球春季キャンプやここ数年規模が拡大しているJリーグチーム等のサッカーキャンプ、さらには陸上競技やラグビーなど、毎年様々なスポーツ種目のチームが沖縄に合宿等のために訪れている。特に、沖縄観光の閑散期である一一月以降は、寒い県外に比べると温暖な気候の沖縄はスポーツを行うには適した環境であり、多くのスポーツチームが合宿を行っている。そのため、沖縄県内のスポーツ施設の多くが合宿に来るチームが使用することになり、地域住民の施設利用が制限される。さらに、野球場やサッカー場はキャンプのために約一~二ヶ月前から芝の養生や専用の仮設施設を設営するために使用できず、利用したくても利用できない状況である。スポーツ合宿を受け入れる市町村や施設管理者としては、プロスポーツチームを受け入れるために最良な環境整備をすることで継続した合宿誘致ができ、地域の活性化に繋がるために行っている。しかしながら、地域住民の中には利用したくても利用が制限される実情に不満を抱いている者もいるはずである。地域の中のスポーツ施設の建設には土地や予算等で限度があるのは誰もが理解していることであり、施設利用が制限されることを地域住民に理解してもらうこともスポーツ合宿の課題の一つである。今後は、それらの施設利用の制限に関する詳細な調査が必要である。

②施設整備に係る予算確保

プロスポーツチームの合宿を誘致するためには、専門的で高度な設備・機器を有している施設があるのが望ましい。さらに、トレーニングを行うための施設が複数あり、それらの施設がなるべく近くにあるなどの環境があるとプロスポーツチームの合宿を誘致する際のＰＲポイントとなる。それらの専門的で高度な施設が沖縄県にどれほどあるのかと問われると、実際にはほとんど無いというのが現状である。プロ野球を開催するためのドームや国際大会を開催するサッカー場や陸上競技場が無いのがその現状を表している。だからといって、それらの大規模で専門的・高度な設備を有する施設を建設するのは簡単なことではない。しかしながら、今後も国内プロスポーツチームのみでなく、海外の有名なプロスポーツチームや国を代表するチームに継続的な合宿を行ってもらうためには、温暖な気候に加えて施設を含めた環境整備は必須になってくる。

③地域住民の気運情勢

①施設利用の制限や②施設整備に係る予算確保のためには地域住民のスポーツツーリズム、特に

スポーツ合宿に対する理解を高めていく必要性がある。そのためには、スポーツツーリズムによる効果を改めて整理し、地域住民に対して認識してもらう必要がある。スポーツツーリズムの効果といえば、多くの人がその経済効果に着目しがちであるが、社会的効果にも着目する必要がある。例えば、プロ野球チームのキャンプ地としてキャンプ時期にはメディアに市町村名や球場名が露出することで、プロ野球球団のキャンプ地としての誇りや愛着を持つこともあるだろう。さらには、キャンプ地であることでその球団を応援する機会からファンとなることも考えられる。その結果、日常的にその球団の試合結果や選手の活躍等を確認するなど、スポーツが日常の中で活気を与えるものとなることもあるだろう。また、プロ球団を受け入れるために地域住民が協力し、ボランティアとして施設周辺や地域の清掃を行ったり、施設の植樹活動を行ったりすることで、地域住民同士の繋がりができてくる。このような社会的効果にも着目し、スポーツツーリズムに対する地域住民の理解を深め、積極的に受け入れる機運を高める活動を行なっていくことが必要となってくる。

④地域住民との交流

プロスポーツチームが合宿に来るとなれば、地域住民は有名なプロスポーツ選手との交流を図りたいと考えるのと同時に、プロスポーツ選手も地域住民との交流は一つの社会貢献活動として重要な活動である。これらの選手と地域住民の交流は、選手にとってファンの獲得という側面がありつつも、地域の文化を理解する側面もある。例えば、地域住民との交流の中で地元の特産品を使用した料理を食べたり、地元の方言を教わったりなど、選手にとっては地域貢献活動を通してファンの獲得を目的としていても、逆にその地域の文化に触れる機会でもあり、その結果、愛着を持つ可能性もある。

プロスポーツ選手に限らず、マラソン大会に参加したランナーが地域住民との交流を通して、また参加したいと思うようになり、リピーターとして大会に参加するといった事例も聞かれる。そのため、地域住民はスポーツツーリズムへの理解と同時に、スポーツをする・みるために来た選手や観光客と交流することが求められている。

⑤ボランティアの確保

沖縄県のスポーツツーリズムに大いに貢献しているマラソン大会であるが、そのほとんどの大会で多くのボランティアが必要になってくる。ＮＡＨＡマラソンではそのボランティアのホスピタリティの高さがリピーター継続率に影響を与えているなどで全国的に有名であるが、そのＮＡＨＡマラソンにおいてもその他のマラソン大会においてもボランティアの多くが「動員」である。つまり、自主的な活動であるボランティアではなく、マラソン大会のために半強制的にボランティアの役割を与えられた人たちである。そのメンバーは大会や地域によって様々であるが、その多くが行政職員、自治会員、学生、スポーツ関連の協会や連盟関係者などであろう。その動員ボランティアの中には嫌々ながら参加し、なんとなく役割を果たす人もいるだろう。マラソン大会におけるボランティアのホスピタリティの高さが参加者の継続率に影響を与えることは研究でも明らかになっているが、そのような嫌々ながら参加した動員ボランティアが参加者に対して満足のいく対応を行うことができるだろうか。今や沖縄県内各地で開催されているマラソン大会の多くがスポーツツーリズムとして大きな役割を果たしている。そのため、質の高いボランティアの確保が必要であり、スポーツボランティア人材の育成も今後の課題と言える。

⑥観光公害

この課題はスポーツツーリズム特有の課題ではなく、観光全体の課題と言える。スポーツツーリズム（プロスポーツチームの合宿やマラソン大会等）による交通渋滞やゴミの増加はもちろん、これまで地元の住民しかいなかった地域に県外や海外の人が入ってくることにより雰囲気が変わるなど、日常生活に影響がある。これらの課題は、観光全体の課題として議論してく必要があるだろう。

このように、スポーツ関係者へのヒアリング、学生からの意見を整理するとスポーツツーリズムの課題を六つに整理することができた。これらの課題を解決することは容易ではないが、各地域がスポーツツーリズムに対する理解を深めながら、どのように解決するか議論する必要がある。また、これらの課題以外にも地域には様々な課題が山積しているはずである。今後は、これらのスポーツツーリズムに加えて、その他の課題についても調査・検証していくことが必要となってくる。

四　スポーツツーリズムと地域住民のスポーツ活動

これまで、沖縄県におけるスポーツツーリズムの推進の背景や沖縄県内のスポーツツーリズムの事例等を紹介してきた。今後もスポーツ合宿の誘致やスポーツイベントの誘客、さらには観光と同時にスポーツを体験するプログラム等が充実し、スポーツツーリズムが拡大していくものと予想される。その一方で、沖縄県民のスポーツ実施率は全国平均とさほど変わらない状況だが、その健康問題は深刻である。特に、様々な疾病の原因となる肥満は、男性を中心として全国的に高い値であり、スポーツや運動を通して改善を図っていくことが求められている。そこで、県外・海外から訪れるスポーツ選手や愛好者、観光客のスポーツ実践が地域住民のスポーツへの関心を高める機会と仮定し、これまで別々に展開されてきたスポーツツーリズムと地域住民のスポーツ活動（する・みる・ささえる）を繋げることができないだろうか。

本章では、スポーツツーリズムと地域住民のスポーツ活動である「する・みる・ささえる」という三つの視点から繋げていくことを試みる。

1　スポーツをする視点

沖縄県民のスポーツ実施率は、先述したように五四・七％と全国とほぼ同じ数値であり、二人に一人しか定期的なスポーツ・運動を行なっていない状況である。この数値は全国平均に近い数値であるが決して高い数値とは言えず、国の第二期スポーツ基本計画の目標値であるスポーツ実施率を六五％まで引き上げるためには、定期的なスポーツ・運動を行なっていない人たちにどれだけスポーツ・運動を行なってもらえるかが重要である。これまで運動習慣の無い人たちの行動を変容するためには、その個人の生活習慣と思考を変えていかなければならず、かなりの難題と言える。また、スポーツ・運動を行わない最も大きな理由が「時間がない」「仕事や家事が忙しい」であることから、スポーツや運動を行うための時間を確保することが求められており、仕事における働き方の改革や育児問題など、様々な要因が絡み合っている。

このようにスポーツをすることは、時間を確保し、スポーツ・運動を行うためのきっかけ等が必要だということがわかるが、スポーツや運動の習慣のない人たちにとっては、スポーツや運動を行うためのノウハウ（服装や場所、方法等）が身についておらず、何からやればよいかわからず、行動に移すことが困難な側面もある。さらには、スポーツ実施の阻害要因である時間の確保がそもそも難しく、実施することができない状況である。しかしながら、これらのスポーツや運動をするための時間を確保することができないことは個人の問題としてだけで留めてよいのだろうか。「平成二九年度国民医療費の概況」によると、国全体の医療費は四一兆円となっており、右肩上がりに増え続けている。国民医療費の増加は国民一人当たりの負担を増加させ、大きく財政を圧迫している。この医療費の抑制を図るためには、健康問題を改善していくことが重要であり、時間が確保できずにスポーツや運動を実施できていない人たちの状況も改善していく必要性がある。そのため、時間を確保できずにスポーツや運動を行うことができないことは、個人の問題を超えて社会全体の問題にも大きく関わっているのである。では、どのようにしてスポーツや運動を行う時間を確保することができるのだろうか、その一つの解決策として仕事中におけるスポーツや運動の実践が挙げられるのではないだろうか。

沖縄県は観光産業に従事している人も多く、それらの観光産業で従事している人たちが観光で訪れる方々と一緒にスポーツや運動を行い、交流を図るような働き方を行なっ

図4「平成29年度国民医療費の概況」

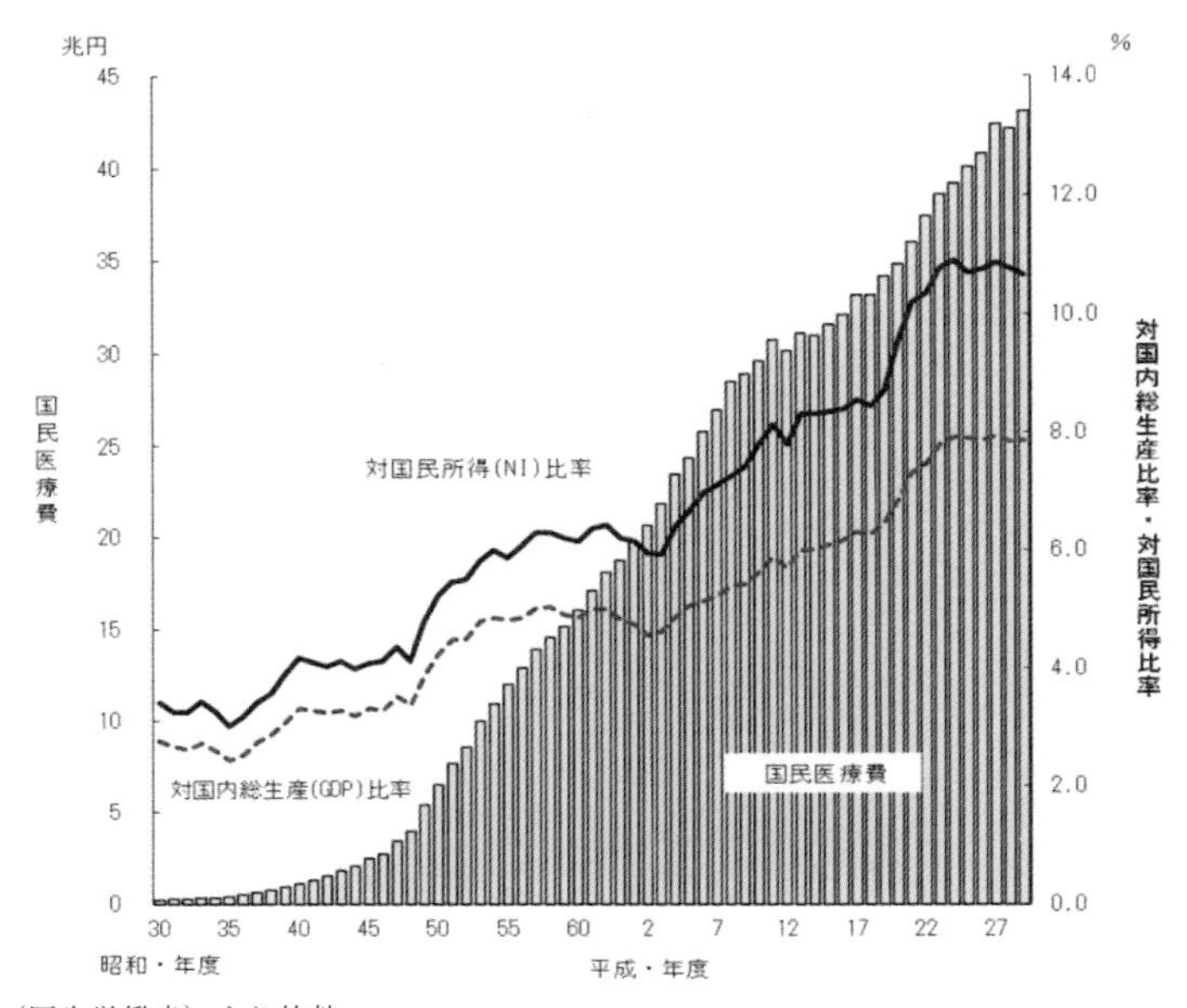

(厚生労働省) より抜粋

てはどうだろうか。企業としても社員の健康が会社の資源であるという健康経営という考え方も拡がってきている。そのため、社員の健康を維持・増進するために観光客と一緒にスポーツをするという取り組みも検討する余地があるのではないだろうか。また、観光客も企業で働く地元の人たちとスポーツを通して交流することで、地元の文化をより深く理解でき、沖縄に愛着を持ち、リピーターとして継続して訪れてくれるかもしれない。このように、時間が確保できない運動未実施者と県外・海外からのスポーツ選手・観光客が一緒にスポーツ・運動を行う取り組みによって、スポーツ実施率の向上、さらには医療費の削減に寄与する可能性があるのではないだろうか。

また、日常的にスポーツ・運動を行なっているかどうかに関わらず、地域住民が県外・海外から訪れるスポーツ選手やスポーツ愛好者、観光客と一緒にスポーツをすることで、スポーツが盛んな地域（島）として認知され、「スポーツに適した島」だけでなく「スポーツが盛んな島」というブランディングができるのではないだろうか。年中温暖で自然豊かな島だからこそスポーツをするために訪れるスポーツ選手や愛好者、観光客にとってはその島に住んでいる住民のライフスタイルも関心事の一つである。例えば、ハワイの住民は年中マリンスポーツに親しんでいるといったイメージを日本人が抱いているように、「スポーツアイランド沖縄」のキャッチコピーから抱くメージは、スポーツが盛んで地域住民も日常的にスポーツに親しんでいるといったイメージを持つのではないだろうか。それが実際は、全くの逆で、県民男性の肥満率は高く、スポーツ実施率が低いなど、そのイメージがスポーツツーリズムを推進している沖縄にとってはマイナス要素となる可能性は否定できない。現状では、スポーツ合宿やイベントへの参加、スポーツをするために訪れる人は増加しているが、継続してスポーツツーリズムを推進していくためには、実際の地域住民のライフスタイルの変容も必要であると考える。

2 スポーツをみる視点

沖縄県にはB1に所属する琉球ゴールデンキングス、J2に所属するFC琉球など、プロスポーツチームの活躍と同時にスポーツをみるという文化が少しずつ根づき始めている。Bリーグが発表した「MONTHLY MARKETING REPORT 2019-20 SEASON」（二〇一九年一〇月）によると、琉球ゴールデンキングスの平均入場者数は三、二七八名となっており、リーグ全体の五番目に入場者数が多いことがわかる。FC琉球の平均入場者数は二〇一八年度に三、〇〇〇名を超え、二〇一九年度は有名選手の獲得などにより、その数字は大幅に更新すると推測されている。このように、沖縄県におけるプロスポーツチームの観客数は増加傾向にあることがわかる。また、各地で開催されるマラソン大会での沿道の応援は非常に多く、多くの県民がスポーツをみていることがわかる。さらに、プロ野球春季キャンプやサッカーキャンプにおける観客も年々増加しており、二〇一九年プロ野球春季キャンプでは観客数は四〇万人を超え、県外からの観光客の増加とともに県内在住者の観客も増加していると推測できる。

このように、沖縄県においてはプロスポーツチームの活躍やプロスポーツチームの合宿等を訪れ、スポーツをみるという文化が徐々に根づき始めているものと思われる。今後は、その他のスポーツ種目におけるキャンプでの観客数を増やす取り組みを行うことで、スポーツをみる地域住民を増やしていくことができるのではないだろうか。県内では二〇二〇年東京オリンピック開催を前に各国の代表チームが事前キャンプを行うことが決定している。それらの代表チームのキャンプの認知度を高める取り組みを行なっていくことが求められる。スポーツをみることで、スポーツへの関心を高め、スポーツをする行動の変容へ影響を与えられることやキャンプを見に行った代表チームに愛着を持ち応援することで心理的な健康にも繋がる可能性もある。このように、スポーツツーリズムを通してスポーツをみる人の増加が、その人たちの日常生活を豊かにする可能性を含んでいる。

3　スポーツをささえる視点

二〇二〇東京オリンピック・パラリンピックのボランティアとして八万人もの人を募集することがメディアでリリースされ、その内容や人数の多さに様々な批判が相次いだが、結果的に二〇万人近くのボランティア希望者が応募し、最終的に八万人のボランティアが確定したと報道されている。また、今年開催されたラグビーワールドカップでも多くのボランティアが参加したように、スポーツボランティアに対するニーズは高いことがわかる。このような国際的なビッグイベントだからこれだけのボランティアが必要であり、集まったこともあるだろうが、スポーツボランティアの存在はイベントの成功に必要不可欠なことは認識されてきている。

沖縄県においては、プロ野球春季キャンプやサッカーキャンプ、多くのマラソン大会など、年中多くのスポーツ合宿やスポーツイベントが開催されている。その合宿やイベントを円滑にかつ安全に実施する上でボランティアの存在は必要であり、その役割はホスピタリティがリピーターに繋がるなどの効果から益々注目されている。しかしながら、いまだ多くのイベント等では自主的なボランティアを集めることは難しく、「動員」によるボランティアが多くを占めている。さらに、その動員としてボランティアを行ったために、ボランティアに対して個人の時間と労力を無償で提供して疲弊しただけといったネガティブな考え方が蔓延しているのも否定できず、多くの人がボランティア活動に消極的なことも事実である。そのため、スポーツツーリズムを推進している沖縄県においては、市町村も含めて、イベントの成功のためにスポーツボランティアの必要性や役割、そのやりがいや効果などの正しい知識を提供し、積極的にスポーツボランティアを行う人材の育成を図っていく必要性がある。そうすることで、スポーツをするのは苦手だけど、一生懸命頑張っているスポーツ選手を支えたいとボランティアを行う人も増え、一つのスポーツへの参加の方法として認識が広がっていくのではないだろうか。

五　今後のあり方とは

本稿では、沖縄県におけるスポーツツーリズム推進の根拠からスポーツツーリズムの事例、そしてその課題について整理してきた。さらに、スポーツツーリズムに地域住民のスポーツ活動を繋げることができないか検討した。そこで、最後にスポーツツーリズムが地域住民のスポーツ活動に影響を与えるための今後のスポーツツーリズム推進のあり方について検討していきたい。

はじめに、スポーツツーリズムによる地域活性化・地域づくりへの理解促進である。スポーツツーリズムの推進はその経済的効果が大きく注目されているが、社会的効果も大きいことを述べてきた。よって、地域住民に対するその両方の効果の認識を広く促進し、スポーツツーリズムの受け入れ体制を構築していくことが必要となってくる。そうでなければ、スポーツツーリズムの課題としてあげた、施設利用の制限に対する理解や専門的で高度な施設整備を行うことは非常に難しい。スポーツツーリズムを推進する行政や関係者は地域住民に対する効果の説明機会を設けていくことが求められるのではないだろうか。そして、今後も継続的にスポーツツーリズムを推進していくためには、行政と地域、さらにはスポーツ競技団体やその他様々な関係団体による共有も必要である。現段階では、スポーツツーリズムを推進している行政や関係団体等においても観光客増による経済効果のみに注目し、社会的効果に対する認識が少ない現状がある。今後は、その経済的効果に加えてスポーツツーリズムによる社会的効果を認識し、地域全体でスポーツツーリズムを推進していくといった機運を高めていくことが必要である。

次に、地域住民のスポーツ・運動の機会や場を確保・促進していくこととスポーツツーリズムを繋げていく取り組みである。沖縄県民にとってスポーツ・運動を通して健康維持・増進を図ることは命題であり、そのための機会や場をさらに作っていくことが求められている。そのような中、「スポーツアイランド沖縄」をキャッチコピーとして推進しているスポーツツーリズムと別々に施策を実行するのではなく、沖縄に合宿に来るスポーツ選手やスポーツイベントに参加するスポーツ愛好者、さらには観光とセットでスポーツを体験する観光客と地域住民が一緒にスポーツを行う機会・場を設けることで、県外・海外から来た選手、愛好者、観光客の沖縄に対する愛着が深まり、地域住民にとってはそれらのスポーツを実践している人たちとの交流でスポーツ・運動意欲が高まり、習慣的なスポーツ実践に繋がる可能性もある。少し楽観的な考え方であるが、スポーツツーリズムと地域住民のスポーツ活動の関連性はスポーツツーリズム研究でも課題の一つとされており、「スポーツアイランド沖縄」＝「スポーツが盛んな島」を実現するために、行政・民間企業・地域住民が知恵とアイデアを出しながら実践して欲しい。

また、スポーツを実践する場の新たな発掘も併せて考えていくことが必要である。スポーツ合宿等が盛んな一一月以降になると多くの公共スポーツ施設の使用が制限されてしまうが、スポーツを実践する場所はまだまだたくさんある。例えば、近所にある手入れが行き届いていない小さな公園や商店街などの空き店舗や道路、さらには学校施設（特に高校）など、まだまだ十分に活用がされていない場所がたくさんある。特に、普段からスポーツや運動を実践していない人たちは、プロスポーツチームが使用するような専門的で高度なスポーツ施設より、身近にあるこのような空間の方が物理的にも心理的にもアクセスしやすいのではないだろうか。そのような身近な場所で気軽にスポーツや運動を行える環境づくりやプログラムづくりを行い、より多くの人が健康維持・増進のためにスポーツや運動を実践していくことが求められており、さらにはスポーツツーリズムの課題として挙げられた施設利用の制限に対する一つの改善策にもなるのではないだろうか。

最後に、スポーツ庁は「スポーツによる地域活性化を担う事業体についての検討会」（二〇一六）において、スポーツによる地域活性化を担うハイブリット事業体のモデルを提示した。このモデルは、その価値を「スポーツを核に複合的な事業展開で自主財源を確保し、地域住民に求められる公共的なスポーツサービスを提供し、地域への経済効果をも創出する地域に不可欠な事業体」としている。つまり、地域住民に対するスポーツサービス（スポーツ教室やイベントの開催など）を提供するのと同時に、地域外からスポーツをするために訪れる人たちを誘致し、経済的効果を創出していこうとするモデルである。これは、これまでの地域スポーツ振興の要であった体育協会とスポーツツーリズムを担っていたスポーツコミッションの機能を統合し、それぞれの強みをお互いに活かしていこうというようにも捉えることができる。現在の沖縄県において、このモデルに近い活動を行っている組織はスポーツコミッション沖縄の事務局を担っている沖縄県体育協会があるが、沖縄県体育協会は地域住民に対して直接的なスポーツ実践の場を提供しているのはごく一部の事業のみであり、このモデルの意図する活動にはなっていない。その他、総合型地域スポーツクラブの中にはホテルと連携し、観光客を対象にスポーツ指導を行っているクラブや県外からのスポーツ合宿のコーディネートをしているクラブもあるが、活動の規模は小さく、地域全体の活性化に大きく貢献しているとは言えない。しかしながら、このモデルが示しているように、これまで別々に行なってきた地域のスポーツ振興という視点とスポーツツーリズム推進という視点から脱却し、スポーツツーリズムを通した地域住民のスポーツ活動の促進という取り組みを行っていくことで、地域住民にとってもスポーツツーリズムが果たす役割が大き

図５　スポーツによる地域活性化を担うハイブリット事業体

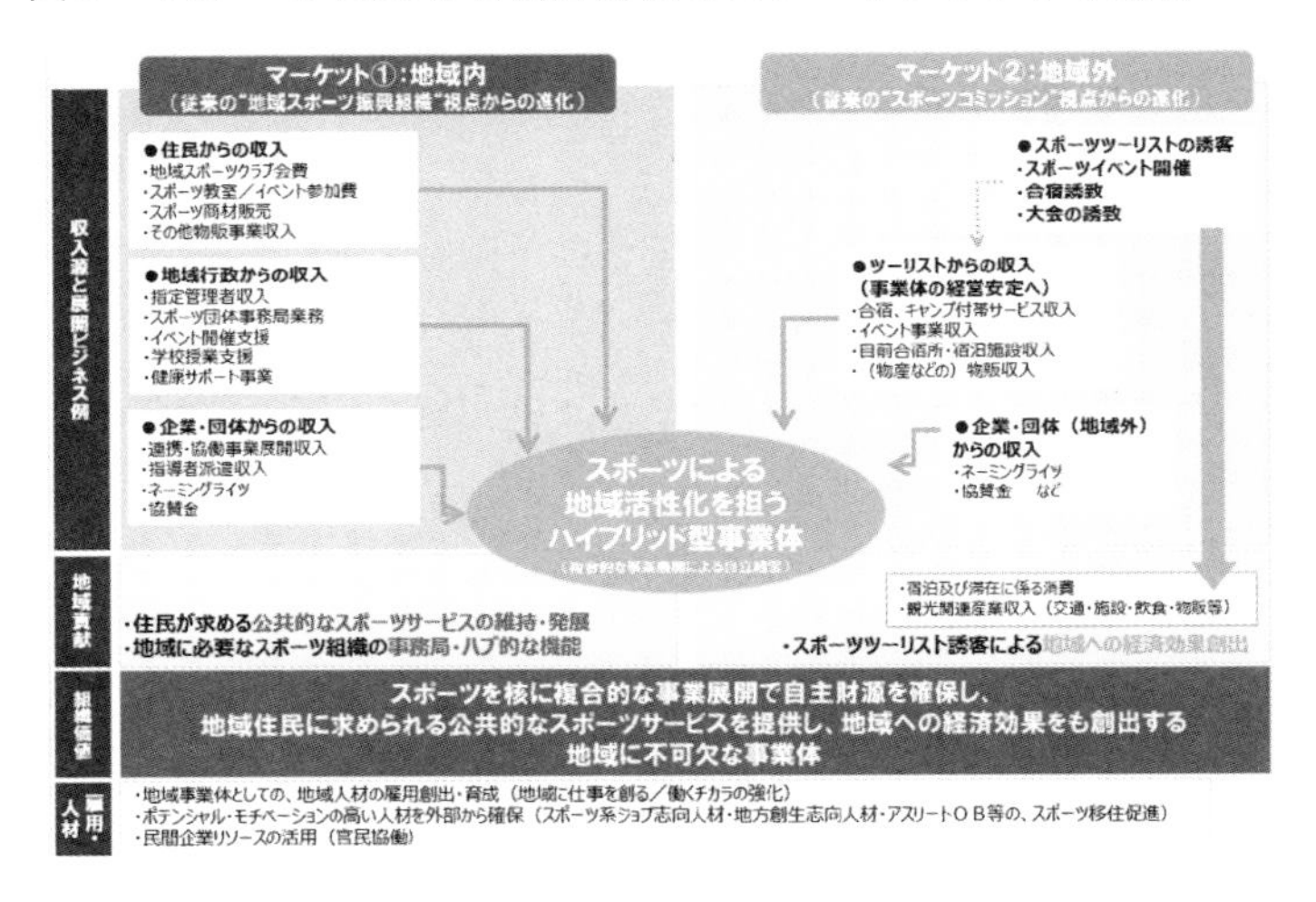

スポーツ庁「スポーツによる地域活性化を担う事業体についての検討会」(2016)
より抜粋

くなり、継続的なスポーツツーリズムの推進への理解が深まっていくのではないだろうか。

参考文献

・平成三〇年度沖縄県入域観光客統計概況（沖縄県、二〇一九）
・平成三〇年度観光統計実態調査について（概要版）（沖縄県、二〇一九）
・「スポーツ・ツーリズム推進基本方針」（スポーツ・ツーリズム推進連絡会議、二〇一一）
・スポーツコンベンション開催実績一覧【平成二九年度版】（沖縄県）
・沖縄県における二〇一八年プロ野球春季キャンプの経済効果（りゅうぎん総合研究所、二〇一八）
・平成三〇年度「スポーツの実施状況等に関する世論調査」（スポーツ庁、二〇一九）
・「健康おきなわ二一」ＨＰ（運動）（沖縄県）
・スポーツツーリズム概論　一三章沖縄のスポーツツーリズム（ブックウェイ、二〇一八）
・スポーツアイランド沖縄HP（https://okinawasportsisland.jp/）
・「平成二九年度国民医療費の概況」（厚生労働省）
・「国内スポーツツーリズム研究の系統レビュー」（伊藤、Tom Hinch、体育学研究六二、二〇一七）
・「研究、生涯スポーツ、旅行：沖縄県における持続可能なスポーツツーリズム」（伊藤、Tom Hinch、生涯スポーツ学研究、二〇一八）
・「新たな地域スポーツプラットフォーム形成に向けた実践研究」（笹川スポーツ財団、二〇一八）

ウェブテクノロジーとビッグデータが未来を変える

安里　肇

安里　肇・あさと　はじめ
所属：産業情報学部　産業情報学科
主要学歴：琉球大学大学院理工学研究科博士後期課程総合知能工学専攻
所属学会：電子情報通信学会、電気学会、日本教育工学会、デジタルアーカイブ学会
主要論文及び主要著書：
〈主要論文〉
・講義支援を目的としたeラーニングコンテンツの制作　産業総合研究第二五号 沖縄国際大学産業総合研究所(二〇一七)
・プログラミング教育におけるeラーニングシステムの構築・ブレンディッドラーニングの効果測定・産業情報論集第九巻第二号 沖縄国際大学産業総合研究所(二〇一三)
・eラーニングにおける効果的な学習支援・管理システムの研究 共著（玉城）産業総合研究第一八号 沖縄国際大学産業総合研究所(二〇一〇)
・再帰構造を持つ非線形経済時系列の推定法 産業総合研究第一五号　沖縄国際大学産業総合研究所(二〇〇七)
・マルチメディアコンテンツ制作によるプログラミング教育の実践，沖縄国際大学産業情報学部『産業情報論集』第一巻第一号(二〇〇五)
・ECのための効果的なウェブサイト構築について—産学連携プログラムを中心にして— 共著（平川）　沖縄国際大学産業総合研究所『産業総合研究』第一二号(二〇〇四)
・相関アルゴリズムを用いた再帰形構造を持つ非線形時系列の推定、沖縄国際大学商経学部『商経論集』第三二巻第二号(二〇〇四)
・相関アルゴリズムを用いたニューラルネットワークによる非線形時系列の推定法電気学会『電気学会論文誌C』vol.123, No.5 (2003)
・WBTシステム開発によるプログラミング教育の実践　私立大学情報教育協会『情報教育方法研究』第六巻第一号(二〇〇三)
・ECLMSアルゴリズムを用いたARCH誤差項を有する非線形時系列の推定法　電気学会『電気学会論文誌C』Vol.121, No.6 (2001)
〈主要著書〉
・沖縄の観光・環境・情報産業の新展開、沖縄国際大学産業総合研究所編集、泉文堂　第一二章シンガポールにおける経済およびIT政策について、二〇一五年三月
・地域経済の進化と多様性、阿部秀明編著、泉文堂、二〇一三年三月平成二五年三月
・産業と情報-均衡ある地域発展のために-、沖縄国際大学産業総合研究所編集、泉文堂　第四章産学連携・教育機関連携と情報教育について、二〇〇四年九月
・地域特性の数量的評価と沖縄の様相、沖縄国際大学産業総合研究所編集、泉文堂　第一章都市化水準（人口構造からみた）、二〇〇三年八月
書等は講座開催当時

一　はじめに

近年、情報技術の進化が速まり、既存のビジネスに与える影響が大きくなってきている。人工知能の実用化も進み、「今後無くなる職業」の議論も多くされるようになってきた。筆者が学生時代（三〇年前）には、存在しなかった、ウェブ制作、スマホアプリ制作（ソーシャルゲーム系含む）、ウェブ広告業（コンサルタント含む）、ユーチューバー、ブロガー、プロのゲームプレイヤー（eスポーツ）、クラウドサービス業（グーグル、アマゾン他）、ロボットや人工知能を扱うビジネス、ビッグデータ解析などが出現し人気の職業となってきている。

二〇四五年には人工知能（AI）は人間の脳を超えるシンギュラリティ（技術的特異点）に到達するといわれているが、昨今の人工知能ブームにより前倒しで実現するとの予測もある。マイケル・A・オズボーンは「雇用の未来」（二〇一三年）で、今後一〇～二〇年後には、米国の総雇用者の約四七％の仕事が自動化されるリスクが高いという報告を行い、キャシー・デビッドソンのニューヨークタイムズ紙の記事（二〇一一年）では、二〇一一年度にアメリカの小学校に入学した子どもたちの六五％は、大学卒業時に今は存在していない職業に就くだろうとの予測を行った。

高度経済成長期において物作りで世界ナンバーワンになった日本もバブル期の失敗やその後の低迷期、グローバル社会におけるウェブテクノロジーのビジネス化に遅れを取っている。日本におけるロボット市場は直近では九〇〇〇億円ほどだが、これが二〇二〇年には約三兆円、二〇三五年には一〇兆円程にまで達するといわれており、この成長産業における世界的リーダシップを取れるのか、これから正念場を迎える。遅ればせながら、情報先進国に追いつくため、小学校でプログラミング教育が導入されるが、小中高校においてどのような技術レベルまで習得させ、大学でより専門的なカリキュラムを構築できるか不透明のままである。金融や商社系など、非ＩＴ系業種が人気の文系学生にとってこのような施策がどのような成果をあげるか興味深い。生涯年俸を見ると技術系エンジニアが著しく不利な日本において、情報技術を習得したシステムエンジニアやデータサイエンティストがどのようなキャリアプランを描けるのか期待していきたい。

本稿では、過去から現在における情報技術の歴史を振り返り、ビジネスの世界にどのような影響を及ぼして、今後、ウェブテクノロジーが人間の生活やビジネスの本質をどのように変えていく可能性があるのかを事例を挙げて概観していく。

二　情報システムの変遷

コンピュータの登場によりビジネスにおける情報システムの構築は急速に進んでいった。図１に主な情報システムの変遷を表している。

システムの大きな流れとして、個別システムからシステム統合へと移り変わってきている。

一九九〇年以降はインターネットの爆発的な普及にともない、インターネット（主にワールドワイドウェブ）におけるウェブテクノロジーが既存のビジネススタイルを大きく変えていった。事務機械化（ADP：Automatic Data Processing）は、個々の業務ごとに手作業で行われていた業務をコンピュータに置き換えたものである。例えば、月末等大量データを一括処理するバッチ処理の形態で実施された。また、ＥＤＰ化（EDPS：Electronic Data Processing System）は、単なる省力化を目的とした単能機による単純な機械化システムから経営レベルへのコンピュータ利用を意識した汎用機による情報処理システムの登場を指す。これにより、ＩＢＭ三六〇シリーズが汎用コンピュータのスタンダードとなった。また、オンラインリアルタイム処理、集中処理方式、トータルシステムが実現した。ここで、経営情報システム（MIS：Management Information System）とは企業の意思決定から業務の運営管理まで統一的に処理するシステムとして企画されたが、基盤技術が未成熟のため具体化されずブームのまま終焉している。ＭＩＳは一九六〇年代後半アメリカで構想が発表されると、日本でも一九六七年に視察団が訪米するなど

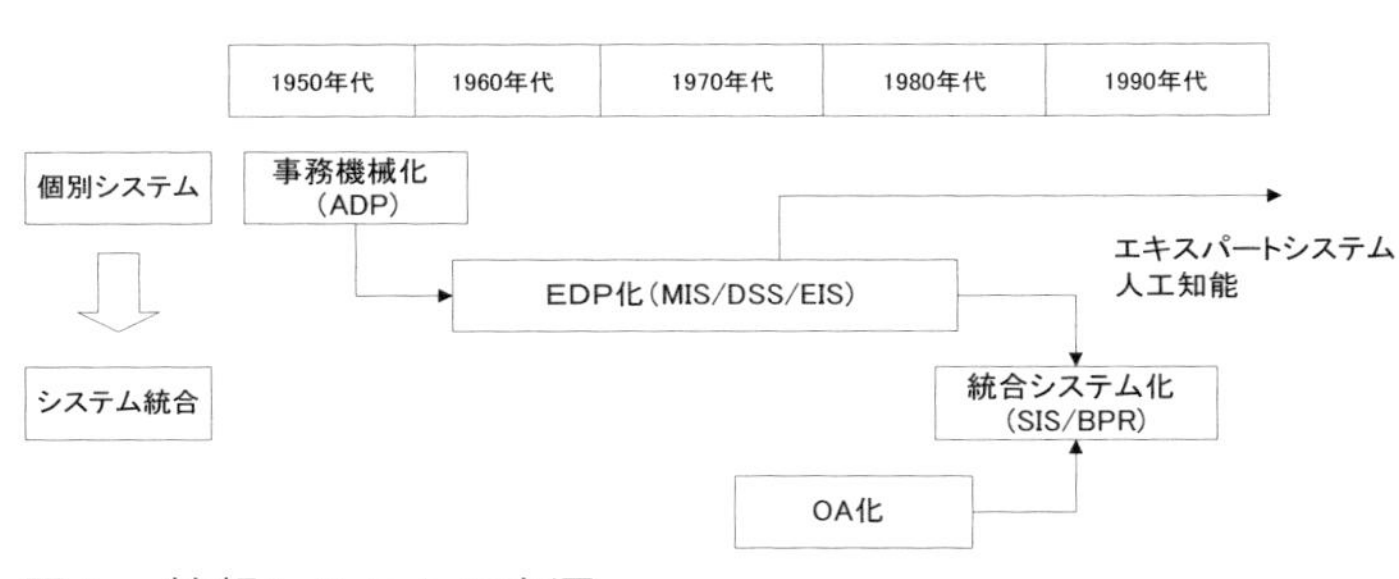

図１　情報システムの変遷

一大ブームとなった。意思決定システム（DSS：Decision Support System）はデータの入力から情報の検索、計画や分析からモデリング手法まで体系化し、経営者の意思決定を支援することを目的としている。日本において、工場の自動化などＦＡ（Factory Automation）は高度経済成長期に急速に進展し工場で働く人の生産性向上に大きく寄与したが，オフィスで働く人の生産性は低いままで，その生産性向上を目的としたシステムがＯＡ化である。

マネジメントと戦略の統合システム化はシステム部門主体のＥＤＰ化による全体志向と利用部門主体の個別的システムであるＯＡ化志向を融合したトータルシステムである。これにより新たなＭＩＳの構築やクライアントサーバーシステムが実現する。ここで、戦略的情報システム（SIS:Strategic Information System）は、日常の業務や管理業務の効率化を主眼としていたコンピュータシステムの役割を最上位の戦略レベルまで引き上げ、企業経営の中枢を担うシステムとして開発された。ＳＩＳは戦略面の情報化を通して経営革新の推進と競争力優位の実現を目的とする情報システムである。つまり、情報システムを経営戦略に生かすことで、コスト優位の確立や差別化を行い、競争優位を確立することを目的とするシステムと言い換えることができる。当時の先進的な事例としては、アメリカン航空のコンピュータ座席予約システム（ＳＡＲＲＥ：セイバー）やフェデラルエクスプレスの貨物追跡システム（ＣＯＳＭＯＳ：コスモス）が有名で、後者はハブアンドスポークシステムと呼ばれロジスティクスに大きな影響を与えた。日本の事例では、花王の受発注システムやセブンイレブンのＰＯＳ（Point Of Sale）システムが大きな成果を得ている。

これらをまとめると図2のようになる。管理志向から戦略志向へと向かい、自社内の効率化・省力化から競合他社に対してどのような競争力優位となるようなシステムなのかが重要な要因となってきている。

図3にSISとBPRの流れを示す。

SISの提唱者といわれるワイズマンは戦略的情報システムを「競争優位を獲得・維持したり、敵対者の競争力を弱めたりするための計画である企業の競争戦略を支援あるいは形成する情報技術の活用である」と定義している。図3において、経営革新はBPR (Business Process Reengineering) へと進んでいく。BPRは一九九〇年にマイケル・ハマーにより提唱されたリエンジニアリングの概念を適用して、企業のビジネスプロセス（業務やマネジメントの仕組み）の抜本的な

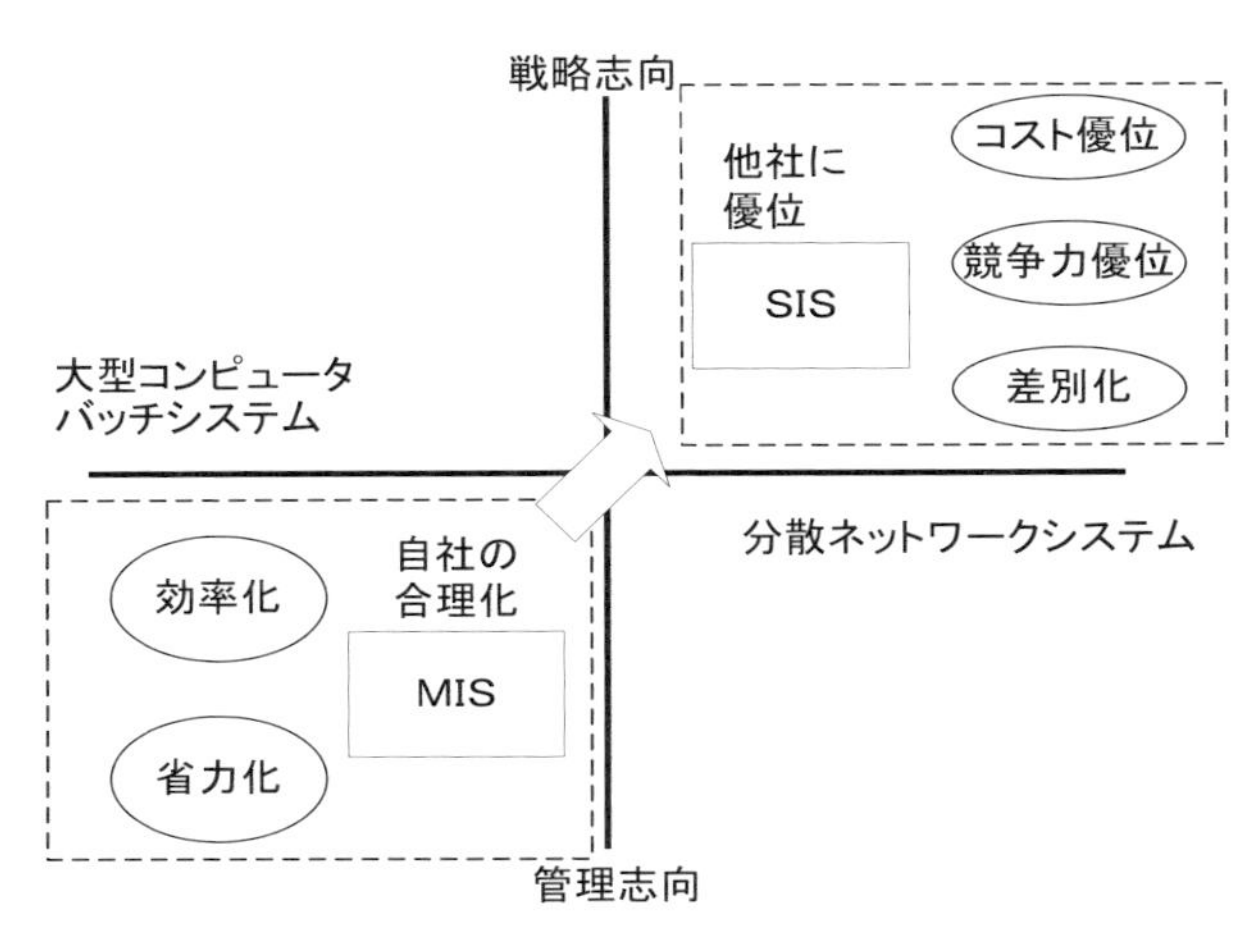

図2　合理化から戦略的発想へ

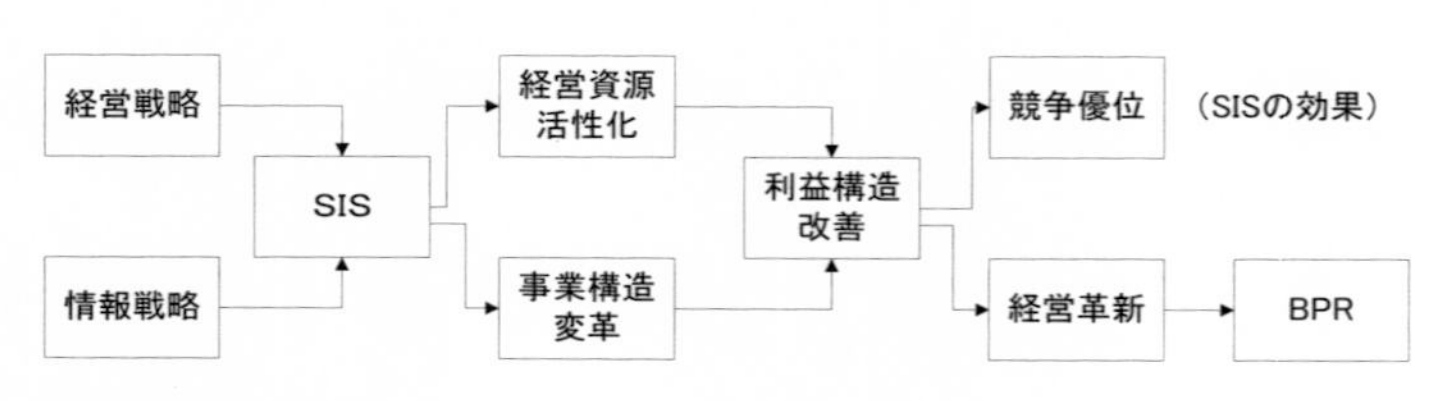

図３　SISとBPR

改革を達成しようする試みである。生産性や品質向上に大きく寄与したＴＱＣ（Total Quality Control）運動と似たところもあるが、ＴＱＣが職場を中心にした現状プロセスの内的な改善であるのに対してＢＰＲはプロセスそのものを根本から改革していこうという点が異なる。

ＢＰＲは一九八〇年代後半経済の低迷に喘いでいたアメリカが当時発生した世界的規模の経済・社会体制の構造変化に呼応する形で経済や企業構造や仕組みを根本的に見直し再生を図ろうという目的で生み出された。ＢＰＲとは「企業変革を従来の企業内組織変革の視点からではなく、顧客に商品やサービスを送り出すまでの一連のビジネスプロセスを変革し、顧客満足度の向上を通して競争優位を達成しようとする試み」である。図４にその目的を示す。

ここで、プロダクトは、製品や事業の形態面からのプロダクトの見直しを指し、プロセスは、マーケティングから商品開発、顧客サービスに至る一連の業務プロセスの見直しを指す。また、マインドとは、仕事に携わる人のモラルやモチベーションを高めるための手段や方策の見直しを指している。次にＢＰＲによる組織構造変化を示す。

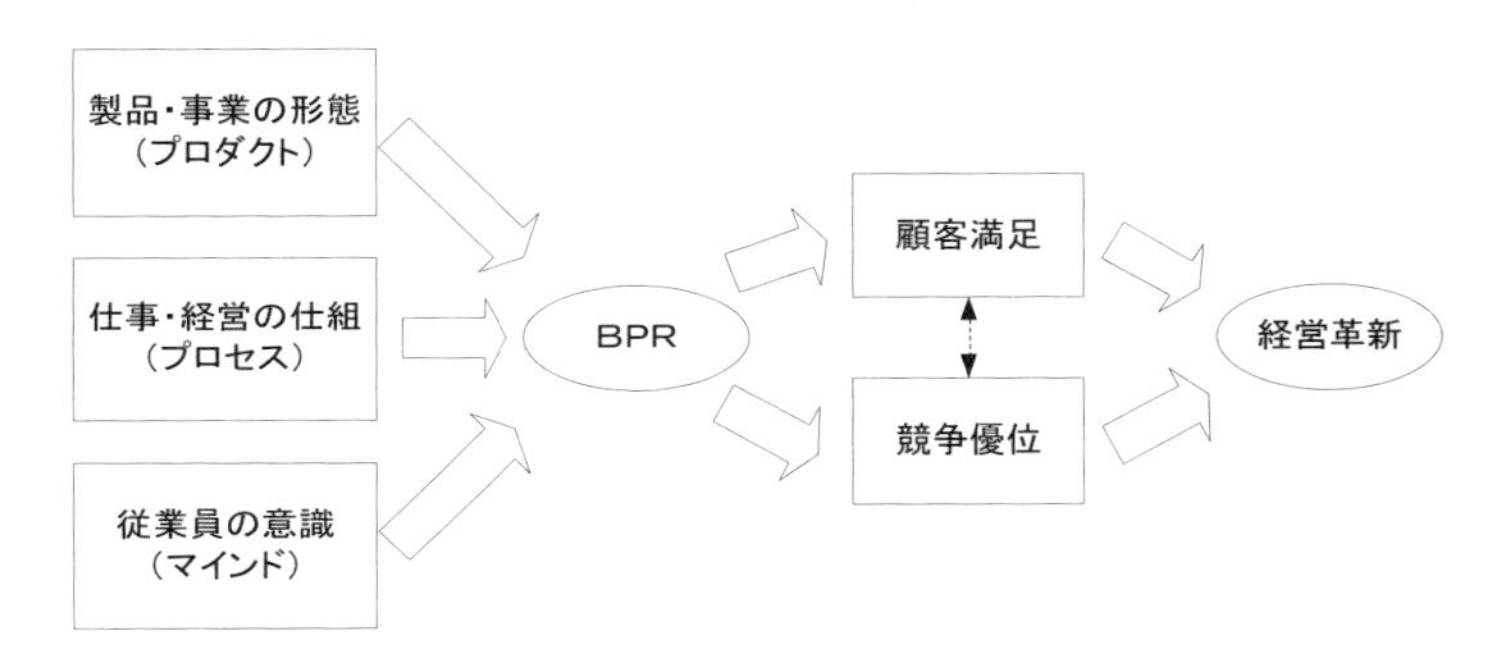

図４　BPRの目的

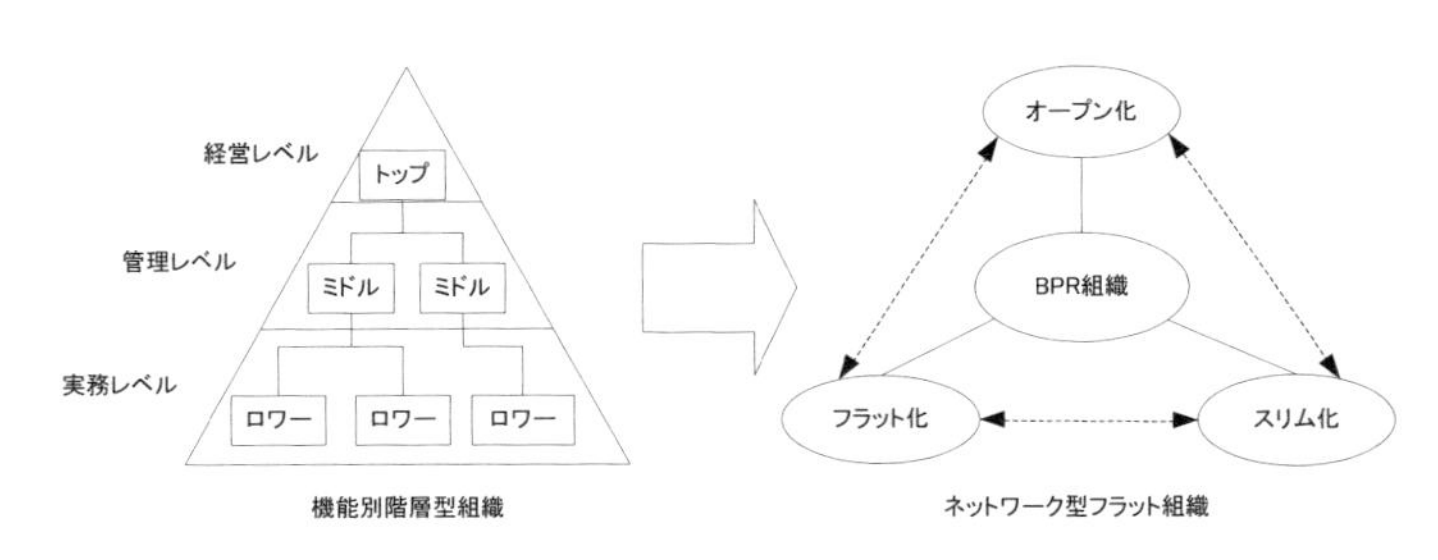

図５　BPRによる組織構造変化

ＢＰＲによる組織変革は、オープン化で従来のタテ割組織の壁を超えた他の部門との横断的なコミュニケーションを可能にし、従来の組織内の階層構造に由来する権限の壁を打破するための権限委譲がなければオープン化しても従来の階層構造を引きずってしまうためフラット化を提示している。また、スリム化においては、ネットワークの簡素化、経営のスリム化の重要性を説いている。

〈意思決定支援システム〉

情報化の急速な進展、企業をめぐる環境のグローバル化など変化もスピードアップしていく中、このような市場や社会の急速に変化するさまざまな現象を時々刻々に分析し、対応策を立案することで管理者の意思決定を支援するシステムの必要性が叫ばれるようになってきた。旧来の大型汎用機で作成したシステムは改良するのが困難でいったん開発したシステムは陳腐化しても使い続けなければならなかった。このような化石化した旧世代システムはレガシーシステムと呼ばれ企業において大きな負担となった。システムの柔軟性・拡張性を重視し、必要なデータのタイムリーな提供が必要となる。このような定型的・固定的情報システムからの脱却が叫ばれるようになる。また、技術進展は急速で、パソコンやワークステーションの登場とグラフィカルユーザーインタフェースのおかげで誰でもパソコンを使えるようになり、分散ネットワーク技術が進化し、インターネットが登場する。このような情報技術の進歩により、集中処理から分散処理（クライアントサーバシステム）への移行、大量のデータを効率的に管理し迅速に処理するためのデータベース管理システムの技術が大きく進展した。このような技術的進展により、様々な経営情報を蓄積し、意思決定者（経営者）などのユーザ自身が対話的に検索・分析・加工・シミュレーションを行うことによって、人間の認知能力の限界を補完し、意思決定の質や有効性の向上を図るという意思決定支援システムの具現化がなされることとなる。

一九九〇年代になるとデータウェアハウスの技術を活用した新しい情報系システムが登場し、意思決定支援システムの概念を本格的に実現する仕組みが登場するようになり、ビジネスインテリジェンスへとつながっていくことになる。ここで、データウェアハウスとは、基幹系業務システムからトランザクション（取引）データなどを抽出・再構成して蓄積し、情報分析と意思決定を行うための大規模データベースのことである。意思決定支援に最適化したデータベースで、その特徴は分析に適した形で加工していない生データをそのまま格納して長期間保持することにある。

ビジネスインテリジェンスとは、企業内外の事実に基づくデータを組織的かつ系統的に蓄積・分類・検索・分析・加工して、ビジネス上の各種の意思決定に有用な知識や洞察を生み出すという概念や仕組みや活動のことである。これは、一九八九年にハワード・ドレスナーが使ったものである。経営者や一般のビジネスパーソンが、情報分野の専門家に頼らずに自らが売上分析、利益分析、顧客動向分析などを行い、迅速に意思決定することの実用性を説き、そのコンセプトをビジネスインテリジェンスと呼んでいる。

ここで取り上げた意思決定問題は、情報が完全であれば決定することは明確である。しかしながら、意思決定者が持つ情報が限られていることが多い。これを情報の不完全性と呼ぶ。情報の不完全性には、確実性（どのケースが起こるかが確定的に分かっている場合のこと）、リスク（環境変数の起こりうるケースが複雑であり、それらが生じる確率が分かっている場合のこと）、不確実性（起こりうるケースはわかっても、発生する確率がわからない場合のこと）の概念がある。意思決定者はこの情報の不完全性を考慮した上で意思決定を行わなければならない。表1にビジネスにおける意思決定のタイプとその決定手法を示している。定型的な意思決定においては通常のルーチンワークであるため基幹系情報システムで対応可能となる。非定型的な意思決定においては、単純作業とはならないため、前述の意思決定支援システムやエキスパートシステム、昨今話題の人工知能などを利用した情報システムが必要となる。

〈ERP〉

企業の基幹システムの中で企業全体を経営資源の有効活用の観点から統合的に管理し、経営の効率化を図るための手法・概念のことを企業資源計画（ERP;Enterprise Resource Planning）という。ERPパッケージとは、会計管理・生産管理・販売管理・人事管理といった、企業の基幹的な情報処理システムが統合さ

表1　意思決定のタイプ

意思決定のタイプ	伝統的	近代的
定型的 ◯ルーチン的 ◯反復意思決定 組織はこのような意思決定を行う	◯習慣 ◯事務的ルーチン ◯組織構造	◯OR （オペレーションズ・リサーチ） ◯コンピューターによるデータ処理
非定型的 ◯1回限り ◯悪構造 ◯新規の政策決定 一般の問題解決で使われる	◯判断、直観、創造 ◯経験則 ◯幹部の要因選択と訓練	◯ヒューリスティック的な問題解決技術の適用

れた新しい形態のパッケージソフトウェアのことをいう。ERPの概略を図6に示す。

図7にERPとグループウェアの関係性を示す。

先述の意思決定支援システム用データベースなどもグループウェアから呼び出し企業内のすべての人が意思決定に関われるようにインターフェースなども考慮されている。このような仕組みによりビジネスインテリジェンスが実現可能となる。図8にSISとERPの比較図を示す。

この二つのシステムは差別化と標準化とい排他的な要素を含

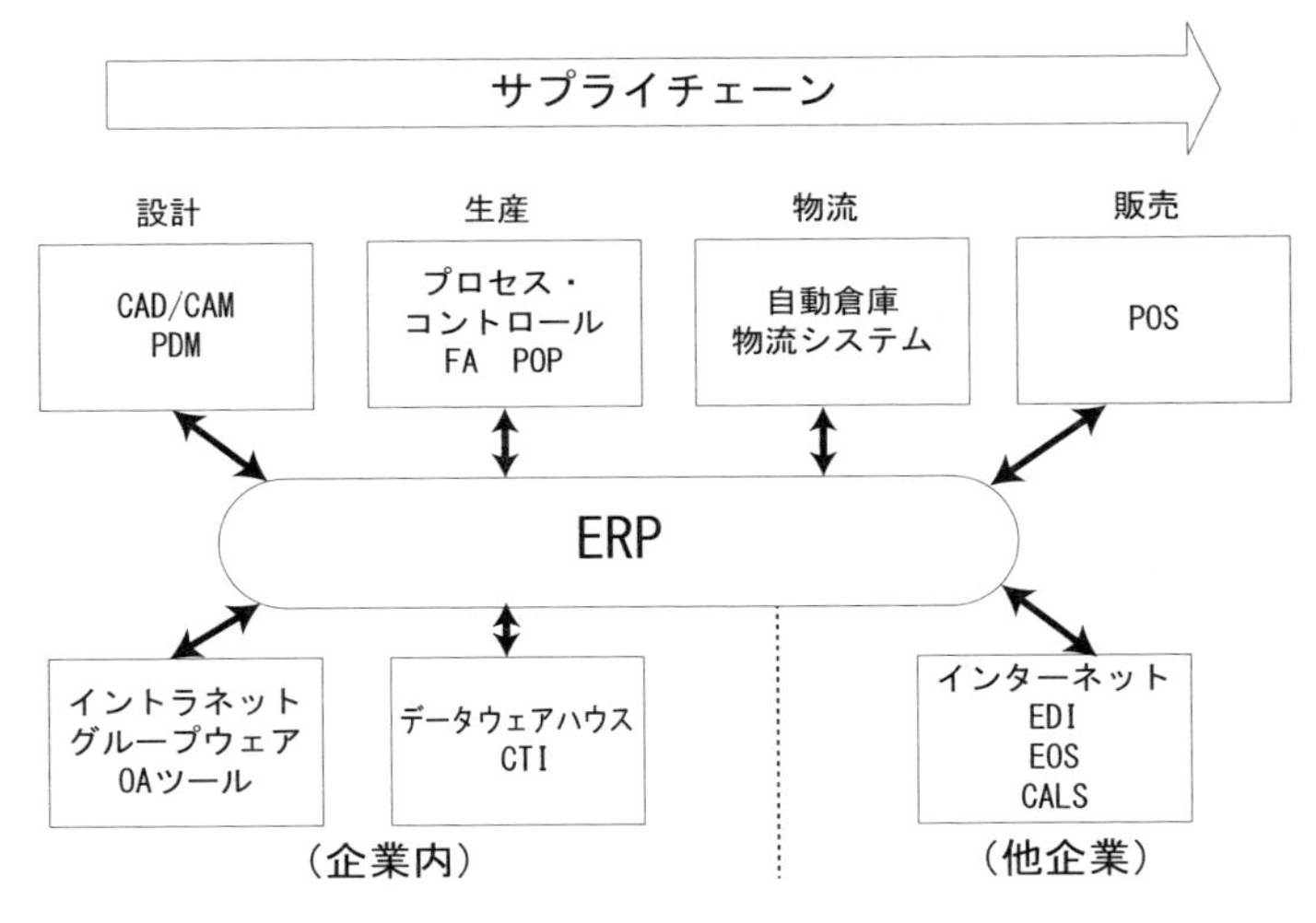

図6　ERP

注）図中の略字はCAD:computer aided design、CAM:Computer Aided Manufacturing、PDM:Product Data Management、POP:Point to Production、POS:Point Of Sale、CTI:Computer Telephony Integration、EDI:Electronic Data Interchange、EOS:Electronic Oder System、CALS:Commerce At Light Speed

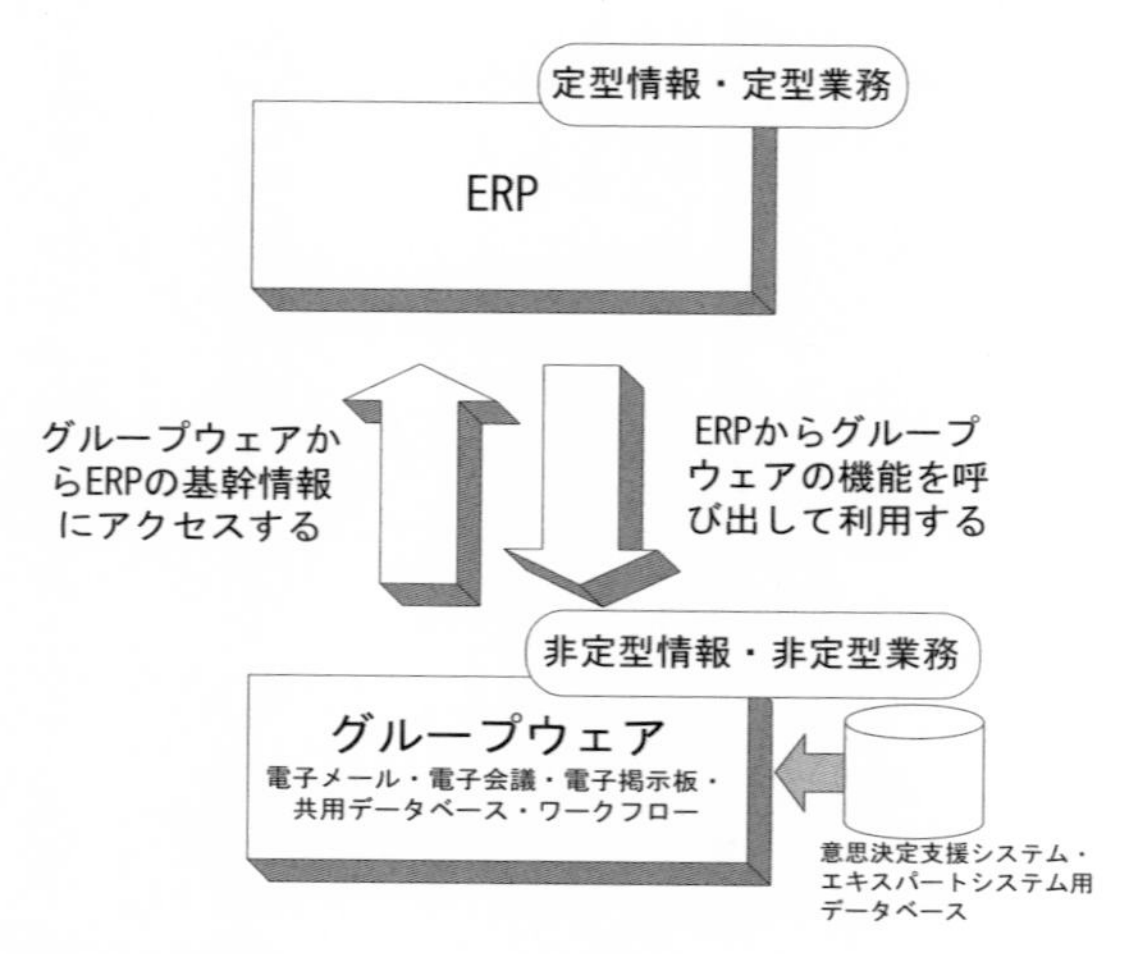

図７　ERPとグループウェア

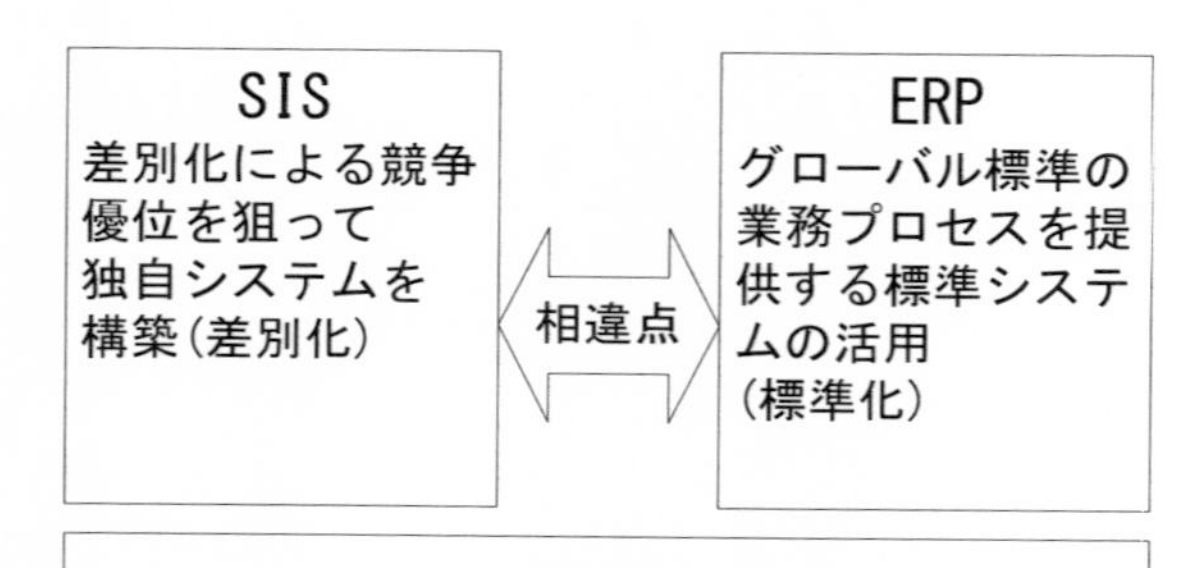

図８　SISとERPの比較

んでいるが、企業にとって戦略的なシステムであることは変わらず、誰でもこのリソースにアクセスして企業人が様々な分析や企画をわかりやすいインターフェースで実現できるようにすることが重要である。この流れが後述するデータサイエンティストにつながると考える。かなり前から、意思決定支援システムについてはその実験的活用が試されているが、近年の人工知能ブームで満足できるパフォーマンスを有するエキスパートシステムや人工知能の構築が可能となり、再注目されている。

三　インターネットによるパラダイムシフト

インターネットの登場により、企業間の関係が相互に利益を共有するＷｉｎ―Ｗｉｎの関係が現れ、誰もが対等な立場で参加できるため上下関係もなくなると考えられた。組織構造も硬直的なタテ割り型のピラミッド組織から柔軟なネットワーク型組織へ転換し、マーケットも従来型である業種別市場展開から異業種・異企業で構成される単一ネットワーク市場へ変容し中間業者を経由しないダイレクトマーケットが形成された。インターネット登場による変化を寺田・原田は次の図のようにここで、パラダイムシフトとは、その時代や分野において当然のことと考えられていた常識や認識(パラダイム)が劇的に変化することである。情報化が進み社会環境が変わり、ボーダレス化・グローバル化が進み、儲かる仕組みや企業経営、宣伝広告の仕方も変化している。インターネットがテレビに次ぐ新たなメディアへと台頭し、しかも、最大の武器である双方向性によりマーケティングの根本が劇的に変化した。

〈ウェブ2.0〉

従来のウェブでは、情報の受信とそれを支える検索という機能だけが進化してきたのに対してウェブ2.0は発信と共有という新しい要素の進化を遂げている。以前から発信と共有という機能は存在していたが、HTMLによりウェブサイトを構築するのはある程度の知識を有する者でないと対応できず、一般のユーザは主に受信と検索の機能を使っていた。ところが、SNSや動画配信サイトの登場により簡単に発信したり、情報を共有することが可能になった。ウェブ上の情報は、「受信」「発信」「検索」「共有」

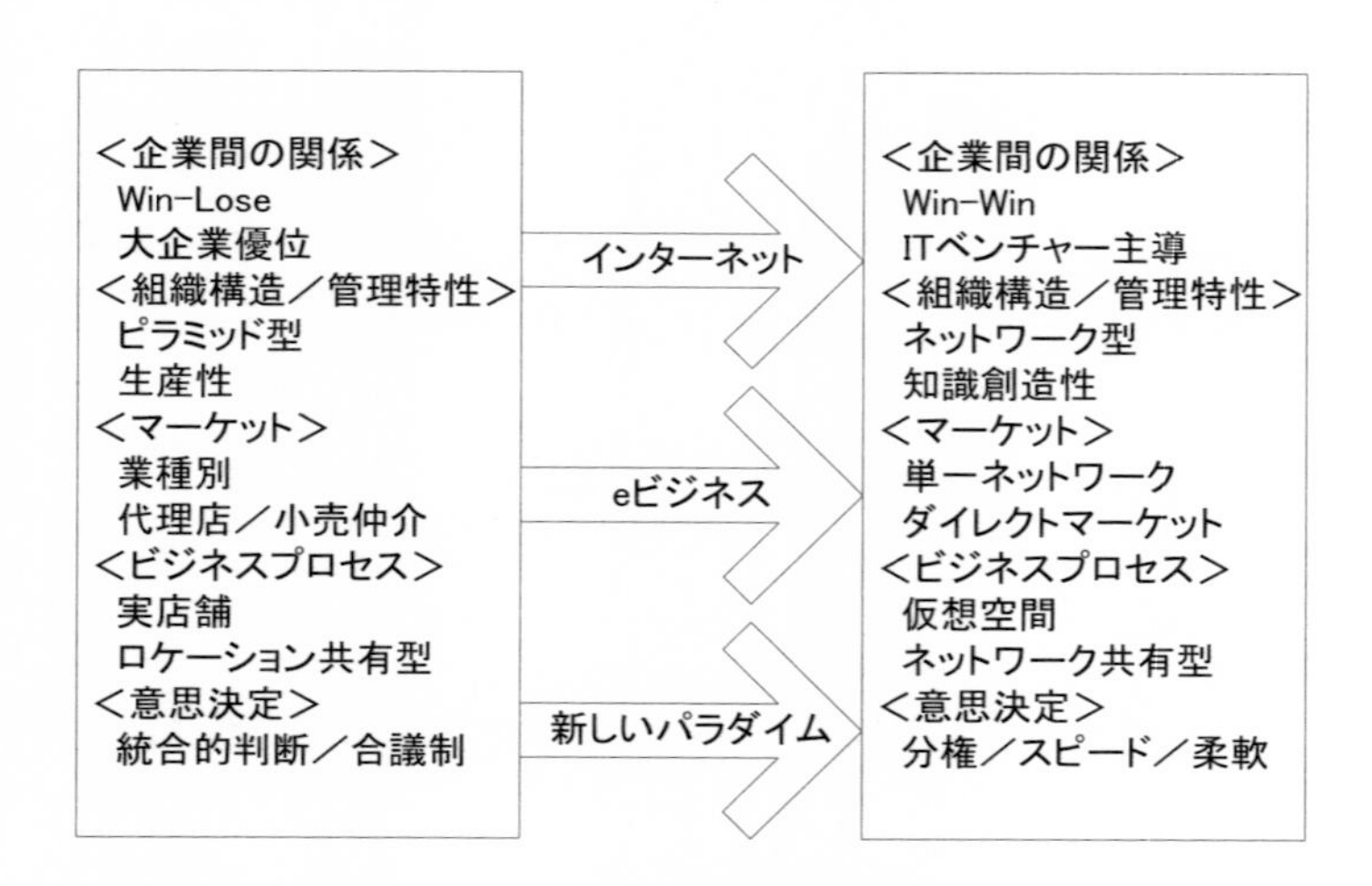

図9　インターネットによるビジネスの変化
引用）寺本・原田「インターネットビジネス」東洋経済新報社(2000年)

の四つの要素を行き来しながら回転し渦巻きのように大きくなっている。ウェブ2.0とは、二〇〇〇年代中頃以降における、ウェブの新しい利用法を総称する用語である。ティム・オライリーらによって提唱された概念で二〇〇四年一一月には初めての「ウェブ2.0カンファレンス」がサンフランシスコで開催された。ティム・オライリーによる定義を超えて新しいビジネスモデルであれば何でも、ウェブ2.0の用語が用いられることがあり、バズワード（一見専門用語のように見えるがそうではなく、明確な合意や定義のない用語のこと）となっている。

従来のウェブでは、情報の受信とそれを支える検索という機能だけが進化してきたのに対してウェブ2.0は発信と共有という新しい要素の進化が見えてきた。次の図にウェブ2.0の進化を示す。

ウェブ2.0の代表的な企業としてはグーグル、アマゾン、アップル、ツイッター、フェイスブック、ミクシィなどが挙げられる。インターネットの普及により、マーケティングのすべてが変わった。市場調査はウェブ上でのアンケートが主流になり、価格設定（オープン価格）もウェブ上の価格サイトで調べて適正価格かどうか判断できるようになった(適正価格は市場が決める)。また、広告・宣伝・広報もメディアとしてのウェブが台頭した結果、トラブルシューティング、顧客の情報管理のほとんどがネット経由でサポートできるようになった。特に、これまで企業がマーケティング・コミュニケーションのために利用してきたマスメディアの多くは企業から顧客への一方向の伝達のためのものであったのに対して、インターネットは双方向のコミュニケーションを物理的な距離や時間帯の制限なく可能にした。インターネット最大の武器である双方向性がすべてを変えたのである。双方向性が高まれば、ユーザはより頻繁にサイトを訪れるだけでなく、サイト訪問時間も増える。その結果、サービスの内容や機能を理解するためにかける時間が増し、今まで以上にサービスを利用してもらうことが期待できる。企業は顧客とのリアルタイムのやりとりを通じて、質の高い顧客データを収集できるとともに、よりよい関係を構築できる。新商品の開発などへの的確なフィードバックを得ることができるだけでなく、ネットを通じて直接開発に参加してもらうことも

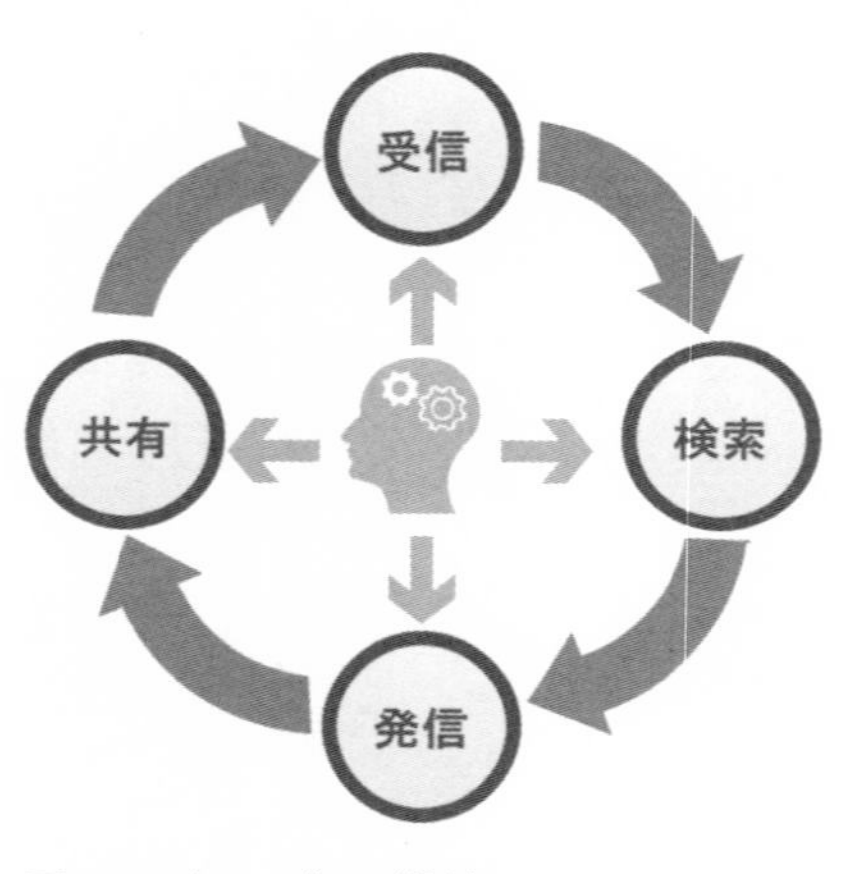

図10　ウェブの4機能

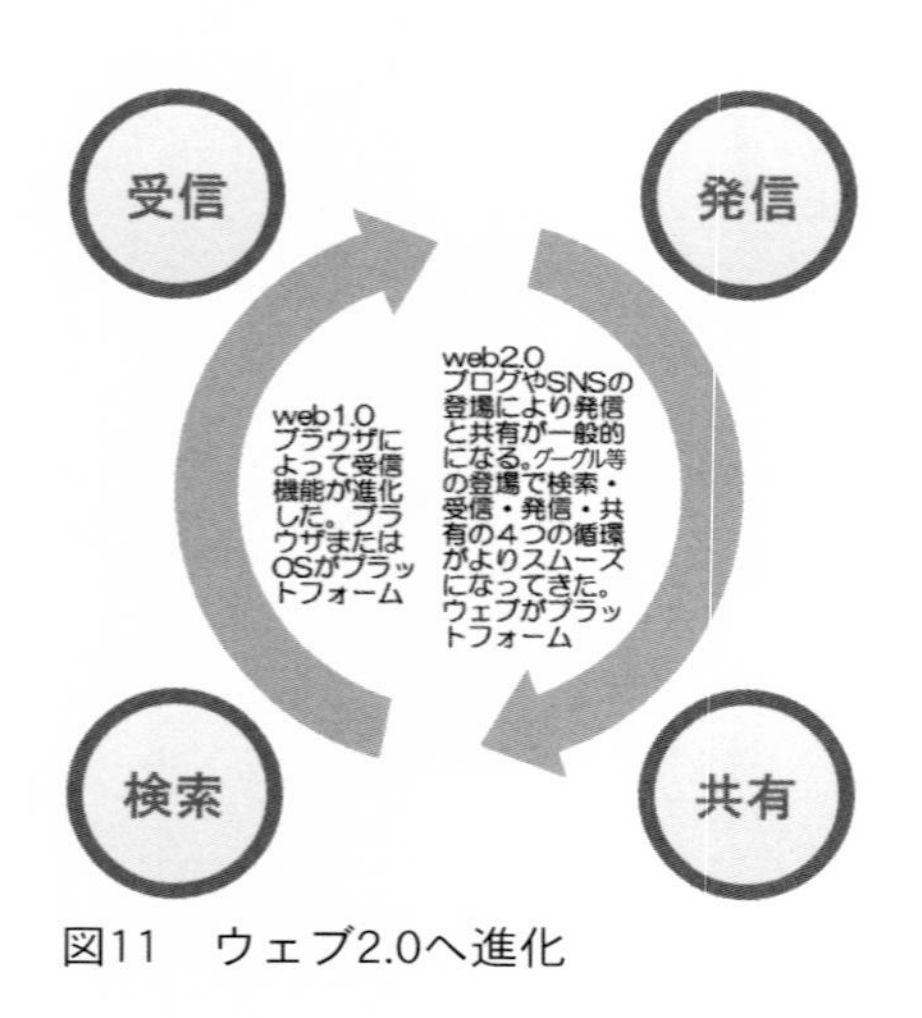

図11　ウェブ2.0へ進化

可能となる。

価格戦略におけるインターネットの影響も非常に大きいと考えられる。価格サイトの登場で、商品の相場価格が広く知れ渡るようになり、価格の透明性が担保された。そのため、定価ではなく市場価格という値付けも出現し、価格の下げ圧力が強まるようになった。市場に登場するとたちまち競争にさらされ、その結果、多少製品に独自性があったとしてもそれだけで期待する高価格を長期間維持することは不可能となる（例えばスマホ、パソコン、家電、ネット証券やネット銀行の取引手数料等）。また、インターネット・オークションの登場で中古品等の価格設定も変わり、新たな価格アプローチが出現した。大規模かつ広範囲な参加者に対して効率的に運営していくことがポイントとなり、高級ブランド品や中古車市場もこの影響を強く受けるようになった。

〈メディアとしてのインターネット〉

次に二〇一八年度の企業広告費の割合を示す。メディアとしてのインターネットの台頭が顕著に現れ、アンタッチャブルだったテレビ広告を次年度は超える可能性も出てきている。

インターネット上で広告宣伝活動を行う場合にウェブアドレスがわからなければ閲覧することができないので、テレビにおける番組表の役割がより重要となる。これに相当するのが検索エンジンである。テレビではチャンネル数が限られているのでチャンネルを変えればある程度閲覧することが可能であるが、インターネット上では誰でも情報発信できるため、膨大なチャンネルやデータの

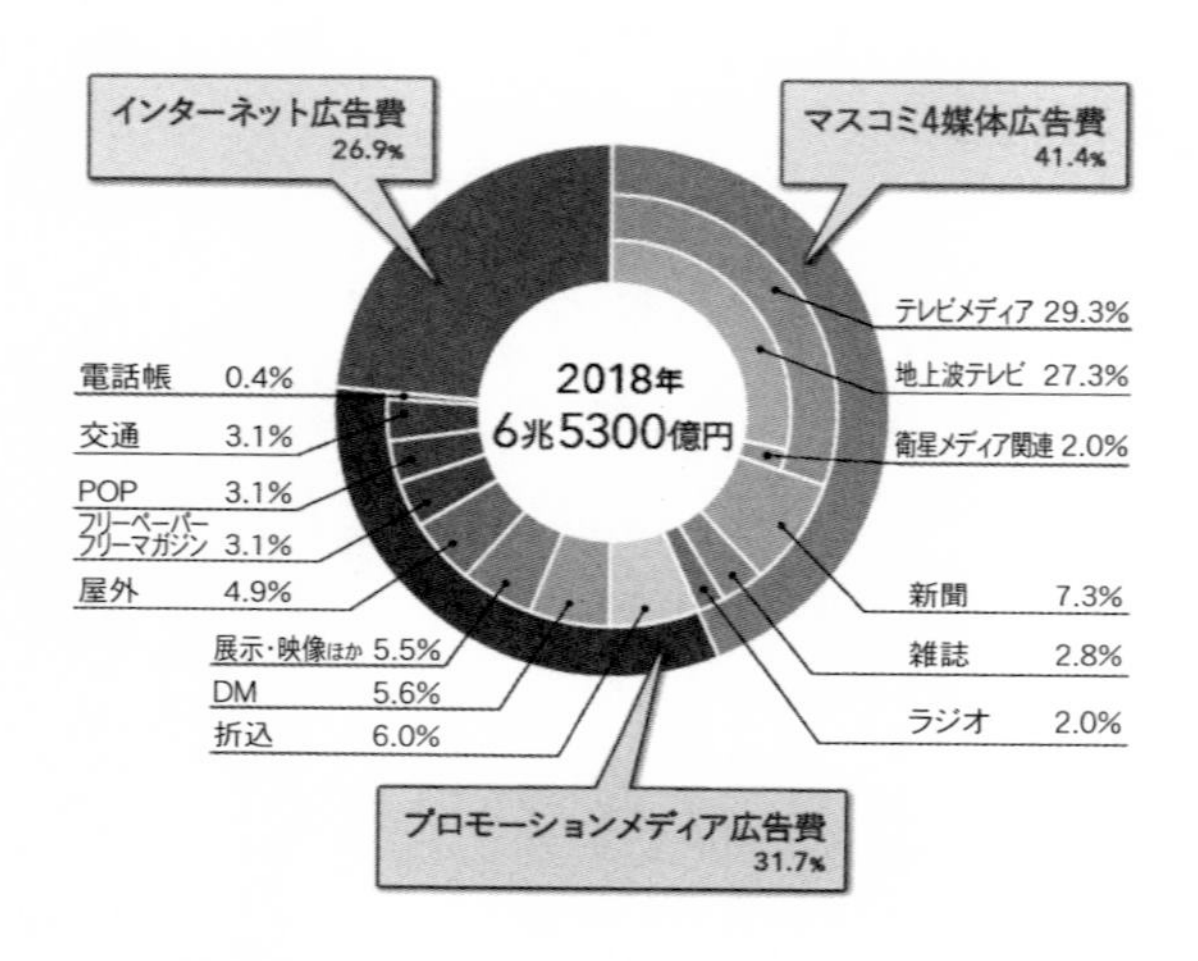

図12　広告費の割合
引用）電通調べ

中から必要な情報を探す仕組みが必要になる。従来のビジネスモデルを次の図に示す。製品やサービスを受ける場合の対価はお金がほとんどであった。

それに対して、ウェブにおけるビジネスモデルは、利用者が検索サイトを利用して結果が得られても、料金は発生しない。グーグルやヤフーはどのように利益をあげるのかを次の図に示す。その答えは「知名度と集客力」である。ポータルサイトであるグーグルやヤフーは膨大なユーザを集客し、集まったユーザに対して様々な宣伝広告を提供し、その仕掛けも料金設定もカスタマイズできるようになっている。サイト上でバナー広告（すでに時代遅れ）や検索連動型広告、コンテンツ連動広告を提供することにより、ユーザではなく、企業やサービス提供者から集金するシステムである(テレビ局におけるCMに近いシステム)。ユーチューブなども同じ仕組みで集客力が個々のユーチューバーの影響力を示し、集客力のあるものは芸能人、一般人の区別なく利益をあげることが可能となる（個人放送局のイメージ）。

テレビのCMはある程度、大きな会社でないと資金を調達できない。ゴールデンタイムに流す場合にはそれなりの金額が必要になる（大口顧客から大きく集金）。検索サイトは色々な仕組み(ビジネスモデル)を考えて大口顧客から小口顧客まで幅広く集金していくので個人店舗でも広告可能となる。キーワードとしては、必要な人へ必要な情報を身の丈にあった予算で提供するということなるであろう。

現在、ウェブ制作会社は、クライアントの依頼により単にウェブサイトを作るのではビジ

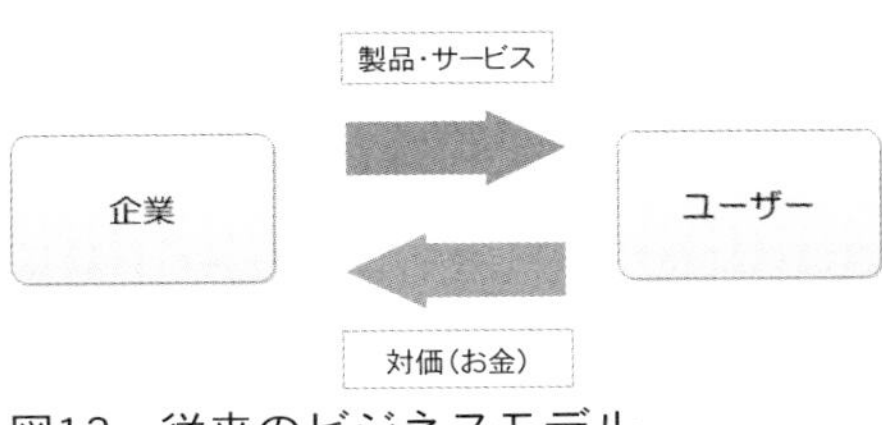

図13　従来のビジネスモデル

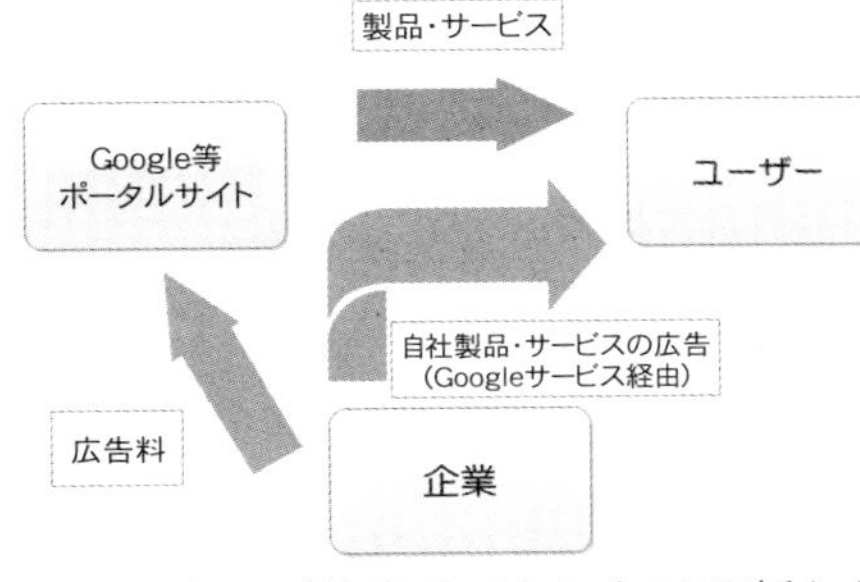

図14　ウェブ検索サイトにおける新たなビジネスモデル

ネスにならなくなってきている。どのようにサイトに集客し、どのくらいの売り上げアップをもたらせるのかを総合的に企画し提案するため、様々な知識が必要になる。消費者行動、広告、イメージ戦略、口コミ、他のメディアとタイアップ、検索エンジン対策、デザイン、アイデア、科学的なデータ分析等である。

ウェブ制作において、特に検索エンジンでの検索結果は大きな影響を与える。検索エンジンは登録されているウェブページをキーワードに応じて表示するが、その際の表示順位はそれぞれの検索エンジンが独自の方式に則って決定している。この順位が上にある方が検索エンジン利用者の目につきやすく、訪問者も増えるため、企業などでは検索順位を上げるために様々な試みを行なう場合がある。その様々な技術や手法を総称してサーチエンジン最適化（SEO：Search Engine Optimization）という。

ウェブ広告における検索連動型広告の利点は、検索サイトのユーザがあるキーワードについて検索した時に、関連の深い広告を表示できることである。コンテンツ連動型広告は、ウェブコンテンツの文脈やキーワードを解析し、内容と関連性の高い広告を配信するシステムのことである。サイト運営者と広告主のどちらにとっても管理が容易で、グーグルアドセンスの登場により爆発的に普及した。サイト運営者にとっては、JavaScriptの広告タグを設置するだけで、コンテンツにふさわしい広告が自動的に表示されるため、アフィリエイト広告と比べてメンテナンスの手間がかからない。広告主にしても、自動的に自社商品やサービスと関連性の高いページに広告を出稿することができ、広告運営の手間をかけずに潜在客を獲得しやすいという利点がある。

また、ブログ、ＳＮＳ、オンラインショッピング等の爆発的普及により口コミ効果はその影響を無視できないものになってきている。食べログのやらせ問題など負の面も大きいし、ネット選挙解禁でさらに問題が大きくなる可能性もある。昨今、消費者に宣伝と気づかれないように宣伝行為を行うステルスマーケティングの問題が大きく注目されている。具体的には、自社に関する飲食店の口コミサイトで否定的な意見を削除して良い意見だけを残す事により良いイメージを植え付け、客観的な記事を装った広告や、影響力のあるブロガーが報酬を得ていることを明示せずに、特定の企業や製品について高い評価を行うことなどがあげられる。宣伝業務に特化している広告代理店などがチームでその作戦を練り、組織的に実行されていることもある。アメリカの大統領選挙におけるロシア疑惑についてもこの一例となるであろう。

〈インターネット時代の消費者行動モデル〉

マーケティングでよく用いられるＡＩＤＭＡモデルは消費者行動や心理状況を分析するための有用なツールであるが、今から一〇〇年以上も前に考えられたモデルで現在の消費者行動をシミュレーションできるか疑問が残る。インターネット時代の消費者行動をターゲットに上記モデルをベースに考え出されたのがＡＩＳＡＳモデルである。現在ではある商品を欲しいと感じたら、「記憶」するまでもなく、すぐに「行動（ネットショッピングで注文）」するということも可能となっている。

表 2　AIDMAモデル

購買決定プロセス	注意(Attention)	興味(Interest)	欲求(Desire)	記憶(Memory)	行動(Action)
心理段階	認知段階	感情段階			行動段階
消費者の心理状態	知らない	知っているが興味はない	興味はあるが、欲しいとは思っていない	欲しいと思うが動機がない	動機はあるが買う機会がない
コミュニケーション目標	認知向上	評価育成	ニーズ喚起	動機の提供	購入機会の提供
活動・媒体	TVCM、広告、DMなど	広告、パンフレット、口コミなど	広告、パンフレット、店舗促進、口コミなど	店舗促進、口コミなど	店舗、通販、ネットなど

表 3　AISASモデル

	注意喚起(Attention)	興味(Interest)	検索(Search)	行動(Action)	共有(Share)
共感(Sympathize)	SNSで目にする	ヒューマングラフなどで自分との近さにより共感	検索エンジン、評価サイト、SNSで共感した情報を検索	信頼ある人から薦められる 衝動買い	
確認(Identify)	URLをチェック	ウェブサイトを見る	内容を確認	購買に至った自分の評価が他者に受け入れられるか情報発信して確認	
参加(Participate) 共有・拡散(Share,Spread)	備忘録代わりに記録（facebookのイイねなど）	サイト内のソーシャルボタンを押す。シェアする。イイね。	評価サイトにコメントする。SNSコミュニティや企画に参加	企業アカウントやコミュニティに、企業の評価を発信する。	

注）AISASは電通の登録商標

このようにインターネットの登場で固有の消費者行動モデルが定義されるほどの影響力を持つことが認知されてきた。

〈アクセスログ解析〉

アクセスログのデータは.logの拡張子になっていることも多いが基本的には半角英数文字だけで記録されたテキストデータである。利用者が訪れたサイトでのアクセス履歴はすべてログデータとして保存される。このデータは、アクセス実態の把握や人気情報の調査に利用することができる。元々、ログデータの目的は、サーバを管理するエンジニアのために作られたものでマーケティングに役立つとは思われてなかった。サーバや回線が混雑によって働きが悪くなりダウンする最悪の状態に陥らないようにするためのもので、悪意の第三者による攻撃や侵入を防ぐため、ログを見てアクセスの少ない時間帯を探し出すなどの目的のために使われたものである。しかしながら、今日では、ニーズを分析してサイトを増強することができる。なぜなら、来訪者のニーズがログに反映されているからである。入り口ページの直帰率に注目すると、トップページだけ見てその先に進まないのであればトップページに問題ありとなる。なお、直帰率が四〇%を超えると問題サイトとなる。店頭販売に結びつけるならば、「次のページのクーポンをプリントアウトして店に持っていけば特典があります」といったギフトや「実演が見られる場所はここ」といった情報などをリンクして効果的な方法をログから探る。店舗の地図情報をチェックするのはどの検索エンジンから誘導された客なのかなどのチェックも可能である。

「サイトを見つける」→「商品ページを見る」→「覚える」→「行動する」というプロセスを考えると、サイトの訪問者が増えても商品ページに進まなければ販売はできないし、商品ページに来ても記憶や行動につながらないのでは意味がない。来訪者の足取りを調べることは、重要で、店頭での販売の流れと似ている場合もあれば異なる場合もある。これらの消費者行動の実証分析ができ、購買者のカテゴリ化が可能となる。リンクのテキストをニーズに一致させ、クリックされるリンクはどれか、ログで読みとることも可能で、記憶に残り好感を抱くように見せ方も工夫できる。すなわち、ログを見て、「売れる」リンクだけを残していくということも可能となる。このようにウェブサイトにおけるログデータは重要な意味をなす情報である。。膨大なアクセス数を有するサイトにおいては、このデータはビックデータであり、企業の命運を握るカギであると言っても過言でないだろう。また、検索サイトにおいてはこのログデータが自社の営業や新サービスへの足がかりになるため、消費者行動分析や消費者心理分析など様々な解析手法を用いてモデル化する必要がある。

四　ウェブが巨大データベースへ

〈データマイニング〉

一九九〇年代になるとデータマイニングブームが起き、注目されるようになった。データマイニングとは、蓄えられたデータの関連性を調べ、その関連性を発見するものであり、マイニング作業はデータの中に潜む人が気づかない法則性や規則性を発見するというものである。データマイニングを一躍有名にしたのが、「週末に紙おむつを買いにくる男性は、同時に缶ビールをケースごと買う」という傾向を導き出して、ビールと紙おむつの売場を近づけて売り上げを拡大した米国のスーパーマーケットチェーンのウォール・マートの事例である。これは、データマイニングの古典的な成功事例として有名である。身近な例としては、各種店舗の会員カードなどが挙げられる。これらは個人種別を特定して顧客の購入動向などの情報を収集できるので、優良顧客を選別し、その優良顧客の傾向から潜在顧客に対する効果的なキャンペーンなどを行なうことができる。また、新製品の開発や、ダイレクトメールの発送に関心を持ちそうな顧客に的を絞って行なうことも可能である。データマイニングの手法を次の図に示す。

データ全体を細分化し、直接操作し、様々な方法で処理を行い、最後にそこで発見された法則性を基に原因を追及していくことがデータマイニングである。一方、データウェアハウスというと、データ分析のための方法としてオンライン分析（OLAP: online analytical processing）が利用されるが、この処理は事実を発見することはできるが、分析のための切り口が限られてしまう。複数の要因が互いにどのように影響を与え合っているかを見ようとすると、オンライン分析では難しい。例えばユーザがある仮説を立て、その仮説が正しいかどうかを検証する処理としては有効だが、データの山から法則性を探し出すことはできない。オンライン分析とは、エンドユーザが直接データベースの検索・集計を行い、その中から問題点や課題を発見する分析型アプリケーションの概念、あるいはそのためのシステムもしくはツールのことである。この概念は、一九九三年にＩＢＭサンノゼ研究所のエドガー・Ｆ・コッド博士により提唱された「12のルール」に基づいている。例えば、「地域別」「製品別」「月別」などの軸を設定し、〝地域ごとの製品販売実績〟や〝製品ごとの地域別販売実績〟というように軸を入れ替えて比較する（ダイス）。「地域別」「製品別」を固定して「月別」の推移を比較する（スライス）。ある地域におけるある商品の販売を月別ではなく、さらに細かな日別のデー

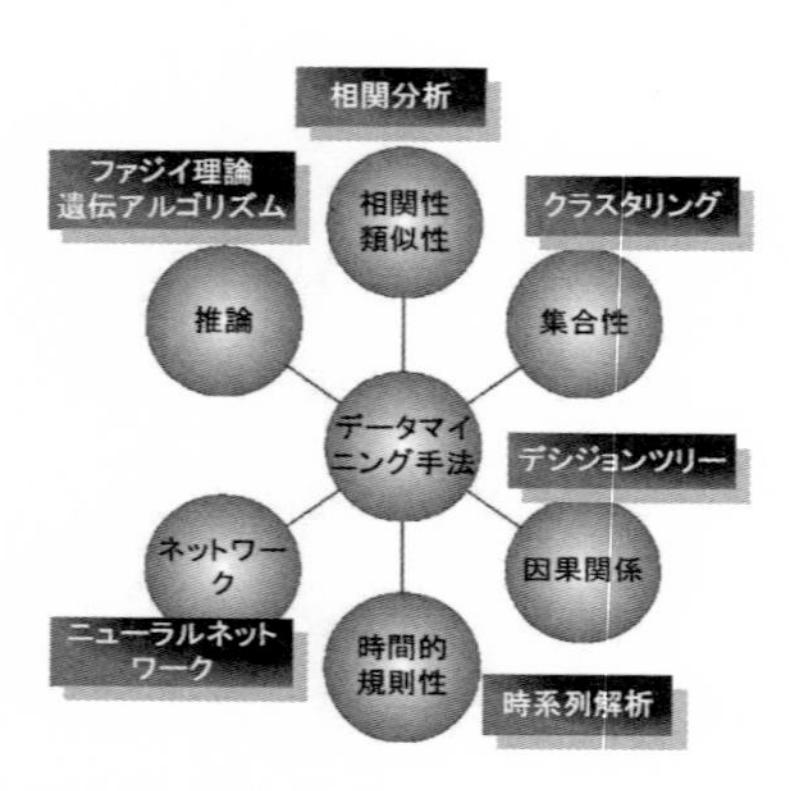

図15　データマイニングの手法

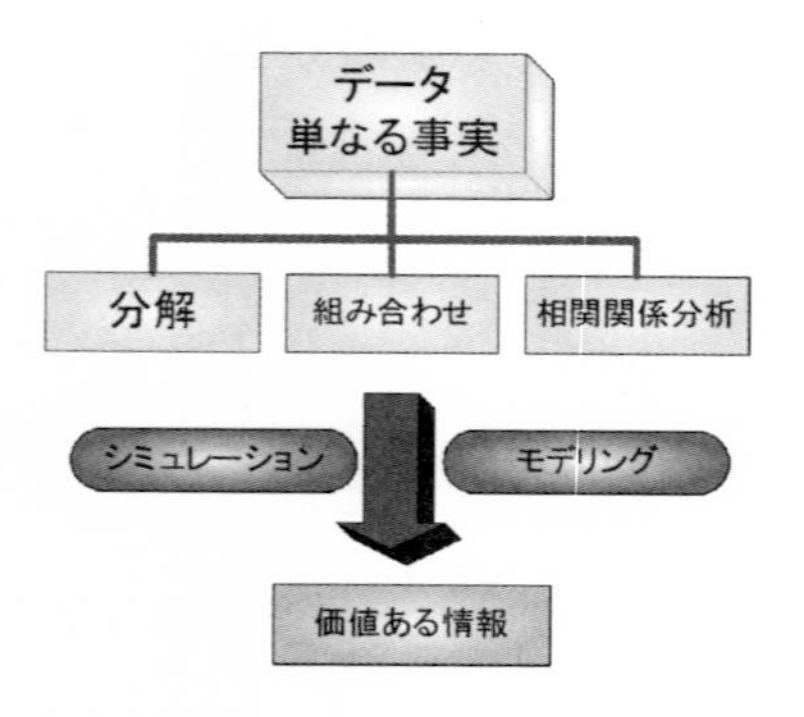

図16　データを価値ある情報へ

タを表示する（ドリルダウン）。などの操作を繰り返すことで実行できる。

マイニングの有効な手法としてニューラルネットワークを挙げているが、ニューラルネットワークは昨今の人工知能ブームのコア技術で要とも言える。ディープラーニングなどによって画像解析等で驚くべき成果を挙げている。

〈ニューラルネットワーク〉

現在、ディープラーニングのブレイクスルーにより人工知能の応用範囲は広がり、多くの取り組みが進行中であるが、人工知能の発展には多くの挫折があった。一九五六年のダートマス会議をきっかけに、第一次人工知能ブーム（一九五〇年代～一九六〇年代）が巻き起こり、人間の知能を機械でシミュレーションするための様々な研究が行われた。一九五七年には、ディープラーニングの原型であるニューラルネットワークが考案され、一九五八年にはそれを機械に実装したパーセプトロンが登場した。当時の人工知能は、この推論と探索を組み合わせることにより、単純なゲームや迷路の探索といった程度の成果しか上げられずブームの終焉を迎えた。

その後、コンピュータ性能の向上とその普及を背景に、第二次人工知能ブーム（一九八〇年代～一九九〇年代）が到来する。筆者が大学時代にこのブームが起き、ニューラルネットワーク関連の論文が多く発表された。ニューラルネットワークに関しては、多層化すれば計算量が多くなり計算時間がかかり、システムを学習させる作業にも時間がかかりボトルネックとなることが多かった。

また、知識をルールとして人間が記述し、それに基づいて知的処理と同等の結果を得ようという取り組みも行われ、ルールベースといわれるこのやり方は、やがて特定分野の専門家の知識を記述するエキスパートシステムとして成果を上げることになる。しかしながら、ルールを記述するのは教師役の人間であり、世の中のあらゆる事象を記述することは困難であり、汎用性を持たせることができない状況下であった。このシステムは自ら必要な学習を行うことができず、これまでのパターンをそのまま再現しているにすぎないものであったため、大きな成果は得られなかった。

一九九〇年以降はコンピュータ性能はさらなる急激な向上を果たし、一九九〇年代に始まるインターネットの商用利用やiPhoneの登場をきっかけとしたスマートフォンの急速な普及により、データ流通量が爆発的に増大し、これらを背景に機械学習の新時代を迎えた。これが第三次人工知能ブーム（二〇〇六年～現在）である。ディープラーニングは、二〇〇六年にコンピュータ科学と認知心理学の研究者であるジェフリー・ヒントンらにより発表された。入力データから自ら特徴を判別し、特定の知識やパターンを覚えさせることなく学習していくことができるディープラーニングは、これまでの人工知能と呼ばれるシステムとは違う画期的なものであった。ディープラーニングの仕組みは、多くの層をもつニューラルネットワークで機械が自らどのような行動を行うべきかを学習することが可能となる。有名なグーグルの画像認識や、囲碁や将棋の対局、ＩＢＭのワトソンなど、ディープラーニングを活用した事例が一気に台頭し、現代社会における大きなブームを呼び起こした。例えば、二〇一一年には、米国の人気クイズ番組ジョパディでＩＢＭのワトソンがクイズチャンピオンに勝利し、二〇一二年にはカナダのトロント大学のチームが、世界的な画像認識のコンテストにおいてディープランニングを使って勝利を収めた。今後も、このディープラーニングを基盤として、様々な形で顔認証や車の自動運転など実用的技術化が進んでいく予測されている。

〈データウェアハウス〉

データウェアハウスは、オンライン分析やデータマイニングをするための貯蔵庫としての役割がある。意思決定支援システムのエンジン部分となる役割があることは前述したが、同じ枠組みによりログデータなどの膨大な情報量を格納することも可能である。データウェアハウス導入により、これまでのように勘に頼っていた経営から数値に裏付けされた経営へと企業そのものの体質が変わるいった。データウェアハウスを提唱したビル・インモン氏の定義（一九九〇年）によれば、「意思決定のために、目的別ごとに編成され、統合化された時系列で、更新処理をしないデータの集まり」とある。既存システムあるいは基幹系業務システムから、抽出したデータを一つの大きな倉庫の中に取り込んでそれを利用するものである。データウェアハウスで蓄えられるデータと基幹系業務システムで蓄えられるデータの大きな違いは扱うデータの時間軸の長さである。例えば、基幹系システムでは一・二ヶ月で更新処理を行う。データウェアハウスでは一～一〇年ぐらいで更新はなく、検索処理の高速化が必要である（コンピュータの性能やソフトウェアの性能が飛躍的に向上したので可能となった）。

基幹系業務用のシステムでは、短期の詳細なデータが必要とされるデータの更新が常に発生する業務の流れに適したデータ検索が求められ、オンライン処理（即時処理）に適したデータ構造が求められる。それに対して、データウェアハウスでは、長期のサマリーデータが必要とされ、データの更新は少なく、業務の流れに無関係な柔軟な検索が求められ、処理方式（オンライン処理かバッチ処理か）は関係ない。データウェアハウスに必要なものは、過去の膨大な蓄積データ、いろいろな切り口で検索・集計が出来るデータベース管理システム、データをグラフィカルに表示できるクライアントソフト（ユーザーインタフェースがわかりやすい）となる。

このように企業で用いられる情報を納めたデータウェアハウスなどは膨大な情報量を抱えることになる。そのようなデータはクラウドストレージで用いることが一般的になってきた。ウェブ自体が巨大なデータベースへ変容している状況である。地方自治体ではこのようなデータをオープンデータとして外部に公開しているものも多く、今後はさらにこのような巨大データベースが個人、企業、自治体、国などによってウェブ上に蓄積されていくであろう。もちろん、セキュリティ問題も重要となり、公開、非公開のデータの区分や個人情報などの漏洩も問題になってくるであろうが、止められない大きな流れである。

例えば、成長著しい、グーグルは、創立当時、ウェブ上のデータをすべて検索可能にするためにウェブ上のありとあらゆるデータをインデックスサーバにダウンロードしようとした。それが成功すると、今度はウェブにない情報(例えば書籍、音楽、地図、人間の行動履歴)をウェブ上にアップロードしようとしている。実現するとウェブで探せない情報はなくなる。グーグルはウェブをますます巨大なデータベースに変えようとしており、その利用方法をますます簡単にするためのツールを次から次へと開発および提供している。

〈ビッグデータ解析〉

データウェアハウスの登場やデータベース管理システムの性能向上、ウェブの巨大データベースに伴い、様々なデータを簡単に取得できるようになった。その膨大なデータをマーケティングに活かすため、ビッグデータという言葉がよく聞かれるようになってきている。顧客データ・販売データ・SNSへの書き込みデータなどから消費傾向を分析し、ニーズや企業への評価を把握するためのものである。また、各種センサーなどから収集される大規模データを有効活用するための研究開発も実証実験等が行われている。販売データや気象データなどから需要予測を行い、生産・出荷量の調整を行い、またRFIDやセンサーを取り付けてリアルタイムに在庫状況を把握するなどの取り組み行われてる。次表にビッグデータ解析の事例を示す。

昨今の事例では、メジャーリーグベースボールが北米各地の野球場から全てのプレイのデータをすばやく収集し、アマゾンウェブサービスで処理し、リアルタイムに分析し、その情報を提供している。アマゾンウェブサービスを導入して革新的なプレイヤートラッキングシステムを強化することによって、試合の詳細や駆け引きについて新鮮で豊富な情報が明らかになり、スポーツ観戦に変

表４　ビッグデータ解析の事例

金融・保険	不正解析、取引分析、リスク分析
通信・放送	ウェブログ分析、ネットワーク解析、視聴率分析、コンテンツ分析
流通・小売	ロイヤリティ分析、プロモーション分析
製造	品質分析、需要分析、トレーサビリティ
メディア（ウェブ）	アクセス分析、コンテンツ分析、ソーシャルメディア分析
公共・公益	気象・地震データ分析、エネルギー消費分析、リスク分析（防衛、犯罪）、自動運転、顔認証

革をもたらしている。また、建設機械大手のコマツは、各車両にセンサーを取り付け、位置情報や稼働状況を監視するビッグデータ分析の仕組みを構築した。建設機械の故障原因特定や修理の迅速化によりコスト削減や稼働率の向上に寄与している。さらに自動車の本田技研工業では、カーナビに通信機能を加えたサービス「インターナビ」が登録者数二〇〇万人を超え、車両から毎月一億キロに上る走行データを収集・分析することで、渋滞を回避するルート案内の提供や交通事故多発地域の特定による交通安全対策への提言など、社会に価値あるサービスを実現している。東日本大震災発生時には被災地域の住民や救援者の移動を助けるために走行実績データを公開し、災害対策活動に大きく貢献したと報告されている。

そもそもビッグデータとは様々な形をした、様々な性格を持った、様々な種類のデータのことで、実はビッグデータは、データの量（Volume）、データの種類（Variety）、データの発生頻度・更新頻度（Velocity）の三つのＶからなり、いずれも重要な要素となる。ビッグデータは、従来のデータベース管理システムなどでは記録や保管、解析が難しいような巨大なデータ群のことで、明確な定義があるわけではなく、企業向け情報システムメーカーのマーケティング用語として多用されている。単にビッグデータといっても様々な種類があり、それぞれに解析方法は違う。

〈データサイエンティスト〉

データサイエンティストは、一〇年前には注目する人も少なかった。突如として人気が出たのは、ビッグデータを重視するようになった企業の姿勢が影響を与えている。この手に負えないほど膨大な非構造化情報は、もはや無視することはできない。ビッグデータは飛躍的な収益増に役立つ宝の山であり、誰も思いついたことすらないようなアイデアを誰かが掘り当ててくれるのを待っている。データサイエンティスト時代の始まりである。

多くのデータサイエンティストは、統計担当者やデータ分析担当者としてキャリアをスタートするが、ビッグデータが成長と進化を始めると、それらの役割も進化していった。データはもはや、IT部門が事後に処理すればよいものでなく、組織にとって重要な情報であり、分析、クリエイティブな好奇心、ハイテクの発想を利益創出の新たな方法へと変換する手段が求められるようになってきている。

データサイエンティストという役割のルーツは学術界にもある。大学では数年前から、プログラマ・システムエンジニアであると同時にチームプレイヤーでもある人材を経営者が求めていることに気づき始めた。こうした要請に応じて講義内容を調整する教員たちが現れ、ノースカロライナ州立大学高度アナリティクス研究所などのように、次世代データサイエンティストを養成するための課程が設置されるようになった。

データサイエンティストとは、色々な意思決定を行う場合に、データに基づいて合理的な判断を行えるように意思決定者をサポートする仕事、もしくは実行する人を指すことが多い。統計や情報技術だけでなく、ビジネスや市場トレンドなど幅広い知識が求められる。トレンドスポッター（流行の変化を観察し、予測を立てる人）で、ビジネスと情報技術のどちらの世界にも精通しており、高い収入が見込め、誰もが憧れる職業のひとつと言える。

五　おわりに

本稿では、情報システムの歴史を振り返り、意思決定支援システムが現在の人工知能を利用したシステムへと発展し、新たなメディアとして確立したインターネット上のウェブテクノロジーを利用したサービスを検討しなければ戦略的情報システムとして企業の価値を高めることは不可能となり、ＥＲＰにおける大量のデータがビッグデータ解析に適用されていることを紹介した。ウェブ上でのログデータも膨大となるためビッグデータ解析の対象として有用なものとなる。これらの膨大なデータから価値ある情報を引き出す仕組みや人材が必要なことは明らかである。人工知能を利用したシステムや膨大なデータから情報を選別できるデータサイエンティストも今後重要な役割を担うことになると予測される。

二〇二〇年には小学校においてプログラミング教育の導入が決まり、国としても情報技術教育に力を注ぎ、グローバル社会での対応の遅れを取り戻そうとしている。しかしながら、世界的な情報技術産業のレベルからは大きく引き離されており、この業界をリードできるトップ企業がないのも日本の厳しい現実である。クラウド環境を利用したオンラインコンテンツやｅラーニングの導入などが急速に進み、学習過程を人工知能エンジンなどで管理するようなサービスも出てきており、教育コンテンツも今後大きく市場を伸ばすと予想される。少子化に伴い情報技術の人材不足が叫ばれる中、国際社会で競争力を持つための人材育成が急務となる。沖縄国際大学産業情報学部産業情報学科においても、このような分野の人材育成に力を入れており、ＥＲＰの取引データやウェブサイト上でのログデータなどのビッグデータを解析する実習を企業と連携して進めている。また、産業情報学部産学協力会においては、企業と学生による合同プロジェクトを年間三～五件ほど実施し、実際の企業が抱える課題を取り上げ共同で解決策を模索しており、産学連携の足がかりにしている。このような取り組みを進めることにより、今後不足が予想されるシステムエンジニアやデータサイエンティストといった人材育成に努めていきたいと考えている。

参考文献

事例でみる戦略的経営情報システム、花岡菖、日刊工業新聞社（一九九〇年七月一〇日）。

経営情報システム、島田達巳・高原康彦、日科技連（一九九三年三月八日）。

経営情報システム、宮川公男、中央経済社（一九九四年三月二五日）

現代経営情報システムの研究、遠山暁、日科技連（一九九八年三月二六日）。

アクセンチュアＥＣレポート二〇〇五年に向けた次世代戦略、程近智・堀田徹哉、東洋経済新報社（二〇〇一年九月）

インターネットマーケティングの原理と戦略、ワード・ハンソン、日本経済新聞社（二〇〇一年二月五日）。

Ｗｅｂマイニング、George Chan他、共立出版（二〇〇四年一月二五日）。

インターネット・マーケティング、前川浩基編著、同文館出版（二〇〇九年八月六日）。

ハワイの観光促進戦略「HTA戦略プラン二〇一六―二〇二〇」から学ぶ沖縄観光の進む道

宮森正樹

宮森　正樹・みやもり　まさき
所属：産業情報学部企業システム学科教授
主要学歴：北アリゾナ大学大学院
所属学会：総合観光学会
主要著書：
共著：「七章　沖縄の観光資源とロングステイ」『沖縄の発展とソフトパワー』沖縄タイムス社、二〇〇九年
「七章　沖縄における長期滞在型観光と地域作り」『地域は復活する』日本経済評論社、二〇一一年
「観光調査の情報分析と政策への提言」『産業を取り巻く情報』東洋企画出版、二〇一二年
「第三章　新たな宿泊ビジネスモデルの沖縄への導入の可能性」『沖縄の観光・環境・情報産業の新展開』泉文堂、二〇一五年
「第一部第二章　沖縄の宿泊産業が変わっていく」『大学的沖縄ガイド』昭和堂、二〇一六年

※役職肩書等は講座開催当時

一　はじめに

本章はハワイの観光から沖縄が学ぶべきものを探るものである。ハワイは百年以上の観光の歴史があり、沖縄は本土復帰をして海洋博覧会を境にリゾート化が進みだしてから約四十五年でしかない。気候的にも社会的にも似通った特性を持つハワイと沖縄だが、観光に対するコンセプトが異なっている。そして同じような人口・観光客数でありながら、観光収入額では大きく差がついている。ハワイの観光地としての躍進の原因を探り、それを乗り越えて沖縄独特の魅力を作る礎にするために、まずはハワイの観光推進の中心的組織であるHTA(Hawaii Tourism Authority)が作成した戦略プラン二〇一六―二〇二〇を解説し、内容の分析の後沖縄の観光にどう応用できるかのマーケティング的試案を提供したい。

1　ハワイの観光とＨＴＡ

①ハワイにとっての観光業とＨＴＡ

ハワイにとっての観光業は、重要な経済活動であり、住民が雇用や収入を得る機会でもある。また、ハワイと世界を結び付ける接点としても大きな役割を担っている。しかし、ハワイの観光は一九〇一年ワイキキにハワイで最初のリゾートホテル（モアナホテル）ができて以来の一二〇年弱の歴史があり、製品ライフサイクル理論上ですでに成熟期の段階にある。それでもハワイの持つ特徴や強み、例えばハワイの文化、気候、自然資源、おもてなしの伝統、アロハスピリッツ等を活かして現在でも持続的な生き残りを目指して発展していっている。ハワイ州政府は一九九八年にハワイ州第一五六法令によりハワイ・ツーリズム・オーソリティー（ＨＴＡ）を設立した。その目的は「ハワイ州観光の先導役を担う」というもので、成熟化したハワイ観光の維持・発展に関して責任を持つ組織と位置付けた。ハワイ州議会が短期宿泊税から予算枠を設定して、ツーリズム・スペシャル・ファンド（観光特別予算）を確保、コンベンションセンター事業特別予算とともにＨＴＡに包括的管理を任せることになっている。

② 「観光促進戦略二〇一六―二〇二〇」とは

ＨＴＡの設立以来これまでに四つの戦略プランが作成されてきた。前回は戦略的イニシアティブを政府機関と民間組織に委託する形を取った「戦略プラン二〇〇五―二〇一五」を策定したが、州の観光計画を実施するにあたりＨＴＡ自体の権限の不十分さと委託組織を監督する権限の弱さがあったことが分かった。そこで今回の戦略プランでは、ＨＴＡの計画を中心に据え、その実現の為、共に活動するパートナーや利害関係者の協力を考慮した内容とされている。

今回は過去の戦略プランの様々なイニシアティブ、課題、目標等の見直しを行い、過去の計画の中で最優先事項とされたものは今回の戦略プランに盛り込まれている。また、観光業や地域社会、政府等の利害関係者の意見やアドバイスを取り入れるために、インタビューも数多く実施しており、計画の目標や方針、戦略は戦略計画作業部会やＨＴＡ局員、および委員会等で検討され、一年・三年・五年計画の目標設定も行った。経営コンサルティング会社にはハワイ、米国内、海外の観光の状況やそのトレンドに関する公開情報を収集させ、まとめさせた。最終的な戦略プラン決定はＨＴＡ局員と理事会で行われた。集合的野心（Collective Ambition statement）の表明は観光業者や地域社会の利害関係者からの口頭や書面での意見を基に作成され二〇一三年の年次総会にて検討された。

2　ＨＴＡのミッション

ＨＴＡのミッションあるいは使命は次のようなものである。「ハワイ州の経済的な目標、文化的な価値観、自然資源の保護、地域社会のニーズおよび観光業のニーズと合致した持続的な方法で、ハワイの観光業を戦略的に管理すること。」これから見るとＨＴＡは観光収入や入域客数等には触れておらず、主に文化や自然や地域社会を守ることを重視している。長期的な持続可能性も大切な要素として観光を管理していこうという志向が見てとられる。

二　集合的野心

1　集合的野心とは

集合的野心（collective ambition）とは、リーダーと関係者が、みずからの存在理由について、そして、お互いに何を実現したいと考えているのか、その野心の達成に向けてどのように協力するのか、またブランドの約束と価値観をどのように整合させるのかについて、集約したものである。今回のＨＴＡがまとめたハワイの集合的野心とは、指針・目的・責任に基づいた形でハワイ観光を発展させるためのビジョンであり、観光業、地域社会、政府機関及びその他の関係者による意見やアドバイスから生まれてきた。

2　集合的野心の具体的指針

集合的野心はまたハワイ観光に関わるすべての利害関係者が協力し合い、ハワイ観光業が将来的にも成功し続け、発展していくことを「共通の目標」としたものでもある。それらの目標は左記のとおりである。

①ハワイの経済的活力を支える
②自然環境やインフラストラクチャーを保護する
③住民が世界的なイベントを体験できる
④住民が快適に生活するための施設やサービスを提供する

また、これらの目標を実現するための七つの指針も示された。それらは①健全な経済、②環境の持続性、③文化の真正性、④市場知識、⑤双方の満足、⑥共同性そして⑦アカウンタビリティである。ＨＴＡはこの指針を支持し、全員が協力して実現させていくことを宣言している。

①健全な経済

七つの指針の一番目の目標は、観光業によるハワイ州経済への貢献度を高めることである。また、それによりハワイ住民の雇用機会の向上と維持、地域社会により多くの利益をもたらすことである。そしてＨＴＡは責任を持って、観光業の成功がハワイのすべての産業へ波及されることを担保するために、キャリア開発や起業機会を推進し、観光業の経済的重要性を立証していく。

②自然環境の持続性

二番目の目標は、次世代の為にハワイの自然環境を保護し、守り続けることである。その為に観光目的地としてのハワイの自然環境の管理と促進を行う。そして廃棄物の環境への悪影響を抑え、省エネルギー化を推進し、観光客に「Malama aina（土地を大切にする伝統）」という心を伝えていく。

③本物(真正)の文化

本物の文化的伝統や慣わしを観光業に取り入れ、ハワイの重要な文化遺産を継承していくことが三番目の目標となる。ネイティブハワイアン文化を軸とするハワイの多文化を永続させるために、経済開発を行う際には必ずハワイ文化の専門家の意見・アドバイスを取り入れ、住民と観光客のための文化交流の機会や接点の拡大を担う。

④市場の情報

四番目の目標は、市場の動向・変動などに速やかに対応や順応できるように、積極的に情報資源やデータの管理を行うことである。その為には市場動向や経済変動を分析し、潜在市場を発見して対策を考える。また、経済的な安定と成功を確保するために、ハワイの観光商品開発や観光客層の多様化を奨励することである。

⑤観光客と観光業の相互満足

「ハワイ諸島ブランド」が世界レベルで一流の観光地であるという認識を強化するために、観光客並びに住民の双方の高い支持率と満足率を維持することが五番目の目標となる。住民、観光客、ハワイ経済のそれぞれのニーズや関心ごとを把握するために、地域社会・観光業・観光客の意見や感想などを収集しバランスのとれた解決策を明確にする。

⑥利害関係者との共同性

六番目の目標はハワイの地域社会、政府機関及び観光業がお互いに尊重され、コミュニケーションや応答が速やかに行われる関係を築くことである。それを実現するために観光業、政府機関、地域社会、その他の産業や利害関係者との関係構築を促進かつ維持する。そしてそれぞれのニーズを把握し、観光業の計画や政策に影響に与える相互的解決を見出す努力を行う。

⑦アカウンタビリティ

最後はハワイ州の観光経済の成功、環境及び文化の持続、そして住民と観光客間のバランスを保つために、具体的な成果や影響の測定、修正の必要性を明確にする方法を含んだ総括的な「評価制度」を策定し実施することである。アカウンタビリティをもって総括評価制度を活用し、観光業の成功に影響を及ぼす複数の要因を考慮した戦略的なアドバイスを提供することを目指す。

三　ハワイの観光業

1　ハワイ観光が直面する変化

ハワイ観光はプロダクト・ライフ・サイクル上では成熟期を迎えている。ハワイはこれまで長い歴史の中で伝統を継承しながら観光を発展させてきた。そして今やハワイを支える基幹産業として育ってきたのである。観光の経済的すそ野の広さからハワイの各地域にとっても重要な産業となってきた。しかし、今や世界情勢の変化が大きくなり、ハワイの観光業も重大な局面を迎えている。これら十一のハワイ観光を取り巻く状況やその変化を説明する。

①レジャー市場の需要変動

世界的に余暇の為の旅行が増加している。世界の観光市場は変化が著しく、市場のニーズ自体も変わってきている。レジャー旅行が増えた理由として、国際市場の所得水準の向上が挙げられる。これまで生活に余裕がなかった人々が、経済的可処分所得が上がるにつれて、旅行に出始めたのである。また、旅行業界としては、低価格化、効率的な航空輸送がある。各地の都市化や旅行業界の販売方法や流通、供給先のグローバル化等の影響も挙げられる。消費者のニーズが複雑化、非同質化してきており、これまでのマス旅行形態ではそのニーズを満足させられない状況になってきている。

②グローバル化した旅行の増加

国連世界観光機関の予測では、二〇三〇年までに国際的な観光は毎年平均で三・三%の成長率が見込まれている。これらの成長は主にアジア地域と太平洋地域の新興市場が担っており、これからはハワイを含む多くの観光地が、これらの市場に向けた観光商品開発そしてそのプロモーションを活発化させてくる。

③中核市場のリピーターと新規体験のニーズ

ハワイの中核市場と言えば、米国西海岸、米国東海岸そして日本である。ここからの観光客の三分の二はリピーターで大半が健康でアクティブな人々である。しかし、急速な高齢化が進んでおり、それにつれて観光に関するニーズも変化してきている。それは新しい体験を求める傾向になってきたことである。リピートすることですでに多くの観光商品を体験していることから、今後は既存商品の活性化と同時に新しい体験や観光名所などの新規開発が求められている。

④技術の進展

インターネットの発達で消費者側も観光業者側も観光への関わり方が変わってきた。まず最近の消費者は観光商品販売や流通のインターネットシステムに慣れている。その為前もっての予約が減少して、現地到着後にリアルタイムで情報を収集してツアーを予約する着地型観光へと移行してきている。観光業者側では、インターネットを用いて市場細分化したターゲットに向けた観光商品を販売できるようになってきており、効率的な販売や旅行商品の管理が容易になってきた。

⑤航空輸送の発展

ハワイは太平洋の真ん中に位置しており、多くの観光市場から離れている。その為、航空輸送は長距離となる。ＬＣＣも簡単には進出できず大手のキャリアは優位性を保っている。そのような中で、日本の航空会社は六百席以上を有するエアバス３８０をホノルルに就航させた。また、四百席近くを有するボーイングＢ７８７も就航している。ハワイが持続的にその魅力を高め続けることができなければ、利益を重視する航空キャリアは競合地の方にその力を移していく可能性がある。

⑥クルーズ船の減少

航空輸送の場合と同じように位置的関係から船も長距離となる。不況によるクルーズ船の減少から、ハワイを母港とする客船やハワイを他所から訪問する客船などが少なくなっている。現在保留中の港のインフラストラクチャー整備やクルーズ船から観光地への移動の問題等は、今後クルーズ産業が復活したら再度検討する予定となっている。

⑦宿泊施設の客室数とその種類

ハワイの宿泊施設は、長い観光の歴史の中で建物の老朽化が始まっている。特にオアフ島以外でそれは深刻である。しかし、新しい変化も現れてきている。これまで主流であった従来型のホテルやコンドミニアムが新たな形態に変化してきている。それらは、タイムシェア、リゾート住宅、バケーションレンタル、B&B、そしてAirbnbによる個人宅レンタル等である。

⑧リゾート地域以外での宿泊

ハワイ観光の特徴はリピーターが多いことと個人手配で来ることである。個人で旅行を計画してインターネットでそれを申し込むパターンが増えてきている。その時の観光客の行動は、レンタカーを活用して隠れた穴場スポットに行ったり、一般住宅のバケーションレンタルに泊まったりする。その為、田舎の町の小さな飲食店や小売業にとって経済的にプラスになっている。しかしこれらの活動が一般住民にネガティブな印象も与えている。その原因は交通渋滞や娯楽スポットの混雑、違法な一般住宅地内での宿泊等である。

⑨地域住民の観光に対する態度

観光業が自分達に良い影響を与えると考える住民はさほど多くない。ハワイ州産業経済開発局やＨＴＡのアンケート調査から、観光だけでなく他の産業も発展させるという経済的多様性を求める住民が増えていることが分かっている。また自分たちの居住地域が自分達の生活より、観光客を優先した運営になってきているとも感じている。住民は観光の経済効果と施設やサービスの供給、例えばショッピングセンターや飲食業の増加等が住民にとっても恩恵を及ぼしていると考えている反面、観光業が地域社会の価値観と一致しているという感触は少ないとしている。

⑩政府機関との関係

ＨＴＡとハワイ州政府機関との関係は概ね良いとされている。特にインフォーマル・コミュニケーションの改善がありハワイ観光業の支援を十分に実施しているといえる。しかし政府とのフォーマルな接点、たとえばＨＴＡ理事会に政府機関所属の職責理事が減少していることなどから、政府担当者とのより密接なコミュニケーションの重要性が求められている。また、ＨＴＡという名称（特にAuthority）に周りからの使命と役割の混乱、期待と誤解がある。

⑪経済の不安定さ

ハワイの基幹産業は観光である。そしてそれが土台となってこれまでも大不況を乗り越えてきた。しかし、世界的な観光業の発展などもあり、今後もハワイの観光が競合地に負けずに成長し続けるかは不透明である。また、ハワイでは観光産業以外の他産業も成長をしてきており、観光産業のハワイに与える経済的影響も減少傾向である。

2　ハワイブランドの管理と三者枠組み

ＨＴＡはハワイブランドの管理を主導する立場にある。そしてマーケティング業者、観光業界、航空会社、旅行社そして地域社会に対してハワイのプロモーション活動のサポートを行うのである。ＨＴＡが実施する「マーケティング要素」として次のようなものがある。レジャー市場向けマーケティング、ビジネス市場向けマーケティング、オンラインマーケティング、ブランド開発プロジェクト、地域とのコミュニケーションそしてマーケティングリサーチである。また、ＨＴＡが推し進める「経験要素」として次のものがある。ハワイの固有の文化、シグニチャーイベント、商品開発、自然資源、安全と治安の確保、キャリア開発、グリーティング（出迎えの方法）そして品質保証となっている。

①ブランド管理の実態

ブランドとは、他の観光地とハワイの観光商品あるいは観光体験を識別させるものである。そしてハワイ観光の質を担保し、差別化を推し進めるものでもある。ＨＴＡはこのブランドの約束を守るために、州内の多くの観光促進プログラムやイベントをサポートしながら、世界に向けてブランドをプロモーションしている。このハワイブランドは、多くの利害関係者やビジネスパートナーと協力しながらハワイの持つ特徴的な商品（自然資源、ハワイ文化、多様な魅力等）を観光客に保証するものである。グローバル化を進めるうえで、主要市場地域（ＭＭＡ）を外部組織に委託して、そこでブランド管理を行うようになっている。ハワイのＭＭＡには、韓国、日本、オセアニア、ヨーロッパ、台湾、中国、東南アジア、カナダ等が含まれている。それぞれの国や地域にて、フェスティバルや文化イベント、スポーツ競技イベント、自然資源・地域社会のプログラム等の独自の観光体験を開発するための管理や戦略策定、支援等を実施している。

②地元・観光業・観光客の三者枠組み

ブランドを管理する上で、考慮すべき三つの要素

図１－ブランド管理の際に考慮する３つの要素

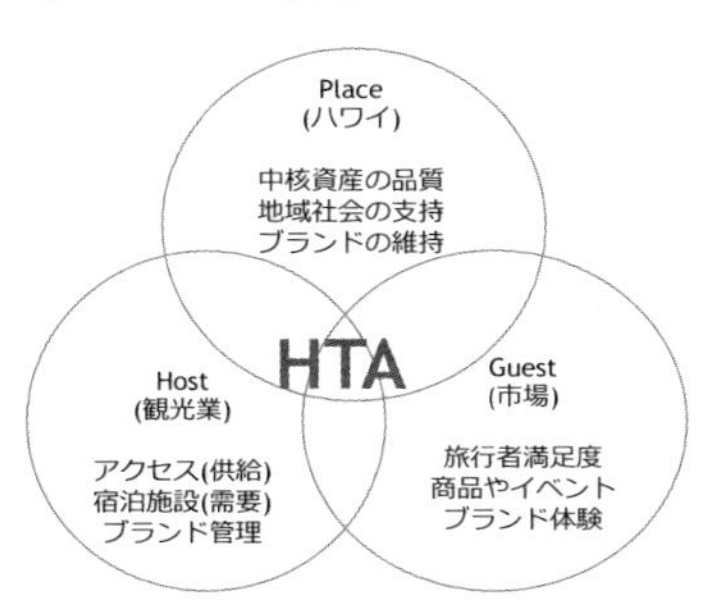

出所：Hawaii Tourism Authority Five-years Strategic Plan 2016

がある。それはPlace、Guest、そしてHostである。Placeはハワイ自体のことであり、中核資産の品質の維持や地域社会の支持、ブランドの維持などの取り組みを行う。Guestは観光市場であり、旅行者満足度、商品やイベントそしてブランド体験等が含まれる。最後のHostはハワイの観光業者で、アクセス（供給）、宿泊施設（需要）そしてブランド管理となっている。これらのPlace-Host-Guestの三者の枠組みの中心にＨＴＡが位置しており、全体の調和を図っている。

四　ハワイ観光のＳＷＯＴ分析

ハワイの観光業の状況を外部と内部に分けて分析する。マーケティングの手法でＳＷＯＴ分析と言い、内部的環境でのハワイ観光業の強みと弱み、そして外部的環境の機会と脅威にわけた二次元マトリックスで説明する。

ハワイの観光の強みはこれまでの分析で一般的に次のようなことが分かっている。それらは、「ハワイブランドの知名度」「温暖な気候」「観光地としての魅力」「観光客の高い満足度」「すばらしい自然資

図２－ハワイ観光の外部環境と内部環境の分析

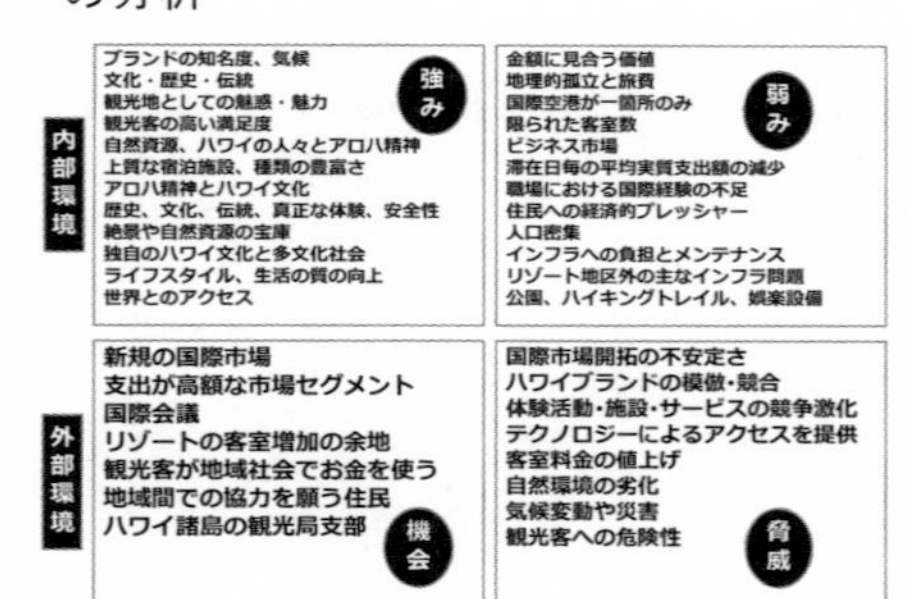

出　所：Hawaii Tourism Authority Five-years Strategic Plan 2016

源」「ハワイの人々とアロハ精神」「上質な宿泊施設」「エキゾチックな雰囲気」等である。今回はそれらの「強み」追加した新たな九つの強みを説明する。

1　ハワイの強み（Strengths）

①観光メニューの種類の多さ

ハワイの観光メニューの種類の多さは、島と宿泊施設と観光資源の多様な組み合わせから生まれる。ハワイ諸島には八つのメインとなる島がある。その中で観光地として開発されているのは、「オワフ島」「ハワイ島」「マウイ島」「カウアイ島」「モロカイ島」「ラナイ島」の六島である。それぞれの島で特徴があり、独自の景観や自然が楽しめる。次に多様な宿泊施設がある。充実したサービスを持つ豪華ホテル。長期滞在に適したコンドミニアム、今はやりのタイムシェア、庶民的なB＆Bや民宿など五種類が代表的である。そしてハワイの観光資源として主となるものとして六つ挙げられる。それらは「文化体験」「グルメ」「ゴルフ」「冒険」「大自然」「ロマンティックさ」等である。これらを一つひとつ組み合わせると百八十種類の観光メニューが構築できる。例えば「ハワイ島のコンドミニアムに泊まり大自然を楽しむ」とか「オアフ島の豪華ホテルに滞在しゴルフを楽しむ」とか、各自の予算と興味に合わせた多様な観光メニューを楽しむことができる。

②アロハ精神とハワイ文化

ハワイの人々は、大変フレンドリーで観光客に好意的なイメージを持っている。これは「Ho、okipa」（厚遇）という伝統から来るものである。最近、観光業はこれらの精神を取り入れ、社員研修や観光トレーニングに活用している。また、ネイティブハワイアンの固有な文化を観光客と地元住民が共に参加して、精神と文化を共有することも増えている。その具体的なものとして、「ハワイ語復活運動」や「フラ競技大会」「ハワイ文化イベント」等がある。

③歴史・文化・伝統

ハワイには米国で唯一の王家の宮殿がある。それは「イオラニ宮殿」でハワイアンの王族やアリイ（貴族階級）の歴史的・伝統的名所である。また国立公園や国立記念物、世界レベルの博物館や美術館等もある。人種の多様性から魅力あるエスニックな体験や地区も多い。例えばダウンタウンの中華街、歴史的農園、エスニックなフェスティバルがあり、特にオキナワフェスティバルは人気がある。第二次世界大戦で有名なパールハーバーもあり、日本の降伏調印式があった戦艦ミズリーが湾内に位置し、歴史的な戦争の悲惨さも伝えている。

④本物の体験

ハワイではいろいろな本物体験ができる。伝統的なカメハメハデーや地域社会をベースとした新しいイベント類、様々なフェスティバル、工芸品体験等のアクティビティである。また、ハワイアンミュージックもドン・ホーやイズラエル〝iz〟、ジェイク島袋等の活躍でワールドワイドに広まっている。多様な人種が存在することで幅広い食文化、しかも本物のエスニック料理やハワイアン伝統料理、世界の名物料理が楽しめる。沖縄からの移民も多いため、ハワイでも本物の沖縄、空手、民謡、琉球舞踊、アンダギー、模合、エイサー等が堪能できる。

⑤安全性

ハワイには安全という強みがある。第一に全米と比較して犯罪率が大変低い。また台風の上陸がほとんど無い。危険な猛獣や毒を持った蛇類もいない。政治的にも安定している。そして多国籍の祖先を持つ人々が仲良く共存している。ハワイでは観光客が犯罪に巻き込まれたり、事故にあったりした際に援助する組織的活動にも取り組んでいる。官民合同でVASH(Visitor Aloha Society of Hawaii)を設立しており、観光客の安全を見守っている。

⑥景観や自然資源の宝庫

ハワイには美しい景観や過ごしやすい気候がある。その為に高いお金を払ってでもハワイを訪れる観光客がいて、多くの経済的代償を払ってでも住み続けたい住民が存在するのである。また、ハワイ沿岸の海水の質は、米国環境省より総合的に最も高い評価を得ている。ハワイではその自然資源の重要さを認識しＨＴＡにより「自然資源諮問グループ」を設置して、多くの景観や自然資源を守っている。

⑦独自のハワイ文化と多文化社会

ハワイには先住民がいて、長い歴史の中で独自の文化を築いてきた。世界的にもユニークな歴史と文化はハワイの魅力の一つとなっている。また、「虹色」と呼ばれるほどに人種が多様である。虹が良く出る自然環境と相まってハワイ州の自動車のナンバープレートは「虹」のデザインとなっている。ハワイは全米でも最も「少数派民族」の割合が高い州でもある。全米五十州の中でアジア系人口の比率が最も高く、アジア系の三十八・六％は白人系の二十四・七％を上回っている。

⑧ライフスタイル・生活の質の向上

ハワイはライフスタイルや生活の質が高いと言われている。二〇十二年の世界的生活の質調査では、ホノルル市が全米でトップ、全世界では二十八位になっている。また、健康指数を測定する統計でも、全米で最も幸せで且つ健康的な市民という位置づけがされた。米国政府の寿命調査では、六十五歳以上の高齢者は全米で一番余命年数が長いとなっている。

⑨世界とのアクセス

ハワイは太平洋の真ん中に位置し、日本から六千二百キロメートル、カリフォルニアから三千八百キロメートル離れている。また、島嶼州なので空港施設が多い。ダニエル・イノウエ空港は全米で二十八番目に稼働率が高い空港で年間二十八万七百機の発着がある。また、六つの島（オアフ島、ハワイ島、マウイ島、カウアイ島、ラナイ島、モロカイ島）のすべてに飛行場があり、アクセスが容易となっている。

2　ハワイの弱み（Weaknesses）

ハワイには内部的に強みが多いが、弱みもある。大切なことはその弱みを認識し、これをどう克服していくかを考えることである。

①金額に見合う価値・コストパフォーマンス

州が実施したマーケティング効率性調査（ＭＥＳ）では、「ハワイの金額に見合う価値」のスコアが低くなっている。ハワイは世界の観光市場から距離的に離れている為、交通費や州内での物価や宿泊施設などが高価格にならざるを得ない。その為、低価格で競合する観光地とは価格面で競争ができない。観光の武器として、上質な体験や施設・サービスの提供がなされて初めて観光客がハワイ観光の高価格に納得をするのである。

②地理的孤立と旅費

ハワイは地理的に世界で最も孤立した場所に位置している。その為、観光市場からハワイまでに旅費と時間がかかる。それに加え、飛行機の燃料費（サーチャージ）の変動に常にさらされており、安定的な旅費でないことが、旅行業者のハワイへの送客が難しいという状況を作っている。

③少ない国際空港

ハワイでは国際空港がオアフ島のダニエル・イノウエ空港しかない。最近になり日本航空の経営が安定してきて、ハワイ島コナ市と日本の間に国際航空便を飛ばし始めたが、それでもオアフ島に次いで二番目に人気のあるマウイ島の空港はまだ国際空港化していない。基本的に海外からの観光客は一度オアフ島に降り立ち、そこで乗り換えて希望する島に移動するという面倒さがある。

④限られた宿泊客室数

ハワイの旅行シーズンは大変混雑する。特に十一月の感謝祭から四月の半ばまでは旅行シーズンのピークとなる。そしてその期間はホテルやコンドミニアム系ホテルは満室となる。そこで観光業者は、古くなったホテルや一般住宅などを再開発してリゾート系住宅やタイムシェアに改装して対応している。海外からハワイに初めてくる観光客は、従来型のホテル宿泊施設を求めることが多く、ハワイではそれに十分に対応できずに問題となっているところもある。海外の航空会社が、ハワイの宿泊施設の不足を理由に便数を減らすというリスクもある。

⑤弱いビジネス市場

ビジネス目的での来布やコンベンションセンターの利用（ＭＩＣＥ市場）があまり伸びていない。これはハワイがレジャー中心の観光目的という強いイメージが固定化しているからである。その為、州外の企業や組織からハワイで会議をしようとは思われていないところがある。

⑥滞在時の平均実質支出額の減少

一九八〇年代後半からハワイにおける一日の平均支出額の減少傾向が続いている。下がるとはいっても一直線に下がるわけではなく、不安定でその額には増減変動がある。しかし、たとえ支出額が上がったとしても過去の数字には到底及ばないと思われる。もし、これらが改善されなければ、これまでは重視してこなかった入域観光客数を増やすという選択肢を選ばざるを得ないかもしれない。観光による経済効果を維持する為にはこれまでのコンセプトを少々修正する必要もあるのかもしれない。

⑦職場における国際経験の不足

ハワイに来る観光客は、アメリカ本土や英語圏の人々と日本人が多い。しかし、今徐々に新興の観光市場からの訪問が増えてきている。それが中国と韓国である。しかし、ハワイのホテル業界の従業員は、これらの言葉や文化に精通していない。また、どのようなニーズがあるかもわからない。同様にツアーガイドや飲食店の店員なども同様な状況である。

⑧職場に関するその他の課題

観光業で働く者たちは、現在の観光の仕事の質や将来の出世の機会や賃金に懐疑的な意識を持っている者が多い。また経営面から見たら、シニア層従業員の定年や全体的な高齢化、若手の顧客サービスの質の低下、若年従業員のハワイ文化の価値に関する意識や教育の不十分さが心配されている。ハワイは物価の高い州であり、現在物価は上昇中で、観光業の賃金がそれに追いつけない状況である。観光業の雇用は現在増加しているが、長期的に見ると減少傾向になるとみられている。若手の教育不足の件では、公的組織の協力が必要とされており、特にオアフ島以外の他島での教育プログラムが弱い。

⑨住民への経済的プレッシャー

観光業はハワイにとって重要な産業である。ただ、あまりにもそれだけに頼るにはリスクがある。ハワイ州自体、全米平均より所得が低く、物価は高い。そして観光という極端に景気に左右されやすい産業にこれ以上依存することに、住民は懸念を持っている。

⑩人口密集

限られた島の面積で、人口が増加していくとハワイの各島々の生活が破壊されかねない。ハワイは米国本土の西半分では最も人口が密集している地域となっている。住民たちは、いろいろなエリアで観光客を見ると、人々が増えすぎてその地域に人が密集していると感じている。

⑪インフラストラクチャーの負担とメンテナンス

ハワイのインフラストラクチャーは、地域住民の為のものだが観光で訪れる者達もその恩恵を受けている。他の島々ではまだ特に深刻にはなっていないが、オアフ島の下水処理の規模が観光客の増加に追い付いていない現状がある。その為大雨の後など、汚水がアラワイ運河に流れ出し、そこからワイキキの海岸に流れ込み、ワイキキビーチを汚染することも起きている。

⑫リゾート地域外の主なインフラ問題

インフラストラクチャーの問題は、リゾート地域だけではない。道路整備状況が全米でも低ランクのハワイでは、高速道路の渋滞が著しい。またそれを緩和するための鉄道を施設しているが、その工事自体がより激しい渋滞を生んでいる。オアフ以外の島々の空港の老朽化や島の表玄関という空港でハワイの文化的雰囲気の乏しさが指摘されている。つまり、規模的に限界があり観光客を迎えるという場所の味気無さが観光レジャー利用に支障をきたしかねないと考えられている。

⑬公園・ハイキングトレイル・娯楽設備の老朽化

ハワイの住民達は、観光に関連した施設等が老朽化して、例えば公園や森林のトレイル利用や海岸の利用などに悪影響があると考えている。特にトイレ等の老朽化は、観光客に悪いイメージを与えないか心配されている。ＨＴＡはそれらの懸念の緩和の為に、毎年改善のために寄付（百万ドル）を実施している。

3　ハワイの機会（Opportunities）

ＳＷＯＴ分析のＯはハワイ観光を取り囲む外部環境の中の「機会」の分析である。ここでは、七つ挙げられている。

①新規の国際市場の出現

観光支出額が大きいハワイ観光の新興国際市場が増えてきた。それは中国や韓国そしてオーストラリア等である。二〇〇五年の日本以外の国外観光客比率が一三・七％であったが、二〇一二年には二三・八％に上昇している。これらの新興市場は、景気や為替相場、太平洋地域の治安そして新しい空路の開通等の影響を受けている。この新規観光客の特徴としては、オアフ以外の他島よりワイキキを好む傾向があり、オアフ島の客室売上や稼働率の上昇に大いに貢献している。

②支出が高額な市場セグメントの発掘

観光消費額が高額な市場セグメントの発掘が進んでいる。例えば、リゾートウェディングや新婚旅行市場やゴルフ市場等はまだまだ開発余地があり、マーケティングを強化することで新しいセグメントの定番化が進むと思われる。

③国際会議の誘致

リゾートのイメージが強いハワイだが、ビジネス客市場にも新たな機会の芽出しがある。二〇〇五年にアジア太平洋経済会議があり、二〇一二年には世界自然保護会議が開催された。これらの世界レベルの会議の成功がハワイのビジネスディスティネーションとしての知名度を上げ、ＭＩＣＥ市場に活気が戻ってきた。今後は世界的な外交会議、学術会議、環境会議などの増加が期待できる。

④リゾート地の客室増加の余地

ハワイは慢性的に観光客用の客室が不足している。建設規制の厳しい中、既存の宿泊施設の改築が進んでおり、これらは高密度タイプが多い、また、新規施設の開設は難しいが、すでに土地利用の許可を得ている既存のリゾートが総合開発計画を持っており、投資家の経済状況や開発権利、その場所に対する観光客のニーズ等が揃えば、客室増加はさらに期待できる。

⑤観光客が地域社会で落とすお金

最近の観光客は、リゾート地だけでの滞在に満足せず、リゾートの外側である地域住民エリアにも出掛けていく傾向がある。この現象は地元で営業する飲食店や小売店に経済的効果をもたらしている。また、リゾート地に偏った観光客が幅広く分散されていくと、リゾート周辺が混雑したり、あまりの多さに地域住民が圧倒されたりするといったマイナス要素が軽減される効果もある。

⑥地域間での協力を願う住民

観光計画を作る段階で、各地域のリーダー達は地元に相談してほしいと思っている。そのような場は地元の苦情・要望を伝える良い機会だと考えている。そしてそれらの建設的な意見が、観光がもたらす問題や葛藤の解消に役立っている。観光業界としては、観光アクティビティが地元に便益をもたらすように計画し、その地域に合致した規模や場所の決定等を地域の判断にゆだねている。

⑦ハワイ諸島の観光局支部の充実

ハワイ観光局は各島に支部としてネットワークを持っている。各支部はその地域を観光地として売り出すことに専念していたが、「売ること」と「聴くこと」を混合していたとして、観光と地域社会の新たな相互関係の向上を目指していくこととなった。その為に住民・観光客双方にとって価値のある中核資産を維持するための共同計画の作成も行う。両者の基本的ニーズを組織的に明確化していく。

4　ハワイの脅威（Threats）

ハワイへの脅威とは、ハワイを取り囲む外部環境でハワイ観光にマイナスに働く要因である。そのような状況を強みや機会を通して克服していくことが重要である。

①国際市場開拓の不安定さ

観光業界は世界的な景気変動の影響を受けやすい。その為、観光の国際市場は不安定で観光発展の脅威となりえる。最近は国際市場近郊の新しい競合も成長しており、為替変動の影響も大きい。また、政治的な緊迫もあり国際市場の不安定さが浮き彫りにされている。また、国際的な新興市場からの観光客数が急激に増えれば、これまでのハワイに満足していた既存の観光客の不満が募ることも危惧される。

②ハワイブランドの模倣・競合の出現

ハワイは総合的な観光地としての魅力は世界でも有数である。ただし有力な競合ディスティネーションが出現してきている。例えば、「良質なリゾート」というカテゴリーでは、ラスベガスやメキシコ、バリ島、フィージーそしてアジア等である。また、「まれに見る景観」という場合は、コスタリカ、ニュージーランド、カナダそしてアラスカがある。「家族向け」では、オーランド、アナハイムそしてアジア等が台頭してきており、各カテゴリーの競合が激しい。

どのようにそれらに対応するかを考えることも重要である。第一に、ハワイの文化を含む唯一無二で本物の特質や特徴を強調し続けること。第二に、マーケティング的にハワイの様々な特質・特徴を全体的に調和させ、セットで提供すること。そして最後に、他地域で簡単に模倣できるようなアクティビティとかカジノ等の導入を避けることである。

③体験活動・施設・サービスの競争激化

観光産業がグローバル化して世界中で注目されるようになるにつれて、強力な競合の出現がみられる。それらの地はハワイほど地価や人件費、その他費用は高くなく、新規にスタートする分、最新型の設備や施設を導入している。ハワイは三〇年以上の設備・施設類が多く、リノベーションが進んでいるとはいえ他の新興観光地に比べれば古く、それらとの競争は激化してきている。

④テクノロジーによる悪意あるアクセスの脅威

今や世界はインターネットでつながっている。その為に観光情報や商品情報、おすすめ情報等が流通し、消費者には効率的な観光機会を提供している。しかし、このテクノロジーによる脅威も表出している。インターネットによる観光地の誤報や悪意ある情報発信がある。またＳＮＳ等で口コミが広がり危険区域や神聖区域の過剰利用、無断立ち入りが問題となっている。ＳＮＳやマーケティングツールの効果的活用でそれを防ぐ必要がある。

⑤客室料金値上げ

ハワイの宿泊施設は、これまで続いていた不況からの回復で、宿泊料金の値上げが可能となってきた。その為業界全体で収入が増加して良い状況ではあるが、宿泊料金が上がったことで観光客は他の観光出費を抑え始めている。

⑥自然環境の劣化

観光が成熟サイクルに入ってくると、自然環境も劣化してくる。ハワイでは「ａｉｎａ」という考え方がある。これはハワイの命を支える土地や水という意味で、ハワイの聖なる宝と思われている。これこそが地域住民や観光客にとって重要な資産である。しかし、ハワイの人口増加や観光開発により自然や景観保全が劣化してきている。例えば、海岸の浸食や汚染等あったり、ワイキキの砂が速いペースで無くなったり、サンゴの生存が脅かされたりしている。また、森林に外来種が侵略してきており、ハワイの森林の危機があるといわれている。これはハワイ発着の航空機の検査の甘さであり、観光重視ということが影響しているとみられている。

⑦気候変動や災害の発生

世界的な気候変動は、ハワイへも影響を及ぼしている。将来起こる可能性のある海面上昇や干ばつ、大型台風、地震・津波等も心配される。現在は個々の観光関連会社で避難計画を作成しているが、観光客の立ち往生や危機時の宿泊施設の不足等にどう対応するかを定めた、ハワイ全体の包括的緊急対応計画はまだ作成されていない。

⑧観光客への危険性

安全なハワイでもこれだけの人々が訪れれば、何らかの事件・事故に巻き込まれることもある。ハワイではビーチでの溺死やサメの襲撃など海や自然区域で起こる危険がある。そのため、それらの危険をしらせる対策が十分になされているかが懸念される。ガイドブックや標識の適切な設置や外国語対応等が必要である。

五　ハワイ観光を取り囲む外部環境と今後の動き

1　ハワイ観光の位置づけ

①大量消費時代から新たな時代へ

少し前まで世界は大量消費時代であった。そのような中でハワイは幅広い観光客層をターゲットとしており、魅力的なブランドのアピールでマス・マーケティングを実施していた。ところが今の時代、ハワイを取り囲む外部環境も変化していて、特定のニーズを持つターゲットの多様な目的や欲求を満たす為にインターネット等の新しいコミュニケーションツールを用いたマーケティングが重要となってきた。

②ハワイの二つの位置づけ

そこでハワイは二つの異なる戦略を模索している。一つがブランドの一貫性を大衆にアピール方法で、「アロハ精神」「ダイヤモンドヘッド」などで統一したイメージを育むこと。もう一つが特定ニーズやユニークさ（個性的）に対応してアピールしていくことである。特定ニーズの事例として、ハワイアンキルトや工芸、ホノルルマラソン、天体観測、火山体験、ウクレレ、そしてフラダンスなどがあげられる。消費者側もネットを通してそれらの観光商品を効率的に見つけることが容易になっている。

2　ハワイ観光の今後の動き

①インテグリティを守る

インテグリティとは高潔さや真摯さを表す言葉である。ハワイの観光産業は製品ライフサイクル上で成熟期に入っている。その為、地域住民の好意や協力により島の文化や資源の活用ができるのである。その為HTAは、住民の理解を深めて、地域社会のニーズを知り、効果的に対応する必要がある。また、文化の重要性を認識し、文化遺産の保護や観光産業従事者の文化的教育の実施が必要である。

②HTAの責務

責務としての一つは観光客のハワイでの支出額増加の促進が挙げられる。その為には高額な支出をする観光客を増したり、季節的変動を減少させたり（平準化）、着地型アクティビティ支出を効果的に促すことである。また、ハワイの観光に対する経済的効果の維持・発展も望まれる。その為には、全島が可能な限り平等に観光の経済的利益が及ぶようにすることと、不景気の時にはその影響を緩和するための効果的な対策が取られることが望まれる。

③競合に打ち勝つ

競合観光地の躍進が見られ、ハワイは激しい競争を勝ち抜かなければならない。その為には空路の開拓や維持が必要である。また、ハワイ観光の高い費用に見合うだけの「価値」を提供することが重要である。「真実の瞬間」という顧客接点（ビザの申請時、税関、セキュリティーの場、インフォメーション等）での顧客満足を最大化する必要がある。また、ポジティブブランドをすべての海や陸で提供される観光商品に盛り込むことも激しい競争に勝ち抜く為に必要となる。

六　ハワイ観光の目標・戦略・測定基準

ＨＴＡはパートナーや利害関係者と連携を図りながら、左記の四つの目的を達成することに尽力する。

(ⅰ) 観光地としての信頼性の向上
(ⅱ) 安定した経済発展の確保
(ⅲ) ハワイ観光の価値向上
(ⅳ) ＨＴＡの効果的活動の強化

1　観光地としての信頼性の向上

①観光業に対する地域社会の支持

ハワイが観光地としての信頼性を向上させる為には、観光業に対する地域社会の支持を強化することが重要である。その為には、地域社会のニーズや中心的な課題をモニタリングして積極的に対応する必要がある。また、単に行動を起こすことだけでなく、地域住民に観光業の価値をより理解してもらう為の計画の実施も求められる。そして、観光業の将来的な人材やリーダーを採用するために、諸組織と提携を組み、観光関連キャリアの道筋を構築・促進する。最後に、観光客と地域住民の交流機会の充実や経済効果を向上させるために、地域社会を土台としたプログラムを増やすことも、ハワイ観光業と地域住民の相互の信頼向上につながっていく。

②観光目的地のより良い管理者

ＨＴＡがハワイという観光目的地を良くしていくためのより良い管理者となることを目指す。その為にはハワイの大自然や環境、観光客が訪れる名所等を管理して改善して保護するプログラムへの支援を拡大させていく。また、ネイティブハワイアンの文化とハワイの一般社会との整合性を促進し、他観光地の差別化の為にハワイ独特で本物の体験の促進も重要な管理者としての使命である。

③観光地としての信頼性の向上を測定するための基準と業績評価

ハワイが観光地して信頼性がどのくらいあるのかの測定は、ハワイ観光業に対する地域住民のアンケート調査から見ることができる。住民はＨＴＡがネイティブハワイアンの文化や言語の保存を助けていると思っているかどうかを測ることで明確になる。同様に観光客もハワイが自然資源、公園、文化的な名所などを良く管理しているかどうかの評価も業績評価基準として有効である。

2　安定した経済発展の確保

ＨＴＡの主要な責務は、観光業による便益を観光産業以外にも広めることでもある。その為には安定的に一定の観光客の集客が必要で、加えて観光支出額の増加が望まれる。

①安定した観光客を確保するためのマーケティング

安定した集客の確保は、ハワイコンベンションセンターの活用が重要である。その為には企業のミーティングやコンベンション、インセティブ旅行等の主催者にハワイこそが理想的な開催地だと強力にプロモートしていくことだ。マーケティングの手法を活用してハワイブランドの向上を図る。また、海外からの観光客がオアフ島以外の他島も訪問するように、他島の観光インフラストラクチャーを開発していく。ハワイのアジア太平洋地域の位置的優位性を活かして、新規アジア市場を開拓していくことも重要である。まだ発展途上であるクルーズ船のハワイ寄港の増加を促し、クルーズ船用の船舶所を増加させる。

②富裕者層の増加と支出機会の創出

ハワイの観光産業では、観光客数を増やすより観光客がハワイで使う金額を増やすことに重点を置いている。そしてそのような高額な支出をする層を増加させることがハワイにとって安定した経済発展につながる。まずは、閑散期の支出を増やすための新しい観光商品の開発を行う。また単なる周遊旅行ではなく、観光客の為のアクティビティや体験のマーケティング活動に力を注ぐ。今後は観光客調査の枠を広めて、長期旅行の動向や支出が高額なセグメントや次世代の旅行者についても調査する。次世代観光客をターゲットにして、その層を獲得する為にはターゲットに合致した魅力的なプログラムやアクティビティを開発・維持していくことも重要である。

③安定した経済発展を測定するための基準と業績評価

この分野の測定基準は、観光関連の州内総生産（ＧＤＰ）によって測定された観光客による経済活動の増減となる。具体的には、他都市と比較した会議開催地としてのハワイのランキングやＭＩＣＥセグメントによる予約日数の増減、閑散期の一日平均客数そして観光客関連の支出の増減で見ることができる。

3　ハワイ観光の価値向上

観光競争はグローバル化してきている。そのような中でハワイの観光産業が生き残っていく為のいくつかのポイントがある。ハワイ旅行の知覚価値の促進つまりコストパフォーマンスの向上がまずは挙げられる。グローバル競合地との差別化、本物体験の提供そして世界的な競合に勝つためのブランド力の強化が必要となってくる

①ハワイ各諸島への空路の維持と改善

ハワイの価値を高めるためには、空輪の維持および発展が必要である。ハワイの各諸島間のアクセスを増やし、隣島への集客を推し進める。また、米国連邦政府に、国際市場を対象とする入国の事前承認の許可の促進を働き掛ける。ダニエル・イノウエ国際空港以外でも、海外からの出入国が可能な通関手続きができる空港を増加させる。そして、ハワイへのアクセスに関連する諸問題、例

えばビザ免責プログラム、税関国境警備局、観光客の空港でのおもてなし、交通のアクセス手段の非効率化等を改善する。

②競争力維持のためのハワイブランドの確立

ＨＴＡは消費者のニーズやハワイのユニークさに関する認識の調査を継続的に行い、必要に応じてブランドを確立する為のリーダーシップを発揮する。そして観光客をハワイに集客する為に、例えばハワイならではの体験、安全性、治安の良さ等を強調し、文化や他の重要なハワイの特質を強化する。つまり観光客の為の世界一流の体験を開発することがブランドの確立につながる。

③宿泊施設やインフラストラクチャーの観光客の満足度向上

グローバル化した中で観光の競争力を保つためにはハワイ独特のブランドが必要である。その為に観光客安全プログラムを州全体で構築し、災害計画やその他の安全予防策を改善していく。また、ホスピタリティ、サービス精神および文化に関する従業員教育の実施も重要である。ハワイ観光のブランドによる品質保証プログラムを構築して、それを強く推進していくことも必要である。

宿泊に関する機会やニーズを明確にする為に、旅行動向や消費者の行動やニーズの分析を深める。そして観光客がハワイに対して持つ期待の実現、宿泊施設の質やインフラストラクチャーの充実を目指す。

④ハワイの価値向上のための基準と業績評価

これらが成し遂げられたかどうかは、マーケティング効率性調査（ＭＥＳ）の「ハワイ旅行を考えている主要都市の観光客の割合によって測定されたハワイの競争力」で可能である。また「ハワイには様々なユニークな体験やアクティビティがあると感じている観光客の割合」で知ることができる。「ハワイでは他都市とは違った体験ができると感じている観光客の割合」や「ハワイは安全かつ治安が良い場所と感じている観光客の割合」「ハワイは滞在施設の種類が豊富と感じている観光客の割合」等も重要な業績基準とすることができる。その他には航空座席の増加率やハワイ旅行を他の人に勧める割合（旅行者満足度調査）も貴重である。

4　ＨＴＡの効果的活動の強化

ＨＴＡはハワイの観光業を先導する州の主要組織として観光関連組織の活力・持続性の推進を担っており、ハワイおよび世界で展開される活動の指揮・管理を行っている。ＨＴＡでは知識ベースの組織として情報収集や調査、促進プログラム作成、観光の方針作成等を観光関連組織すべての為の資源として維持・提供している。

①観光業をリードする能力の向上

ＨＴＡでは、理事やスタッフのリーダーシップ能力向上の為、継続的なトレーニングや教育を実施して、有能な人材を育てている。また、ハワイの政府機関、その他の産業界、地域社会そして観光業界の資源をつなげてハワイ経済に貢献することを目指している。ＨＴＡは観光地マネジメントやマーケティング力向上の為に、新技術や革新的な実践方法を取り入れている。

②マーケティング活動の透明性とアカウンタビリティ

ＨＴＡの戦略的目標と一致するマーケティング計画を作成・維持しすべての観光プログラムを評価するための評価システムを設定する。また、契約の作成や締結の管理、決済システムとの接続、プロジェクト成果の追跡、自動通知等が可能な電子契約システムの導入も考えている。組織内の方針、規制契約、契約事項等が法律や命令に従っていることを保証するコンプライアンス機能の維持も必要である。

③ＨＴＡの効果的活動の基準と業績評価

ＨＴＡの活動を評価する基準として、「ＨＴＡをリーダーとして認めている観光産業組織の割合」がある。その為にはコンプライアンスが成立している契約の割合や戦略計画達成に関する経過報告等を確認する。またＨＴＡに関する地域住民の認識を確認することとＨＴＡとの共同プログラムに参加している観光業者の割合も重要な測定基準である。

5 ＨＴＡの今後の計画

ＨＴＡでは、これまでに作成したＳＷＯＴ分析を基にこれまでの活動の評価とそれを今後どうしていくのかの方向性を見出した。そしてそれを実際に行動レベルで動かすのが計画である。現在は、一年計画、三年計画そして五年計画の提案がある。そしてそれぞれに数値目標を設定し、一つずつ確認しながら推進している。例えば、ＨＴＡ住民意識調査の質問項目である「観光業は問題よりも多くのメリットを住民にもたらしている」と感じる地元住民の割合を、二〇一六年の初年度で六十四％を目指し、三年後には七十五％に、そして五年後には八〇％にするとしている。その為に年度計画を策定し、実施し、測定し、改善し、そして新たな年度計画を策定するというＰＤＣＡを回しているのである。これらから見たＨＴＡの観光促進戦略は、経営戦略的にそしてマーケティング的に構築されており、非営利団体の良い見本となるソーシャル・マーケティングと言える。

6 沖縄の動き

沖縄県でも沖縄観光コンベンションビューロー（ＯＣＶＢ）があり、沖縄の観光産業の要として活動している。インバウンドの影響もあり、観光産業は右肩上がりの成長を続けているのは、沖縄を取り巻く環境が良いこととＯＣＶＢの効果的な政策のおかげだといえる。しかし、同じ観光客数で二・五二倍もの観光収益をあげているハワイは一歩先を行っている。沖縄とハワイではいくつかの条件が異なるが、見習う点も多い。そしてハワイの失敗があるとしたらそれらを反面教師として学ぶこともできる。ハワイの観光戦略から学んだことをまとめて、今後の沖縄観光の発展につなげていけたらと考える。ＨＴＡが作成した「戦略プラン二〇一六―二〇二〇」から得た知見を基に沖縄が学ぶべき十の提言をリストにした。

七　沖縄観光がハワイから学ぶもの

1　沖縄の自然や文化を守る

沖縄の自然や文化を大切にすることが、長期的繁栄につながる。自然や文化は観光資源となり、それを壊すことは金の卵を産むガチョウを殺すことになる。持続的な資源の保全の重要性に気付くべきである。例えばハワイの「ハナウマ湾」はシュノーケリングで有名な海岸である。そこの駐車場には大型観光バスは入れず、個人の車も三〇〇台しか受け入れない。観光客は入場するとまずは環境を守るためのビデオの視聴を義務付けられている。そして自然に悪影響を及ぼす日焼け止めの使用は禁止されており、毎週火曜日は海を休ませるために完全に立ち入り禁止となる。そのような努力を続けて、壊れかけていた自然資産を蘇らせて、持続してすばらしい観光体験を提供しているのである。

2　入域経路の増強

空路・海路で沖縄に入る道を多く作る。那覇空港には二〇二〇年三月からの供用を目指して二本目の滑走路工事が進んでいる。また日本の各地域からの直行便、海外からの直行便を県内の各空港（本島や離島）に直結できれば観光客も多様化してくる。クルーズ船の入港も増えてきている。県内の各港も整備が進んでおり、クルーズ客の受入れ体制も充実してきている。沖縄の観光的魅力がさらに向上すれば、空路・海路の国内外との接続がさらに増えると思われる。

3　量よりも質

最初は数を追いかけても、同時に質の向上も目指す。観光客数が増えることは沖縄経済の活性化にもつながるが、受け入れ先のインフラストラクチャーには制限がある。県民の生活を考えるとあまりにも多い観光客は手段と目的をはき違えることにつながりかねない。地域ごとに受け入れられる数の調整と観光客の質の向上を目指す。ハワイでは高額でもハワイを訪れたい観光客を呼び込む為に観光の付加価値を高めるとしているが、もしそれができなければ、数を追いかけざるを得ないと警告している。つまり観光客の質が第一で量は次の手段というわけである。

4　プロフェッショナルの活用

マーケティングのプロフェッショナルを活用する。観光産業はビジネスである。その為に顧客を作り出す理論を持つマーケティングは効果的なツールである。マーケティングの専門家を観光政策構築に含めることにより、観光客、地域住民、観光組織の三者の調整が図られる。マーケティングはもともとビジネスを発展させるために理論化された。現在では、非営利組織の成功にも大きな影響力を持っている。県内の観光に携わる事業者と同時に県民や観光政策を担う公務員や団体職員、ＮＰＯ等もマーケティングを学び、沖縄県全体で観光を発展させることが望まれる。

5　セグメンテーションの強化

観光はすそ野の広い産業であると共にターゲット顧客層も広い。例えば家族連れをターゲットにしたらシニアが一緒に付いてくる。シニアを長期滞在型観光のターゲットにしたら幼い孫たちが遊びにくる。若い学生をターゲットにしたら、将来結婚して家族連れで来てくれる。このように観光客は縦に横に広がっていろいろな層が重なるのである。その為、どのような層が来ても対応できるように観光メニューを数多く準備して、ターゲット毎の価値を高める工夫が必要である。例えばハワイでは「島々」×「宿泊施設の種類」×「アクティビティ」の掛け算で最低でも百八十種類の過ごし方がある。顧客セグメンテーションにてニーズ毎に観光商品を整備していく。その為には、ＳＴＰ（セグメンテーション、ターゲティング、ポジショニング）という手順をしっかりと踏むことが大切である。

6　沖縄独特のブランド

沖縄といえば「○○」を作り出すブランド化が望まれる。ハワイと言えばダイヤモンドヘッドとかワイキキとかがあるが、沖縄でも一言で「オキナワ」をイメージできるようなものを構築する。沖縄独自のものは色々とある。エイサーや泡盛、かりゆしウェア、空手、首里城とその種類は豊富だが、世界に向けてまだどれもが「オキナワ」という統一されたブランドを伝播させきれていない。ブランドになりうる観光資源は多いので、後はいかに世界にそれを発信するかということになる。

7　住民と共生

住民の同意なしに観光産業だけ発展させることはできない。観光は観光客を喜ばせることと同時に、地域住民の幸せを目指すものである。その為、住民自身の同意や協力があってこそ観光も発展していける。ハワイでは継続して地域住民の意見を収集している。そして住民が観光政策を支持しているか数字を用いて検証し、それを政策構築に反映させている。観光政策の作成時には地域の代表者や文化・歴史、自然分野の専門家等も入れており、住民目線での観光が進められている。

8　県民の観光サポート

観光の発展には県民が観光は沖縄のためになっていると実感する(一部の人だけでなく)ことが必要である。例えば観光の繁栄が、沖縄の自然を守っているとか、沖縄の文化や芸能が盛んになるとか、あるいは観光施設が県民の憩いの場にもなっているとか、観光客と地域住民の人的交流で生活に潤いがあるとか、がある。また、観光によるマイナス面も最低限に抑えられているという感覚も必要だろう。レンタカーによる交通渋滞、住宅地や聖地に入り込んでの迷惑行為、住民の期待に十分に応えられないインフラストラクチャー（上下水道、ごみ処理、公園や道路整備）等で住民から不満がでないような仕組みと政策が必要である。県民が観光産業によって裕福になり、いろいろな施設ができ、いろいろな人と交流ができるというメリットに気付けば、ハワイでいう「アロハスピリット」、沖縄でいえば「いちゃりばちょうでー」精神がより発揮できると考える。

9 衛生要因と動機づけ要因の分析と活用

観光への働きかけで衛生要因と動機付け要因を考える。これはフレデリック・ハーズバーグの「二要因理論」から提唱されたもので観光の満足に関わる動機づけ要因と観光の不満足に関わる衛生要因に分けて考えるものである。観光における満足度は、ある特定の要因が満たされると満足度が上がり不足してもさほど満足度が下がるものでないものと、特定の要因が満たされても満足度にさほど影響を与えないが、不足したら不満足となるものがある。前者を「動機づけ要因」と呼び、後者は「衛生要因」という。世界の観光先進地をベンチーマーキングして目標値を設定し、それを目指す活動を組み立てていくのと同時に観光の土台としての衛生要因をしっかりと確保して、顧客満足に強い影響力がある動機づけ要因を継続して向上させていくことが重要である。

10 ハワイが先に感じた課題に対して先手を打つ

「後悔先に立たず」ではなく「後悔先に立たす」である。すでに沖縄でも観光に関してはいくつかの問題が出始めてはいるが、ハワイではより深刻な課題を抱えている。まずはホームレスの問題が挙げられる。温暖な気候で人々がのんびりしているのでホームレスが増加している。その為、観光地の雰囲気が台無しになる。沖縄ではまだそのような問題はあまり見られないが、経済格差が広がってくると、暖かい気候とやさしい人々を頼って沖縄で増えていく可能性もある。次に交通渋滞が挙げられる。ワイキキは慢性的であり、高速道路を使う地域住民の毎日の生活にも影響が出ている。その解決策として今は鉄道の工事が真っ盛りである。観光客の持続的増加は上下水道、ごみ処理等のインフラストラクチャーにも影響が出ている。

また、「観光開発」が観光客の為か、地域住民の為かで論争が起こっている。地域が豊かになるための手段が目的化することにハワイ住民は懸念を持っている。このような問題は沖縄でも芽生え始めているし、ハワイではすでに大きな問題となっている。それらが表面に現れてから対処するのではなく、そういう問題が起きないように事前に対応策を準備しておく必要がある。

八　まとめ

「守破離」という言葉がある。大辞泉には「剣道や茶道などで、修業における段階を示したもの。「守」は、師や流派の教え、型、技を忠実に守り、確実に身につける段階。「破」は、他の師や流派の教えについても考え、良いものを取り入れ、心技を発展させる段階。「離」は、一つの流派から離れ、独自の新しいものを生み出し確立させる段階。」と説明している。

歴史的長さ、背後にある観光市場の大きさ等、違いはあるが沖縄がハワイから学ぶものは多くある。それらから学び沖縄観光の基礎力を上げる。例えば沖縄への送客の道を太くすることや、滞在日数を増やすこと、魅力的な観光商品に高額な支出をする層の増加等は沖縄でも目指すべきである。またハワイ以外に観光で素晴らしい価値を提供している世界各地の良さも取り入れる。世界のベストプラクティス（多くの人々によって反復され、最も効率的で最も効果的であることが時間をかけて証明されてきたもの）を学ぶことで新たな出発ができる。例えば、豊見城市のあるホテル・ショッピングエリアや北谷町の海岸沿いのリゾートショッピングエリア、県内のいくつかの離島等が世界から多くを学び実践している。

最後に沖縄ならではの魅力と観光収入を向上させるビジネスモデルを生み出していくことが重要である。これを生み出すには時間と経験と新たな発想が必要と思われる。それは観光客が「沖縄に行ってみたい」と思うあるいは「また行きたい」と思うのはなぜかと考えれば見えてくる。それらを一つの流れとしてみて、そして観光価値のピラミッドとしてみると観光発展ひいては県民の幸福につながるものが現れてくる。観光産業を発展させるものである「自然・文化」は観光の土台である。重要なことはそれを維持しながら、「観光施設を整え」、「最高のサービスを提供」し、「唯一のブランドを確立」して、「素晴らしい経験を提供」すること。そして、最後に何を実現させるか。沖縄でしか味わうことができない「感動・感激」ではないであろうか。

図３－観光価値のピラミッド

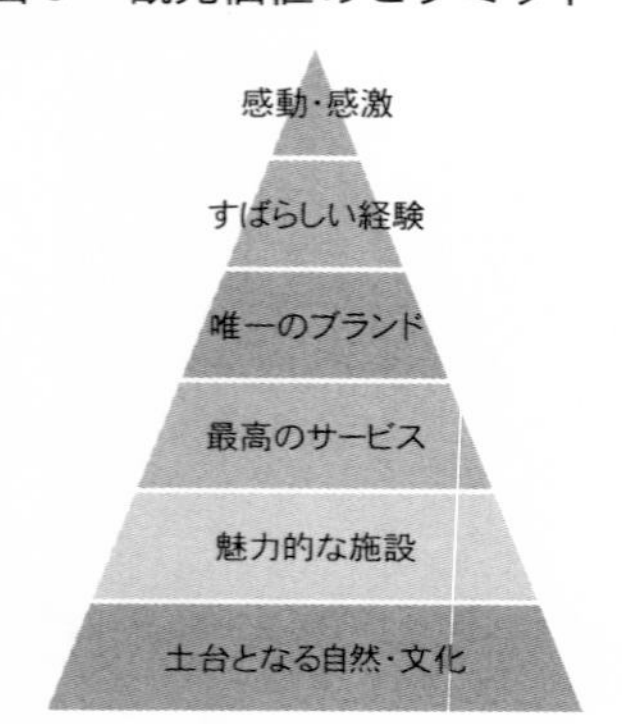

出所：HP Discussion of Destination Branding.「観光地の競争」より一部変更して筆者作成

参考文献

Hawaii tourism authority "Hawaii Tourism Authority　Five-years Strategic Plan 2016"

※「一 はじめに　１ハワイの観光とＨＴＡ」から「六ハワイ観光の目標・戦略・測定基準　５ＨＴＡの今後の計画」までは「ＨＴＡ戦略プラン二〇一六―二〇二〇」の解説である。

沖縄県内主要企業の盛衰

岩橋建治

岩橋　建治・いわはし　けんじ
所属：　産業情報学部 企業システム学科
主要学歴：関西大学大学院社会学研究科博士課程後期課程修了
所属学会：日本経営学会、組織学会、経営学史学会、日本労務学会、日本社会学会
主要論文及び主要著書：

【論文】

(1)「組織論における制度理論の展開」経営学史学会編『現代経営と経営学史の挑戦』(経営学史学会年報第10輯)、一八二－一九一頁、二〇〇三。

(2)「組織環境の脱制度化プロセスと組織間コンフリクト：タクシー運賃規制緩和を事例として」『日本経営学会誌』第11号、三九－五〇頁、二〇〇四。

(3)「新制度派組織論の変容」『京都経済短期大学論集』第12巻第1号、二七頁－四五頁、二〇〇四。

(4)「規制緩和によるタクシー事業活性化の社会的含意」関西大学経済・政治研究所 関西活性化研究班編『社会変動と関西活性化』第5章、一一三－一三二頁、二〇〇七。

(5)(共著)「ワーク・ライフ・バランス施策の制度化に関する考察」『関西大学社会学部紀要』第40巻第1号、三九－五八頁、二〇〇八。

(6)「わが国企業におけるワーク・ライフ・バランスの条件と課題」『産業情報論集』(沖縄国際大学産業情報学部)第7巻第1号、四七－六三頁、二〇一〇。

【著書】

(1)『わが国タクシー産業における規制緩和プロセスの経営学的研究：組織による制度的環境の変革行動の解明に向けて』(関西大学学位論文)、関西学院大学出版会 Book Park, 2006.

(2)(共著)『産業を取り巻く情報—多様な情報と産業—』(担当：「情報を知識に変えるマネジメント」)、沖縄国際大学公開講座委員会編、編集工房東洋企画、二〇一一。

(3)(共著)『企業と社会が見える　経営学概論』(担当：「現代企業の経営戦略」)、井上秀次郎・安達房子編、大月書店、二〇一九。

※役職肩書等は講座開催当時

一　はじめに

本研究の目的は、沖縄県の地域産業の未来を展望するにあたり、過去の企業史・産業史から学ぶことである。具体的には、沖縄県を代表する主要企業とその業種が、長期的にどのように変化・変遷したのかを確認していく。

沖縄県における主要企業の盛衰を、長期的視点（数十年単位）でとらえた研究は、これまでもあった。たとえば、島袋嘉昌（一九八二）『戦後沖縄の企業経営』、比嘉堅（一九九三）『産業の構造と組織』、山内昌斗ほか（二〇一三）「沖縄における企業の生成・発展に関する史的研究」などが挙げられる。それら先行研究から、われわれは沖縄県内企業のあゆみを学ぶことができる。(1) 本研究では、先行研究であまり触れられていなかった二一世紀以降の動向や、売上高などといったデータの推移も含めて、沖縄県における企業史・産業史をとらえてみたい。

本研究の方法は、東京商工リサーチ『東商企業要覧』（沖縄県版）をもとに、一九七八年、一九八八年、一九九八年、二〇〇八年、二〇一八年の売上高上位五〇社を対象として、その傾向を描出するものである。なお、銀行等金融機関、損保は除外している。以下では、沖縄県を代表する主要企業とその業種が、一九七八年から二〇一八年までの過去四〇年間でどのように変遷したのかを確認する。

二 売上高上位一〇社にみる県内主要企業と業種の変遷

まず、沖縄県内主要企業における、一九七八年、一九八八年、一九九八年、二〇〇八年、二〇一八年の売上高上位一〇社をみていく。(2)

1 一九七八年の売上高上位一〇社

一九七八年の売上高上位一〇社では、総合建設(国場組)、製糖(北部製糖)、海上輸送の企業がランクインしているのが特徴的である。三位の琉球石油は後のりゅうせきであり、九位の南西航空は後の日本トランスオーシャン航空である。なお、五位のダイナハと六位の有村産業は現存していない。

2 一九八八年の売上高上位一〇社

一九八八年の売上高上位一〇社では、一九七八年と比べ、製糖と海上輸送がランク圏外になり、新た

図表1 1978年の売上高上位10社

順位	企業名	業種	売上高（百万円）
1	沖縄電力	電気	40,518
2	国場組	総合建設	25,715
3	琉球石油	石油類販売	17,629
4	北部製糖	製糖	11,445
5	ダイナハ	スーパー	10,274
6	有村産業	海上輸送	7,864
7	オリオンビール	酒類製造	7,337
8	琉球海運	海上輸送	7,205
9	南西航空	航空輸送	7,148
10	琉球セメント	セメント製造	6,584

出所：東京商工リサーチ『東商企業要覧』（沖縄県版）昭和54年版。

に農業協同組合、石油精製（南西石油）がランクインしたことが特徴的である。またこの年ではスーパーが三社ランクインしている。県内企業における主要業種の一つとして、スーパーが本格的に台頭してきたといえる。なお八位のプリマートは現在のイオン琉球である。三位の県経済農業協組連合は、後に沖縄県農業協同組合（通称「ＪＡおきなわ」）と統合した。

3　一九九八年の売上高上位一〇社

一九九八年の売上高上位一〇社では、一九八八年と比べ、酒類製造（オリオンビール）がランク圏外になり、また総合建設（國場組）と農業協同組合が順位を下げている。そして、石油精製とスーパーの順位が上昇した。なお、二位の沖縄石油精製は、後に合併を経て現在の沖縄出光となっている。

図表2　1988年の売上高上位10社

順位	企業名	業種	売上高（百万円）
1	沖縄電力	電気	95,757
2	國場組	総合建設	48,764
3	県経済農業協組連合	農業協同組合	42,856
4	南西石油	石油精製	31,240
5	サンエー	スーパー	29,720
6	ダイナハ	スーパー	23,940
7	琉球石油	石油類販売	23,617
8	プリマート	スーパー	21,835
9	オリオンビール	酒類製造	20,731
10	沖縄県生コンクリート協組	生コン卸売	20,709

出所: 東京商工リサーチ『東商企業要覧』（沖縄県版）平成元年版をもとに作成。売上高ランキングからは、銀行等金融機関、損保を除外している。

図表3　1998年の売上高上位10社

順位	企業名	業種	売上高（百万円）
1	沖縄電力	電気	131,923
2	沖縄石油精製	石油精製	82,160
3	サンエー	スーパー	72,212
4	南西石油	石油精製	58,894
5	金秀商事	スーパー	51,838
6	沖縄県経済農業	農業協同組合	49,969
7	國場組	総合建設	44,679
8	プリマート	スーパー	35,039
9	りゅうせき	石油類販売	32,002
10	日本トランスオーシャン航空	航空輸送	28,218

出所: 東京商工リサーチ『東商企業要覧』（沖縄県版）平成11年版。

4　二〇〇八年の売上高上位一〇社

二〇〇八年の売上高上位一〇社では、一九九八年と比べ、総合建設（國場組）と農業協同組合がランク圏外になり、新たに携帯電話サービス（沖縄セルラー電話）、コンビニエンスストア（沖縄ファミリーマート）、病院（沖縄徳洲会）がランクインしたことが特徴的である。多様なサービス企業が本格的に台頭してきたといえる。この年では、長らく一位であった沖縄電力を抜いて、南西石油が一位になっている。[3] なお後述するように同社は後に石油精製事業からの撤退を余儀なくされる。

5　二〇一八年の売上高上位一〇社

二〇一八年の売上高上位一〇社では、二〇〇八年と比べ、石油精製（南西石油）と航空輸送（日本トランスオーシャン航空）がランク圏外になり、

図表4　2008年の売上高上位10社

順位	企業名	業種	売上高（百万円）
1	南西石油	石油精製	200,890
2	沖縄電力	電気	149,320
3	サンエー	スーパー	127,623
4	金秀商事	スーパー	67,529
5	琉球ジャスコ	スーパー	56,975
6	りゅうせき	石油類販売	56,070
7	沖縄セルラー電話	携帯電話サービス	48,054
8	日本トランスオーシャン航空	航空輸送	46,560
9	沖縄ファミリーマート	コンビニエンスストア	34,059
10	沖縄徳洲会	病院	30,280

出所: 東京商工リサーチ『東商企業要覧』（沖縄県版）平成21年版。

図表5　2018年の売上高上位10社

順位	企業名	業種	売上高（百万円）
1	沖縄電力	電気	188,075
2	サンエー	スーパー	178,834
3	沖縄徳洲会	病院	120,731
4	イオン琉球	スーパー	83,587
5	沖縄ファミリーマート	コンビニエンスストア	74,858
6	金秀商事	スーパー	65,590
7	沖縄セルラー電話	携帯電話サービス	62,547
8	りゅうせき	石油類販売	59,810
9	サンシャイン	遊技場	54,645
10	ピータイム	遊技場	42,965

出所: 東京商工リサーチ『東商企業要覧』（沖縄県版）2019年版。

新たに遊技場がランクインしたこと、そして病院（沖縄徳洲会）とコンビニエンスストア（沖縄ファミリーマート）が大きく順位を上げたことが特徴的である。県内主要企業におけるサービス業の多様化がさらに進行していることが伺える。

三　産業大分類でみた県内主要業種の変遷

沖縄県内企業の売上高上位一〇社の変遷をみると、時代とともに県内の主要業種もまた変化してきたことが伺える。今度は、県内主要企業における業種がどのように変遷してきたのかをより詳しく見るために、一九七八年、一九八八年、一九九八年、二〇〇八年、二〇一八年の売上高上位五〇社を、日本標準産業分類（大分類）によって区分する。

1　売上高上位五〇社における企業数

次の図表は、日本標準産業分類（大分類）にもとづく業種別にみた、沖縄県内企業の売上高上位五〇社における企業数の変遷を示している。

まず、「製造業」については、一九七八年では一六社がランクインしていたものの、その後長期にわたり減り続け、二〇一八年ではわずか二社しか圏内に残っていない。この四〇年間で、売上高上位五〇社にランクインする企業数が大幅に減少している。

図表6　売上高上位50社における企業数の変遷（産業大分類）

コード	業種	1978年	1988年	1998年	2008年	2018年
D	建設業	4	5	5	3	5
E	製造業	16	9	6	6	2
F	電気・ガス・熱供給・水道業	1	1	1	1	1
G	情報通信業	0	2	3	3	1
H	運輸業・郵便業	5	5	3	2	3
I	卸売業・小売業	23	23	23	27	28
K	不動産業・物品賃貸業	1	2	2	2	1
M	宿泊業・飲食サービス業	0	0	0	1	1
N	生活関連サービス業・娯楽業	0	2	4	2	4
P	医療・福祉	0	0	1	3	4
Q	複合サービス事業	0	1	2	0	0
合計		50	50	50	50	50

注1）コードは、日本標準産業分類（大分類）にもとづく。
出所: 東京商工リサーチ『東商企業要覧』（沖縄県版）各年版。

次に、「卸売業・小売業」をみてみると、この業種は、一九七八年の二三社から二〇一八年の二八社へと推移していることから、この四〇年間つねに売上高上位五〇社のうちの半分程度を占めていた。

さらに、「生活関連サービス業・娯楽業」と「医療・福祉」の業種では、近年、上位五〇社にランクインする企業が増えつつある（二〇一八年現在はそれぞれ四社）。

2　売上高上位五〇社における業種別売上高とその構成比

次の図表は、日本標準産業分類（大分類）にもとづく、売上高上位五〇社における業種別売上高およびその構成比である。この図表では、各年において、どの業種の構成比が高かったのかを浮き彫りにするために、その年の構成比五％以上の業種を灰色で表示してある。

図表7　売上高上位50社における業種別売上高とその構成比の変遷（産業大分類）

コード	業種	1978年	1988年	1998年	2008年	2018年
D	建設業	40,406 (12.5%)	86,212 (11.0%)	98,038 (8.5%)	51,200 (3.5%)	104,657 (6.0%)
E	製造業	81,413 (25.3%)	120,096 (15.4%)	204,789 (17.8%)	281,167 (19.1%)	41,768 (2.4%)
F	電気・ガス・熱供給・水道業	40,518 (12.6%)	95,757 (12.3%)	131,923 (11.5%)	149,320 (10.2%)	188,075 (10.8%)
G	情報通信業	0 (0.0%)	18,593 (2.4%)	46,628 (4.0%)	72,018 (4.9%)	62,547 (3.6%)
H	運輸業・郵便業	31,076 (9.6%)	58,802 (7.5%)	49,614 (4.3%)	59,682 (4.1%)	74,101 (4.3%)
I	卸売業・小売業	125,101 (38.8%)	309,179 (39.6%)	464,580 (40.3%)	710,280 (48.3%)	928,967 (53.4%)
K	不動産業・物品賃貸業	3,772 (1.2%)	25,220 (3.2%)	29,264 (2.5%)	27,281 (1.9%)	17,199 (1.0%)
M	宿泊業・飲食サービス業	0 (0.0%)	0 (0.0%)	0 (0.0%)	22,098 (1.5%)	24,505 (1.4%)
N	生活関連サービス業・娯楽業	0 (0.0%)	24,866 (3.2%)	53,041 (4.6%)	40,878 (2.8%)	125,597 (7.2%)
P	医療・福祉	0 (0.0%)	0 (0.0%)	13,613 (1.2%)	55,456 (3.8%)	173,452 (10.0%)
Q	複合サービス事業	0 (0.0%)	42,856 (5.5%)	60,317 (5.2%)	0 (0.0%)	0 (0.0%)
合計		322,286 (100.0%)	781,581 (100.0%)	1,151,807 (100.0%)	1,469,380 (100.0%)	1,740,868 (100.0%)

注1）上段は売上高上位50社における業種別売上高（単位は百万円）合計を、下段のカッコ内は構成比を表す。

注2）灰色の枠は、その年における構成比5%以上の業種を表す。

注3）構成比は小数点以下第2位を四捨五入しているため、合計しても必ずしも100とはならない。

出所：東京商工リサーチ『東商企業要覧』（沖縄県版）各年版。

この図表でみると、売上高上位五〇社における業種別売上高の構成比が、過去四〇年間ほぼ継続的に五％以上であった業種は、「建設業」「電気業」「卸売業・小売業」であった。これら三業種は、他業種と比べ、高い相対的地位を維持してきたといえる。

さらに、かつて売上高上位五〇社における業種別売上高の構成比が五％以上であった業種は以下のとおりであった。すなわち、「製造業」は一九七八年から二〇〇八年において、「運輸業」は一九七八年から八八年において、「複合サービス事業」（農業協同組合）は一九八八年から九八年においで、同構成比五％以上であった。これら業種は、当時は他業種と比べ相対的地位の高い業種であったといえる。そして二〇一八年現在では、それら業種に代わり、「娯楽業」と「医療」が新たに台頭している。

3　売上高上位五〇社における業種別売上高の構成比の変遷（産業大分類）

次の図表は、売上高上位五〇社における業種別売上高の全体を一〇〇として、その構成比をグラフにしたものである。このグラフをもとに、市場の成熟期に入った業種や、成長期にある業種をみてみたい。

①従来型の業種

「建設業」「製造業」「電気業」「運輸業」といった、地域のインフラや特産品に関わる従来型の業

図表8　売上高上位50社における業種別売上高の構成比の変遷（産業大分類）

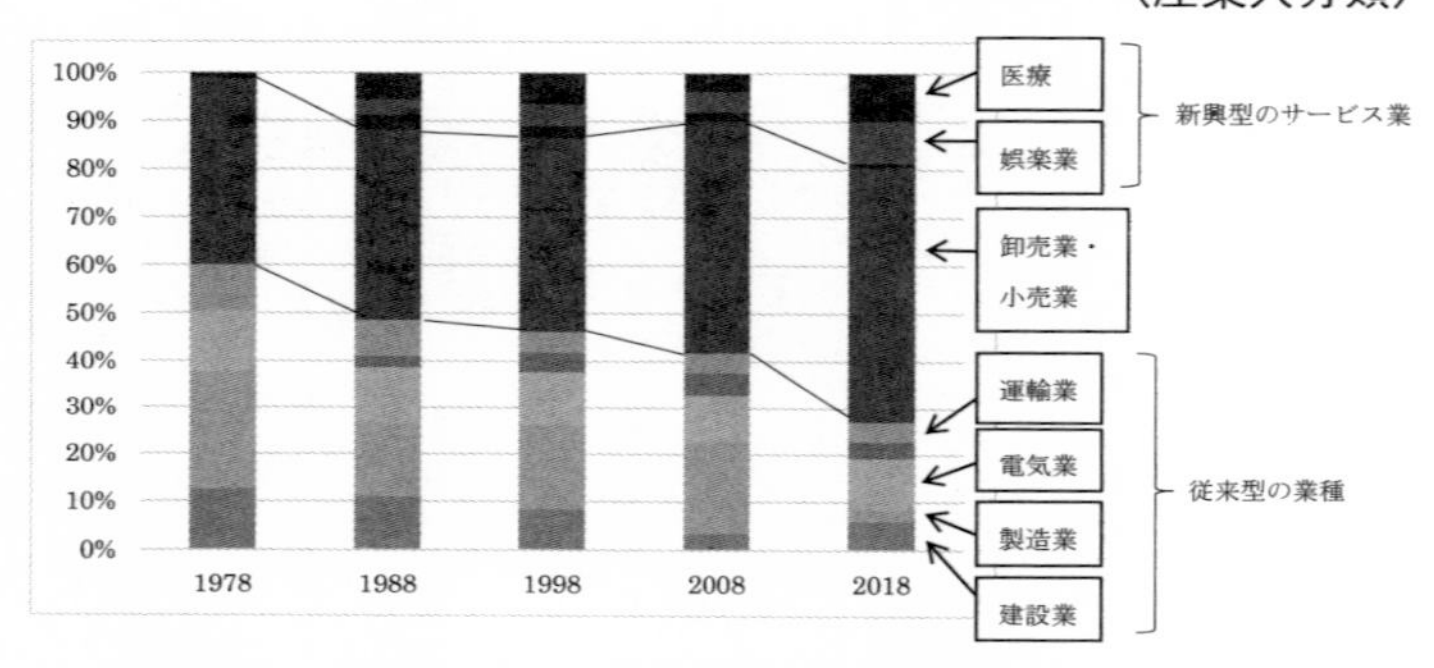

出所: 東京商工リサーチ『東商企業要覧』（沖縄県版）各年版。

種については、売上高上位五〇社における業種別売上高の比率が相対的に低下している。これら四業種を合計した売上高は、一九七八年には売上高上位五〇社のうち六〇・〇％を占めていたが、二〇一八年では二七・一％にまで低下した。

これら従来型の業種については、四〇年前と比べ大きく規模縮小した製糖や石油精製などの製造業が含まれてはいるものの、後述するように、多くの業種において、売上が特段低下しているわけではない。むしろ、一九七〇～八〇年代に市場のライフサイクルが成長期から成熟期へすでに移行していたために、小売業やサービス業など新興型の業種と比べ相対的に売上高の比率が低下したと考えられる。

②卸売業・小売業

「卸売業・小売業」については、売上高上位五〇社における業種別売上高の比率が、一九七八年の三八・八%から、二〇一八年では五三・四%へと大きく増加した。後述するように、より細かな業種の違いによって市場の成熟度は異なり、また企業ごとで成長度にかなり違いがある。卸売業・小売業は過去四〇年間で著しく成長し、沖縄県の代表的企業を数多く輩出してきた業種であるといえる。

③新興型のサービス業

「物品賃貸業」「宿泊業」「娯楽業」「医療」「複合サービス事業」といった、新興型のサービス業については、一九七八年の一・二%から、より細かな業種や企業ごとの盛衰を経て、二〇一八年では一九・六%へ成長している。前述したように、一九八八年と一九九八年では「複合サービス事業」(農業協同組合)の存在感が高まったが、二〇一八年では「遊技場」の売上高が目立っている。また、新たに「医療」が、市場の成長期に入ったことが伺える。

四　業種別でみた県内主要業種の変遷

前節では日本標準産業分類(大分類)によって、沖縄県内主要企業における業種の変遷を概観できた。今度は、業種をより細分化することで、県内主要業種の変遷を詳しくみていく。

業種の細分化にあたり、本研究では日本標準産業分類の大分類および中分類をもとに、沖縄県内産業特有の事情を考慮し二八業種に分類した。なお、アルファベットのコードは、日本標準産業分類（大分類）にもとづき、本研究にて割り振ったものである。
以下では、各業種における変化・変遷を確認する。

1　建設業・製造業・電気業・情報通信業・運輸業の変遷

まずは、建設業、製造業、電気業、情報通信業、運輸業といった、地域のインフラや特産品に関わる業種について、主だったものをみてみよう。

①建設業

下の図表は建設業の推移を示したものである。「建設業（総合工事業）」（Ｄ１）については、売上高上位五〇社にランクインした企業の売上高合計が、二〇〇八年に比較的大きく落ち込んだものの、長期的に見れば堅調であったといえる。売上高上位五〇社の売上高合計に占める建設業（総合工事業）の割合は、一九九〇年代までは國場組を筆頭にかなり高い水準を維持していたが、二〇〇〇年代以降は相対的に低下している。

図表9　売上高上位50社における企業数、業種別売上高、構成比の変遷（建設業）

コード	業種	1978年	1988年	1998年	2008年	2018年
D1	建設業（総合工事業）	4社	5社	4社	3社	5社
		40,406	86,212	88,383	51,200	104,657
		(12.5%)	(11.0%)	(7.7%)	(3.5%)	(6.0%)
D2	建設業（設備工事業）	0社	0社	1社	0社	0社
		0	0	9,655	0	0
		(0.0%)	(0.0%)	(0.8%)	(0.0%)	(0.0%)

注1）上段は売上高上位50社における企業数を、中段は売上高上位50社にランクインした企業の業種別売上高合計（単位は百万円）を、下段のカッコ内はその構成比を表す。
出所：東京商工リサーチ『東商企業要覧』（沖縄県版）各年版。

なお「建設業（設備工事業）」（Ｄ２）では、かつて一九九八年に沖縄プラント工業（沖電グループ）一社のみがランクインしていた。

さらに、建設業（総合工事業）の売上推移については、次のグラフのとおり主要企業ごとにばらつきがみられるものの、成熟した市場で安定を保っているといえる。

主要各社の売上規模に関連する近年の出来事としては、國場組が二〇〇七年に関連事業を

図表10　総合工事業における県内主要企業の売上高の変遷

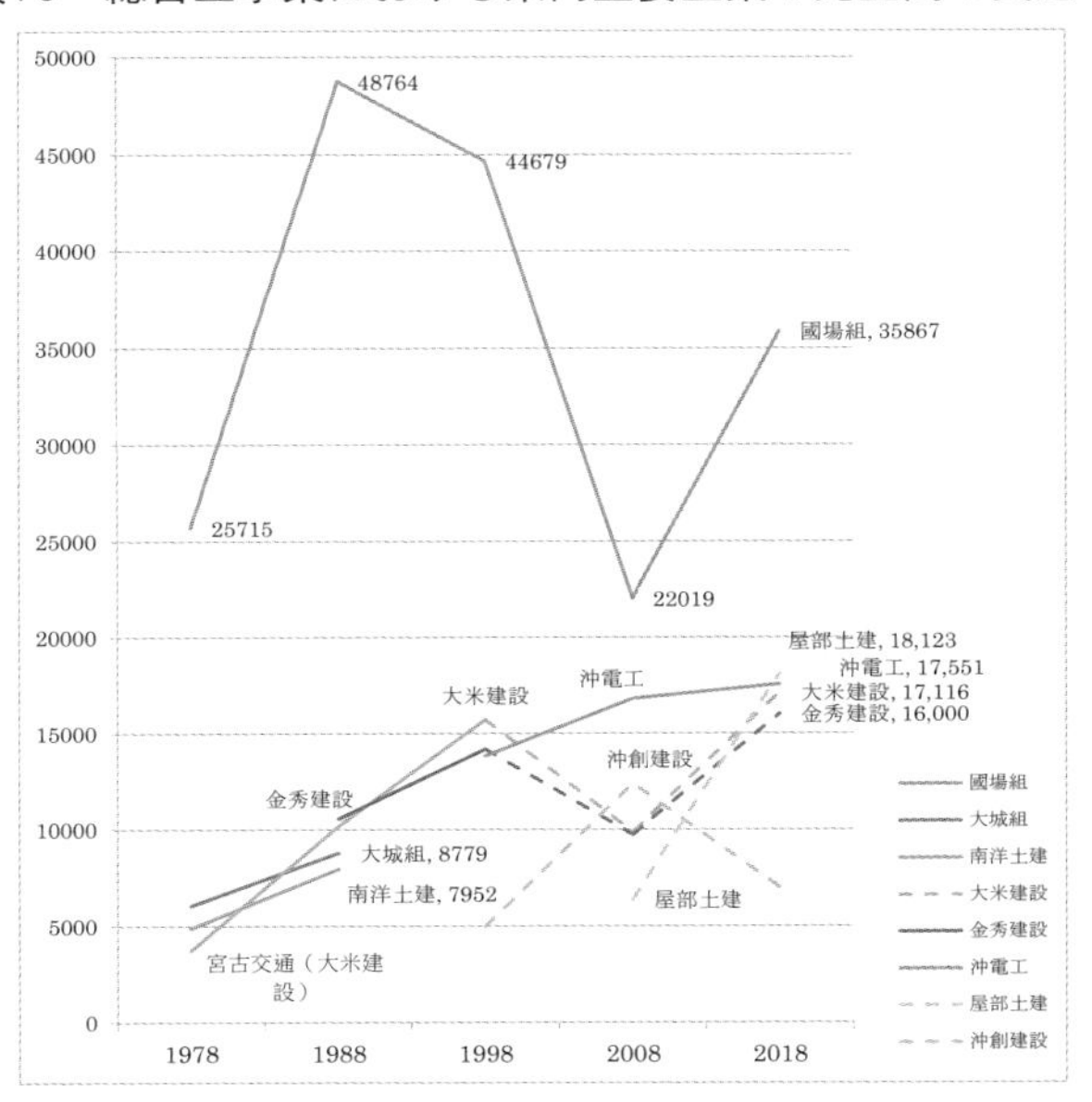

注1）　売上高の単位は百万円。
注2）　売上高上位50社圏外での推移は破線で表示している。
出所：東京商工リサーチ『東商企業要覧』（沖縄県版）各年版。

子会社のザ・テラスホテルズに売却したこと、金秀建設から金秀鉄工が二〇〇八年に分社化したこと、そして屋部土建が二〇〇九年にゆがふホールディングスを設立したことが挙げられる。

②製造業

下の図表は、製造業における各業種の推移を示したものである。

「製造業（製糖）」（E1）と、「製造業（ベニヤ・セメント・生コン・鉄筋・鉄工）」（E3）は、いずれも沖縄の戦後復興を支えてきた業種であった。しかし、両業種ともに、上位五〇社ランクイン企業の売上高合計は、一九七〇年代がピークであり、一九八〇年代にはランクイン企業数が急減した。製造業（製糖）は一九九〇年代を境に衰退期に入ったと思われる。その象徴的な出来事として、中部製糖が、第一製糖、琉

図表11　売上高上位50社における企業数、業種別売上高、構成比の変遷（製造業）

コード	業種	1978年	1988年	1998年	2008年	2018年
E1	製造業（製糖）	6社	1社	0社	0社	0社
		32,282	11,462	0	0	0
		(10.0%)	(1.5%)	(0.0%)	(0.0%)	(0.0%)
E2	製造業（製糖を除く食料・飲料・飼料）	5社	4社	3社	3社	2社
		23,464	43,651	54,315	49,257	41,768
		(7.3%)	(5.6%)	(4.7%)	(3.4%)	(2.4%)
E3	製造業（ベニヤ・セメント・生コン・鉄筋・鉄工）	5社	2社	1社	2社	0社
		25,667	18,647	9,420	31,020	0
		(8.0%)	(2.4%)	(0.8%)	(2.1%)	(0.0%)
E4	製造業（石油）	0社	2社	2社	1社	0社
		0	46,336	141,054	200,890	0
		(0.0%)	(5.9%)	(12.2%)	(13.7%)	(0.0%)

注1）上段は売上高上位50社における企業数を、中段は売上高上位50社にランクインした企業の業種別売上高合計（単位は百万円）を、下段のカッコ内はその構成比を表す。

出所: 東京商工リサーチ『東商企業要覧』（沖縄県版）各年版。

球製糖とともに、一九九三年に製糖事業を合弁会社の翔南製糖に営業譲渡したことが挙げられる。他方、製造業（ベニヤ・セメント・生コン・鉄筋・鉄工）は、県内における相対的地位の低下は感じるものの、主要二社（琉球セメントと拓南製鐵）が健闘しているといえる。

「製造業（製糖を除く食料・飲料・飼料）」（E2）については、一九七八年から二〇〇八年にかけて売上高上位五〇社に三社以上ランクインしていた。売上高上位五〇社に占める業種別売上高合計のピークは一九九八年であり、二〇〇〇年代以降は相対的に低下

図表12　製造業における県内主要企業の売上高の変遷（石油精製を除く）

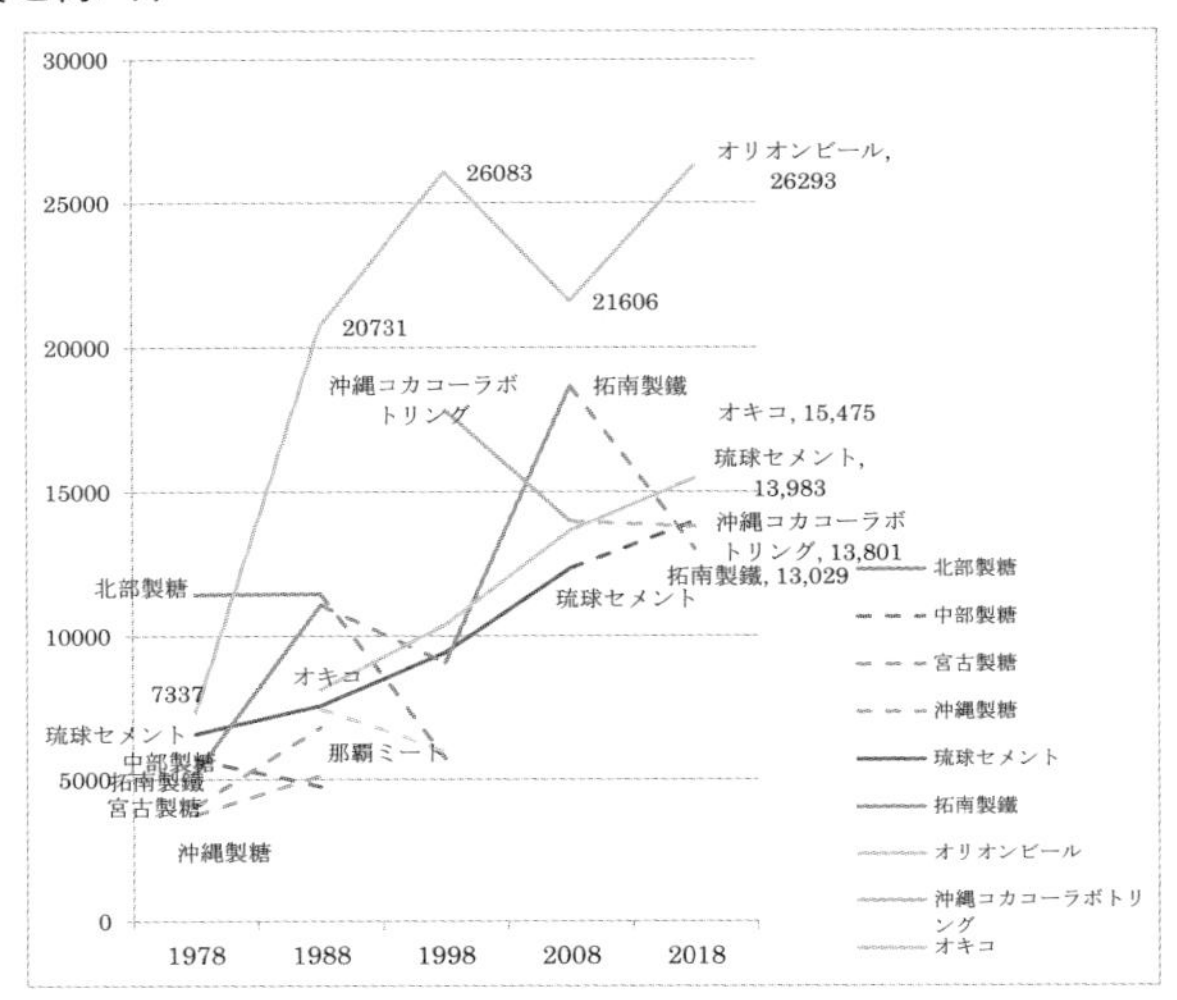

注1）　売上高の単位は百万円。
注2）　売上高上位50社圏外での推移は破線で表示している。
出所：東京商工リサーチ『東商企業要覧』（沖縄県版）各年版。

している。ただし、主要二社（オリオンビールとオキコ）の売上高は成長してきた。[(4)]

前述したとおり、県内における製造業の比率は低下し続けてはいるものの、さきのグラフにみるとおり、一部の主要企業はおおむね堅調であるといえる。

なお製造業においては、一九八八年から、石油精製業である「製造業（石油）」（Ｅ４）の割合がもっとも高くなり、一九九八年と二〇〇八年のデータでは他の製造業の売上を凌駕するに至った。

なかでも、特に売上を拡大させたのが南西石油である。同社は、かつて県内で石油精製所を運営し、沖縄県の石油消費量の約六割分を製造していたが、[(5)]二〇〇六年にブラジルの石油企業ペトロブラスの子会社に買収された後、二〇一五年にペトロブラスが日本から撤退したことに伴い、同年、南西石油は石油精製を停止した。二〇一六年以降は太陽石油グループの傘下に入っており、現在の主な業種は運輸業（倉庫）である。

また、沖縄石油精製も、一九八八年から一九九八年にかけて大きく売上を伸ばした。同社は一九八〇年に出光興産の子会社となったが、二〇〇三年には石油精製を停止した。その後、解散と設立を経た後、二〇〇九年に出光興産沖縄支店と合併し、沖縄出光が設立された。沖縄出光の現在の主な業種は小売業（石油類販売）である。

③電気業・情報通信業

次の図表に見るとおり、電気業において県内随一の企業である沖縄電力は、過去四〇年の間ほぼ常に売上高トップであり、安定的に成長するとともに、県内企業を支えてきたといえる。沖縄電力は一九八八年に民営化した。沖電工（総合工事業）、沖縄プラント工業（設備工事業）などを擁する沖電グループの中心企業である。

情報通信業においては、「情報通信業（新聞）」（G2）での県内大手二社（琉球新報と沖縄タイムス）の売上合計が二〇〇一年でピークを迎え、その後減少傾向にある。他方、「情報通信業（携帯電話サービス）」（G1）では、一九九一年設立の沖縄セルラー電話が、急成長を続けてきた。

④運輸業

次の図表は、運輸業における各業種の推移を示したものである。

まず「運輸業（旅客輸送・貨物輸送）」（H1）では、かつての主要二社（琉球バスと那覇交通［現・那覇バ

図表13　売上高上位50社における企業数、業種別売上高、構成比の変遷（電気業・情報通信業）

コード	業種	1978年	1988年	1998年	2008年	2018年
F	電気業	1社	1社	1社	1社	1社
		40,518	95,757	131,923	149,320	188,075
		(12.6%)	(12.3%)	(11.5%)	(10.2%)	(10.8%)
G1	情報通信業（携帯電話サービス）	0社	0社	1社	1社	1社
		0	0	21,233	48,054	62,547
		(0.0%)	(0.0%)	(1.8%)	(3.3%)	(3.6%)
G2	情報通信業（新聞）	0社	2社	2社	2社	0社
		0	18,593	25,395	23,964	0
		(0.0%)	(2.4%)	(2.2%)	(1.6%)	(0.0%)

注1）上段は売上高上位50社における企業数を、中段は売上高上位50社にランクインした企業の業種別売上高合計（単位は百万円）を、下段のカッコ内はその構成比を表す。
出所：東京商工リサーチ『東商企業要覧』（沖縄県版）各年版。

ス[注]が、一九九〇年代には売上高上位五〇社のランク圏外となったが、二〇一〇年代には新たに沖縄ヤマト運輸が台頭した。同社は、宅配需要の増大を反映し、大きく成長している。

同様に「運輸業（海上輸送）」（Ｈ２）では、有村産業の経営破綻（一九九九年）を経た後、二〇〇〇年代以降は琉球海運が成長している。

さらに「運輸業（航空輸送）」（Ｈ３）では、南西航空（現・日本トランスオーシャン航空）の売上が二〇〇〇年代をピークに上昇し続けたが、航空規制緩和に伴うＬＣＣ（格安航空会社）の台頭も含めて、近年の航空各社の競争激化もあり、二〇一〇年代での売上は鈍化傾向にある。

なお「運輸業（倉庫）」（Ｈ４）では、かつて一九八八年に一社（沖縄石油基地）がランクインしていた。

図表14　売上高上位50社における企業数、業種別売上高、構成比の変遷（運輸業）

コード	業種	1978年	1988年	1998年	2008年	2018年
H1	運輸業(旅客・貨物)	2社	1社	0社	0社	1社
		8,859	7,117	0	0	14,025
		(2.7%)	(0.9%)	0.0%)	0.0%)	(0.8%)
H2	運輸業（海上輸送）	2社	2社	2社	1社	1社
		15,069	18,650	21,396	13,122	18,902
		(4.7%)	(2.4%)	(1.9%)	(0.9%)	(1.1%)
H3	運輸業（航空輸送）	1社	1社	1社	1社	1社
		7,148	17,599	28,218	46,560	41,174
		(2.2%)	(2.3%)	(2.4%)	(3.2%)	(2.4%)
H4	運輸業（倉庫）	0社	1社	0社	0社	0社
		0	15,436	0	0	0
		0.0%)	(2.0%)	0.0%)	0.0%)	0.0%)

注1）上段は売上高上位50社における企業数を、中段は売上高上位50社にランクインした企業の業種別売上高合計（単位は百万円）を、下段のカッコ内はその構成比を表す。
出所：東京商工リサーチ『東商企業要覧』（沖縄県版）各年版。

2　卸売業・小売業の変遷

次に、過去四〇年間で大きく成長した卸売業・小売業の変遷をみてみよう。

①卸売業

次の図表は、卸売業における各業種の推移を示したものである。

「卸売業（飲食料品）」（Ⅰ11）は、各年毎の増減が大きいものの、過去四〇年間における売上高上位五〇社ランクイン企業数が常に三社以上あり、存在感を持ち続けてきた業種である。売上高上位五〇社の売上高合計に占める卸売業（飲食料品）の割合は、相対的に低下傾向にあるものの、主要各社の売上は基本的に成長し続けている。二〇一八年現在では、ホクガン、ジーマ、湧川商会、タカダ、沖縄食糧が売上高上位五〇社にランクインしている。

「卸売業（鋼材・セメント・生コン・建機）」（Ⅰ12）の主要各社の売上のピークは一九九〇年代であり、その後かつてほどの勢いがみられなくなった。二〇〇〇年代以降の売上高推移はほぼ横ばい傾向である。二〇一八年現在では沖縄県生コンクリート協組と金秀鋼材の二社が売上高上位五〇社にランクインしている。

「卸売業（薬品）」（Ⅰ13）は、一九八八年以降つねに売上高上位五〇社に三社以上ランクインしており、堅調であると伺える。主要各社の売上高合計は、二〇〇〇年代まで大きく拡大し続けてきたが、二〇一〇年代は成長の度合いが少し鈍化傾向にある。二〇一八年現在では琉薬、スズケン沖縄薬品、ダイコー沖縄の三社がランクインしている。

なお、「卸売業（紙・たばこ）」（I14）の企業も、県内売上高上位五〇社にランクインしている。紙の卸売業を手がける福山商事（一九八八年と一九九八年）と、たばこの卸売業である具志堅たばこ（二〇一八年）である。

②小売業（スーパー）

全業種のなかで、過去四〇年間もっとも売上を急成長させた業種が、サンエーを筆頭とする「小売業（スーパー）」（I21）である。次の図表にみるとおり、売上高上位五〇社の売上高合計に占める小売業（スーパー）の割合は、二三・一％を占めるに至っており、県内において圧倒的な存在感をもっている。小売業（スーパー）の主要各社の売上合計は、一九八〇年代には「小売

図表15　売上高上位50社における企業数、業種別売上高、構成比の変遷（卸売業）

コード	業種	1978年	1988年	1998年	2008年	2018年
I11	卸売業（飲食料品）	8社	3社	5社	6社	5社
		34,499	44,790	77,014	99,223	99,171
		(10.7%)	(5.7%)	(6.7%)	(6.8%)	(5.7%)
I12	卸売業（鋼材・セメント・生コン・建機）	5社	2社	3社	2社	2社
		26,439	37,461	46,247	31,354	35,917
		(8.2%)	(4.8%)	(4.0%)	(2.1%)	(2.1%)
I13	卸売業（薬品）	1社	3社	3社	3社	3社
		5,286	30,609	41,778	67,499	70,878
		(1.6%)	(3.9%)	(3.6%)	(4.6%)	(4.1%)
I14	卸売業（紙・たばこ）	0社	1社	1社	0社	1社
		0	10,409	11,820	0	15,763
		(0.0%)	(1.3%)	(1.0%)	(0.0%)	(0.9%)

注1）上段は売上高上位50社における企業数を、中段は売上高上位50社にランクインした企業の業種別売上高合計（単位は百万円）を、下段のカッコ内はその構成比を表す。
出所：東京商工リサーチ『東商企業要覧』（沖縄県版）各年版。

図表16　売上高上位50社における企業数、業種別売上高、構成比の変遷（スーパー）

<table>
<tr><th>コード</th><th>業種</th><th>1978年</th><th>1988年</th><th>1998年</th><th>2008年</th><th>2018年</th></tr>
<tr><td rowspan="3">I21</td><td rowspan="3">小売業（スーパー）</td><td>2社</td><td>6社</td><td>5社</td><td>7社</td><td>6社</td></tr>
<tr><td>15,010</td><td>104,137</td><td>191,542</td><td>325,709</td><td>402,139</td></tr>
<tr><td>(4.7%)</td><td>(13.3%)</td><td>(16.6%)</td><td>(22.2%)</td><td>(23.1%)</td></tr>
</table>

注1）上段は売上高上位50社における企業数を、中段は売上高上位50社にランクインした企業の業種別売上高合計（単位は百万円）を、下段のカッコ内はその構成比を表す。
出所：東京商工リサーチ『東商企業要覧』（沖縄県版）各年版。

図表17　スーパーにおける県内主要企業の売上高の変遷

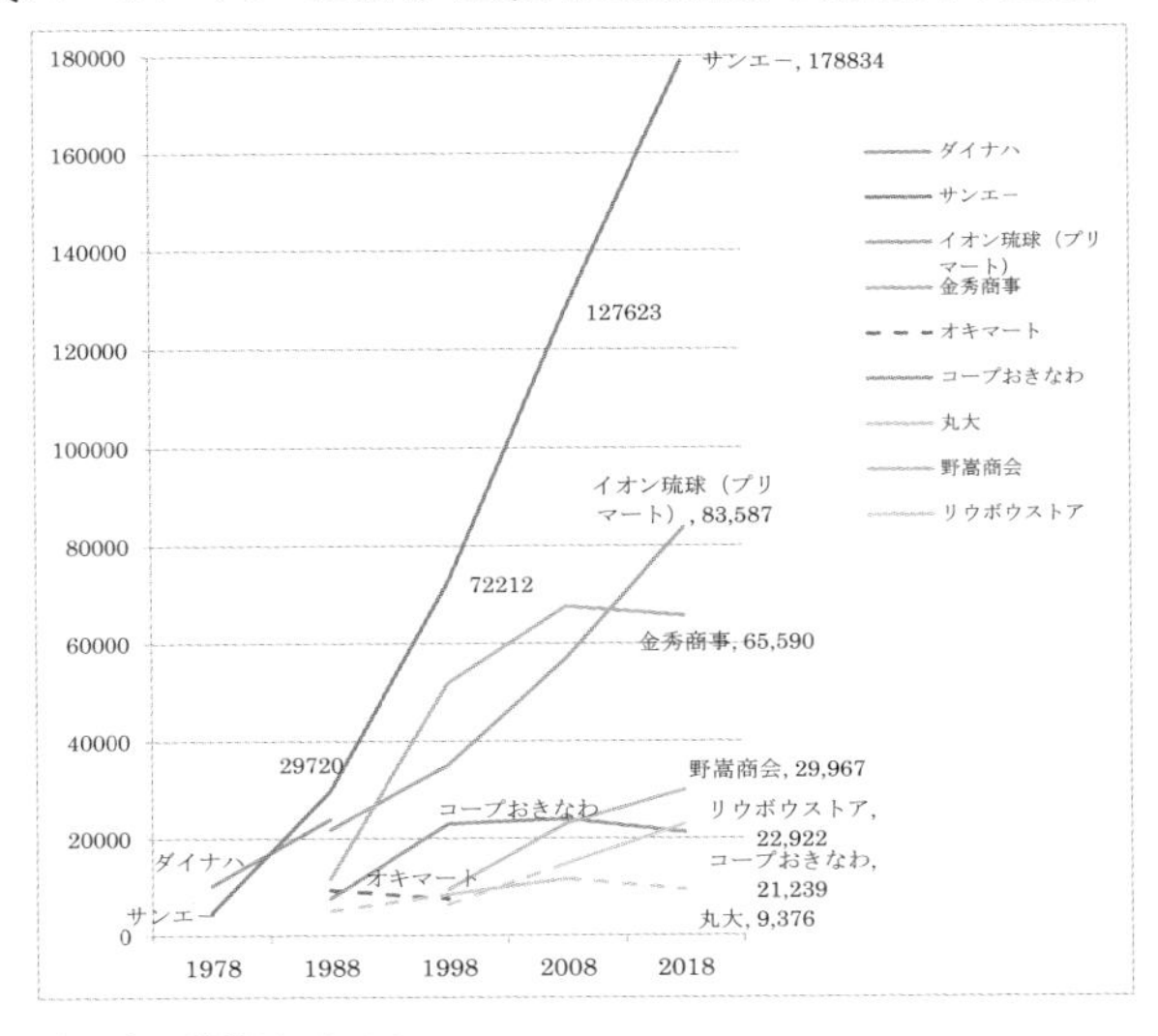

注1）売上高の単位は百万円。
注2）売上高上位50社圏外での推移は破線で表示している。
出所：東京商工リサーチ『東商企業要覧』（沖縄県版）各年版。

業（百貨店・土産品販売）」（Ⅰ22)を超え、その後も急成長を続けた。

小売業（スーパー）の主要企業の売上推移については、先のグラフのとおり、急成長を続けてきた大手三社（サンエー、イオン琉球、金秀商事）と、それ以外の企業との二極化が進行しつつあるようにみえる。また、小売業（スーパー）は、全体として著しく成長したとともに、栄枯盛衰の激しい業種でもあった。ダイナハは一九九四年に親会社のダイエーに吸収合併され消滅した。オキマートも現存してしない。なおプリマートは、一九九九年に沖縄ジャスコと合併し、後のイオン琉球になった。

近年、県内の小売業（スーパー）の市場は、成長期を過ぎ、成熟期を迎えつつある。小売業（スーパー）の主要各社合計売上高自体はいまも伸び続けているものの、売上高上位五〇社における比率は、二〇〇八年の二二・二%から二〇一八年の二三・一%へと、この一〇年でそれほど変わっていない。これは、二〇〇〇年代以降の新興型のサービス業（携帯電話サービス、コンビニエンスストア、病院など）の台頭を受けて、二〇一〇年代以降の県内における小売業（スーパー）の相対的地位が、以前ほどの著しい成長をみせるものではなくなりつつあることを示唆している。

③小売業（百貨店・土産品販売・家電・家具・ホームセンター）

次の図表は、小売業における百貨店・土産品販売・家電・家具・ホームセンターの各業種の推移を示したものである。

図表18　売上高上位50社における企業数、業種別売上高、構成比の変遷（百貨店・土産品販売・家電・家具・ホームセンター）

コード	業種	1978年	1988年	1998年	2008年	2018年
I22	小売業（百貨店・土産品販売）	4社	3社	2社	1社	1社
		17,546	24,543	26,744	15,446	18,368
		(5.4%)	(3.1%)	(2.3%)	(1.1%)	(1.1%)
I25	小売業（家電・家具・ホームセンター）	1社	3社	1社	1社	1社
		4,695	25,137	12,888	14,158	17,225
		(1.5%)	(3.2%)	(1.1%)	(1.0%)	(1.0%)

注1）上段は売上高上位50社における企業数を、中段は売上高上位50社にランクインした企業の業種別売上高合計（単位は百万円）を、下段のカッコ内はその構成比を表す。
出所：東京商工リサーチ『東商企業要覧』（沖縄県版）各年版。

「小売業（百貨店・土産品販売）」（Ｉ22）は、一九七八年と一九八八年において、かつて売上高上位五〇社に三社以上ランクインしていた。この業種では、沖縄山形屋（一九九九年閉店）や沖縄三越（二〇一四年閉店）といった大型店の撤退が目立つ。スーパーやコンビニエンスストアの台頭といった小売業の構造転換が、こうした百貨店の撤退をもたらしたものと思われる。二〇一八年では一社（リウボウインダストリー）がランクインしているのみである。

同様に、いわゆる専門店である「小売業（家電・家具・ホームセンター）」（Ｉ25）は、一九八八年に売上高上位五〇社に三社以上ランクインしていたが、二〇一八年にランクインした企業は一社（メイクマン）のみである。

④小売業（コンビニエンスストア・自動車・石油類販売）

小売業では、比較的新しく登場した業種が、いまも急成長を続けている。次の図表は、小売業におけるコンビニエンスストア・自動車・石油類販売の各業種の推移を示したもので

図表19　売上高上位50社における企業数、業種別売上高、構成比の変遷（コンビニエンスストア・自動車・石油類販売）

コード	業種	1978年	1988年	1998年	2008年	2018年
I23	小売業（コンビニエンスストア）	0社	0社	1社	1社	1社
		0	0	14,790	34,059	74,858
		(0.0%)	(0.0%)	(1.3%)	(2.3%)	(4.3%)
I24	小売業（自動車）	1社	1社	1社	2社	4社
		3,997	8,476	9,755	24,893	66,333
		(1.2%)	(1.1%)	(0.8%)	(1.7%)	(3.8%)
I26	小売業（石油類販売）	1社	1社	1社	4社	4社
		17,629	23,617	32,002	97,939	128,315
		(5.5%)	(3.0%)	(2.8%)	(6.7%)	(7.4%)

注1）上段は売上高上位50社における企業数を、中段は売上高上位50社にランクインした企業の業種別売上高合計（単位は百万円）を、下段のカッコ内はその構成比を表す。
出所：東京商工リサーチ『東商企業要覧』（沖縄県版）各年版。

ある。

「小売業（コンビニエンスストア）」（Ｉ23）では、沖縄ファミリーマートの成長が著しい。さらに、「小売業（自動車）」（Ｉ24）は二〇一八年現在四社ランクインしており、それら主要各社売上合計も大きく拡大した。二〇一八年現在では、沖縄トヨタ自動車、琉球ダイハツ販売、沖縄ホンダ、スズキ自販沖縄が売上高上位五〇社にランクインしている。

同様に、いわゆるガソリンスタンドである「小売業（石油類販売）」（Ｉ26）は、過去四〇年間売上の伸びが大きく、二〇〇〇年代以降は四社がランクインし、いまでは県を代表する業種へと成長している。二〇一八年現在では、りゅうせき、沖縄出光、ＪＡおきなわＳＳ、りゅうせきエネルギーが売上高上位五〇社にランクインした。

なお、売上の推移については、次のグラフのとおり、売上高上位五〇社にランクインする企業が

図表20　コンビニエンスストア・自動車・石油類販売における
県内主要企業の売上高の変遷

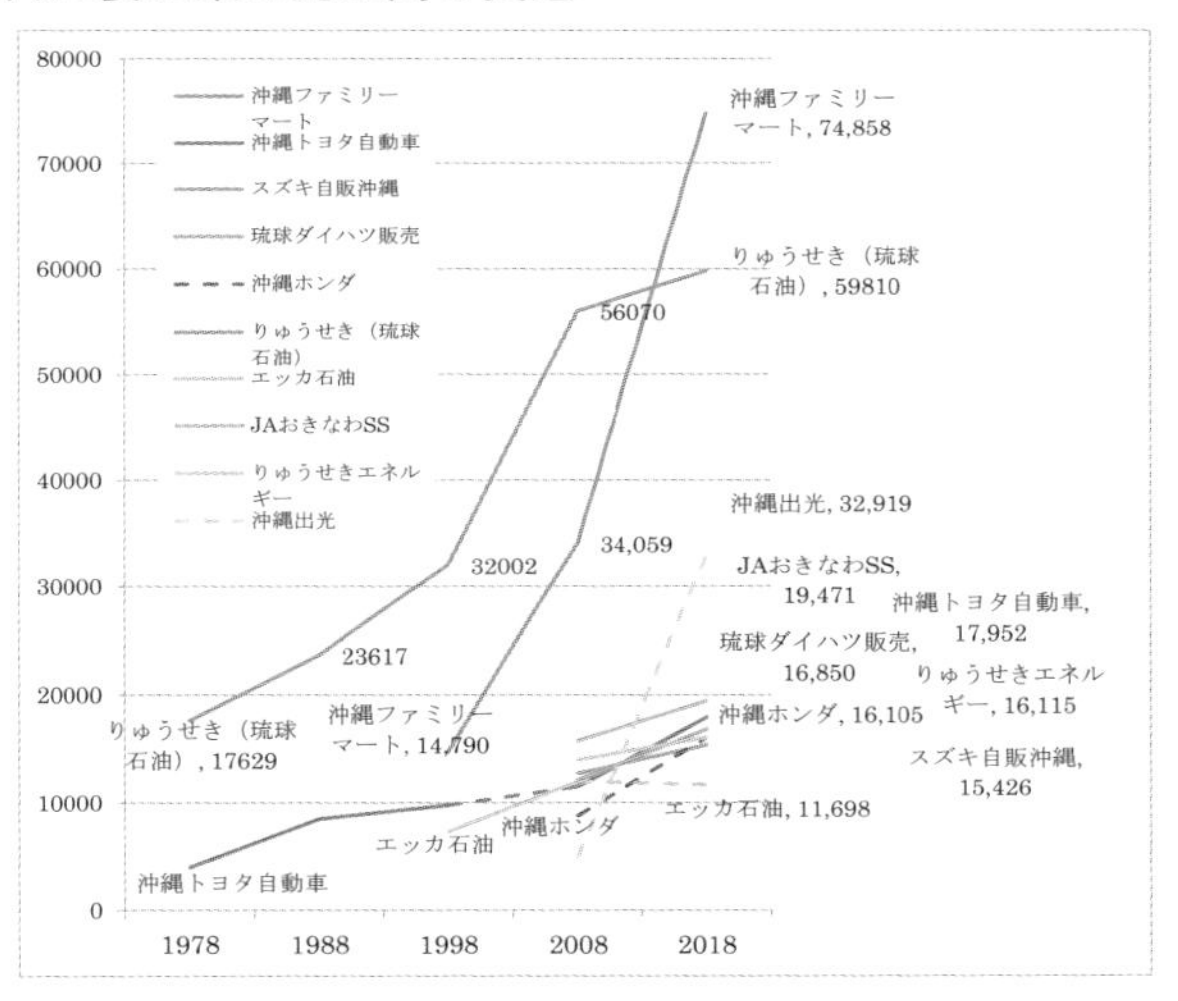

注1）売上高の単位は百万円。
注2）売上高上位50社圏外での推移は破線で表示している。
出所：東京商工リサーチ『東商企業要覧』（沖縄県版）各年版。

二〇〇〇年代から急増している。特に、沖縄ファミリーマート、りゅうせき、沖縄出光の台頭が目立つ。沖縄ファミリーマートは一九八七年に設立された会社であり、親会社はリウボウである。沖縄出光については、もとの沖縄石油精製が二〇〇三年に解散し、二〇〇四年に沖縄石油が設立、二〇〇九年に出光興産沖縄支店・沖縄石油・沖縄アポロが合併し、沖縄出光が設立された経緯がある。

3　物品賃貸業・宿泊業の変遷

次の図表は、物品賃貸業と宿泊業の推移を示したものである。「物品賃貸業（総合リース）」（K）では、

図表21　売上高上位50社における企業数、業種別売上高、構成比の変遷（物品賃貸業・宿泊業）

コード	業種	1978年	1988年	1998年	2008年	2018年
K	物品賃貸業（総合リース）	1社	2社	2社	2社	1社
		3,772	25,220	29,264	27,281	17,199
		(1.2%)	(3.2%)	(2.5%)	(1.9%)	(1.0%)
M	宿泊業（ホテル）	0社	0社	0社	1社	1社
		0	0	0	22,098	24,505
		(0.0%)	(0.0%)	(0.0%)	(1.5%)	(1.4%)

注1）上段は売上高上位50社における企業数を、中段は売上高上位50社にランクインした企業の業種別売上高合計（単位は百万円）を、下段のカッコ内はその構成比を表す。
出所：東京商工リサーチ『東商企業要覧』（沖縄県版）各年版。

主要二社（琉球リースとおきぎんリース）が、売上高上位五〇社にランクインしてきた。二〇一八年現在では、琉球リースのみがランクインしている。「宿泊業（ホテル）」（M）では、ザ・テラスホテルズのみが、売上高上位五〇社にランクインしてきた。

4　遊技場・病院・複合サービス事業の変遷

さらに、遊技場、病院、複合サービス事業といった、新しく台頭しつつある特徴的なサービス業種をみてみよう。次の図表は、これら業種の推移を示したものである。

「娯楽業（遊技場）」（N）は、時代ごとの変動が激しいものの、存在感を持ち続けてきた業種であるといえる。二〇一八年の売上高上位五〇社には、サンシャイン、ピータイム、モリ、J・Parkの四社がランクインしている。

「医療業（病院）」（P）は、沖縄徳洲会を筆頭に、いま急成長を続けている業種である。二〇〇〇年代以降の成長が著しく、二〇一八年現在の売上高上位五〇社の売上高合計

図表22　売上高上位50社における企業数、業種別売上高、構成比の変遷（遊技場・病院・複合サービス事業）

コード	業種	1978年	1988年	1998年	2008年	2018年
N	娯楽業（遊技場）	0社	2社	4社	2社	4社
		0	24,866	53,041	40,878	125,597
		(0.0%)	(3.2%)	(4.6%)	(2.8%)	(7.2%)
P	医療業（病院）	0社	0社	1社	3社	4社
		0	0	13,613	55,456	173,452
		(0.0%)	(0.0%)	(1.2%)	(3.8%)	(10.0%)
Q	農業協同組合・花卉園芸農業協同組合	0社	1社	2社	0社	0社
		0	42,856	60,317	0	0
		(0.0%)	(5.5%)	(5.2%)	(0.0%)	(0.0%)

注1）上段は売上高上位50社における企業数を、中段は売上高上位50社にランクインした企業の業種別売上高合計（単位は百万円）を、下段のカッコ内はその構成比を表す。
出所：東京商工リサーチ『東商企業要覧』（沖縄県版）各年版。

図表23　医療業における県内主要企業の売上高の変遷

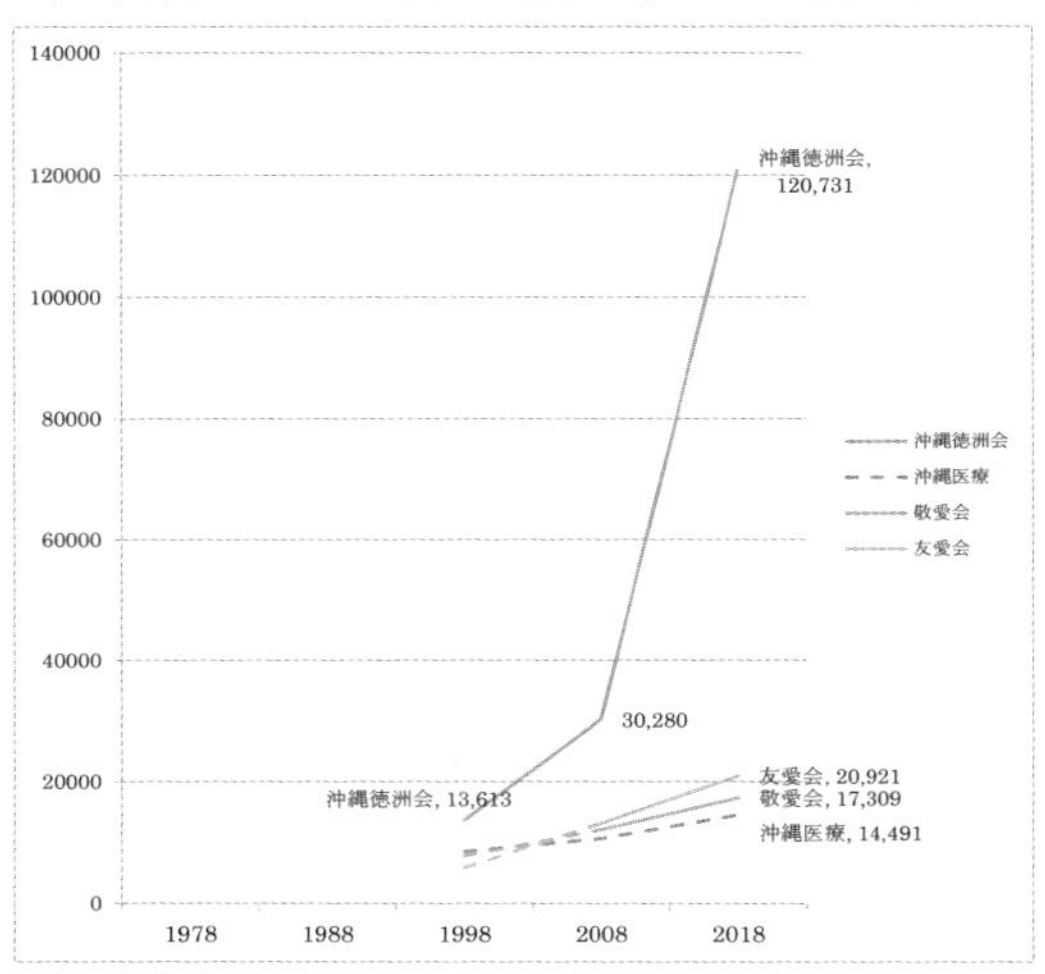

注1）売上高の単位は百万円。
注2）売上高上位50社圏外での推移は破線で表示している。
出所：東京商工リサーチ『東商企業要覧』（沖縄県版）各年版。

に占める割合は一〇・〇％を占めている。医療業（病院）はいまや、小売業（スーパー）、電気業に次ぐ、沖縄県の代表的業種になったといえる。二〇一八年現在では、沖縄徳洲会、友愛会、敬愛会、沖縄医療が売上高上位五〇社にランクインしている。なかでも、次のグラフにみるとおり沖縄徳洲会の成長が突出している。

なお、複合サービス事業である、「農業協同組合・花卉園芸農業協同組合」（Q）については、県経済農業協組連合が、一九八〇年代から九〇年代にかけて存在感を持っていた。同協組連合は、その後二〇〇二年に設立した沖縄県農業協同組合（通称「JAおきなわ」）と、二〇〇五年に統合した。二〇一八年現在、JAグループでは、JAおきなわSSが小売業（石油類販売）売上高上位五〇社にランクインしている。なお、沖縄県花卉園芸農業の売上高は、一九九〇年代にピークを迎え、その後徐々に低下している。

五　おわりに

1　業種の変遷

本研究では、沖縄県を代表する主要企業とその業種の変遷を確認した。それを簡潔にまとめたものが次の図表である。

建設業と製糖業に代表されるような、県内における従来型の業種は、沖縄の戦後復興を牽引して

図表24　沖縄県内主要企業における業種の変遷

1970 年代：建設業・製糖業が代表的。	戦後復興を牽引
1980 年代：スーパーが本格的に台頭。 1990 年代：スーパーと石油精製が急成長。	高度消費社会に
2000 年代：多様なサービス企業が台頭。 2010 年代：多様なサービス企業が急成長。	サービス経済化へ

きたといえる。一九七〇年代までは、これら業種の相対的な地位が高かった。

一九八〇年代からは全体的に高度消費社会に変貌したといえる。一九八〇年代にスーパーが本格的に台頭した後、一九九〇年代にはスーパーと石油精製がさらに急成長した。

そして二〇〇〇年代からはサービス経済化が進行した。携帯電話サービス、コンビニエンスストア、病院といった新興型のサービス業の相対的地位が上昇した。これら多様なサービス企業は、二〇〇〇年代に台頭した後、二〇一〇年代に急成長した。

2　変化の要因

それでは、このような変遷はなぜ生じたのか。変化の要因として考えられる点を三つ指摘する。

第一に、地域産業の発展とそれに伴う需要の変化が挙げられる。製糖業・建設業による戦後復興と開発は、その後の小売業の成長の基盤となった。さらに、小売業の成長による市場の成熟が、商品・サービスへの需要の変化をもたらし、やがて多様なサービス業の台頭を生み出したことが考えられる。言い換えると、従来型業種の成熟が、新興型業種の成長につながったのである。

第二に、主要各社における規模の経済（スケールメリット）の追求が指摘できる。これは、自社事業の拡大、他社との提携、M＆Aなどといった規模拡大によって、競争優位性を維持・強化しようとする戦略である。例として、サンエーや沖縄徳洲会の規模拡大、リウボウとファミリーマートとの提携、そして石油類販売各社の合併による二〇〇九年の沖縄出光の設立などが挙げられる。

第三に、主要各社における事業再編が影響している。これは、規模の拡大よりも、自社の強みとなる事業への「選択と集中」を志向することで、競争優位性を維持・強化しようとする戦略である。例として、國場組における二〇〇七年の事業再編、金秀建設の二〇〇八年の分社化が挙げられる。

3　展望

最後に、沖縄の地域産業の未来の展望を試みてみる。次の三点が挙げられる。

第一に、サービス経済化のさらなる進行が考えられる。その社会経済的な背景として、一方で、観光需要、インバウンド需要の増加がある。沖縄県の入域観光客数は年々増え続ける傾向にあり、それによる地域へのインパクトは大きい。他方で、少子高齢化の問題がある。沖縄県の人口は二〇二六年に減少局面に入ることが予測されている。(6) こうした背景から、サービスの量と質をめぐる競争が、従来とは異なる次元で展開することが今後起こりうる。一例として、健康や医療に関するヘルスケア市場の世界的な拡大は、サービス経済化における次の段階を示唆しているように思われる。

第二に、テクノロジーの進化を指摘する。たとえば、アマゾンや楽天などのオンライン販売が、既存の小売業とどのように棲み分けしていくかが注目される。ほかにも、無人店舗化、ビッグデータによる需要予測などの進展が、地域における雇用やビジネスにもたらす影響も無視できない。

第三に、企業グループとしての多角化と事業再編に言及する。かつて建設業における県内主要各社がリゾート開発へ事業進出したように、また小売業各社がコンビニエンスストア大手と提携したように、今後も、企業グループとしての多角化と事業再編がありうる。そうした多角化と事業再編もまた、沖縄の地域産業を代表する主要企業とその業種のさらなる変遷をもたらすだろう。

以上が、沖縄県内企業の今後の成長に関わるものと考えられる。

参考文献

大城淳・豊川明佳（二〇一七）『沖縄の業界地図二〇一七』沖縄教販。
島袋嘉昌（一九八二）『戦後沖縄の企業経営』中央経済社。
関満博 編集（二〇一二）『沖縄地域産業の未来』新評論。
東京商工リサーチ（一九七九）『東商企業要覧（沖縄県版）』昭和五四年版。
――（一九八九）『東商企業要覧（沖縄県版）』平成元年版。

――（一九九九）『東商企業要覧（沖縄県版）』平成一一年版。

――（二〇〇九）『東商企業要覧（沖縄県版）』平成二一年版。

――（二〇一九）『東商企業要覧（沖縄県版）』二〇一九年版。

比嘉堅（一九九三）『産業の構造と組織』近代文芸社。

山内昌斗・上間創一郎・城間康文（二〇一三）「沖縄における企業の生成・発展に関する史的研究」『広島経済大学経済研究論集』36(2), pp. 39-53.

琉球新報編集局政経部（一九九八）『沖縄の企業と人脈』琉球新報社。

参考ＵＲＬ

沖縄県総務部人事課（二〇一九）「平成三〇年度　沖縄県官民一体ニューウェーブ人材育成事業報告書　沖縄県と福建省の産業連携の施策調査及び官民協働による戦略提言」。
https://www.pref.okinawa.jp/site/somu/jinji/documents/dai2sho-1.pdf

南西地域産業活性化センター（二〇一八）「沖縄県の世帯数の将来推計（二〇一八年六月推計）」
https://niac.or.jp/topix/population_5th_H30.pdf

注釈

(1) さらに、沖縄県内企業を対象とした研究としては、琉球新報編集局政経部（一九九八）『沖縄の企業と人脈』、

関満博 編集（二〇一二）『沖縄地域産業の未来』、大城淳・豊川明佳（二〇一七）『沖縄の業界地図二〇一七』が挙げられる。

(2) なお、業種の表記については、東京商工リサーチ『東商企業要覧』（沖縄県版）の各年版の間でゆらぎがあったため、各社の事業内容をみたうえで、統一した表記をしている。

(3) 一位の期間は二〇〇五年から二〇〇八年の間であった。

(4) なお、オリオンビールは二〇一九年に野村ホールディングスと米投資ファンドのカーライル・グループに買収されており、今後の行方が注目される。

(5) 沖縄県総務部人事課（二〇一九）「平成三〇年度　沖縄県官民一体ニューウェーブ人材育成事業報告書　沖縄県と福建省の産業連携の施策調査及び官民協働による戦略提言」二十一頁。

(6) 南西地域産業活性化センター（二〇一八）「沖縄県の世帯数の将来推計（二〇一八年六月推計）」一頁。

コンピュータ技術の発展と可能性

大山健治

大山　健治・おおやま　けんじ
所属：産業情報学部　産業情報学科
主要学歴：東京藝術大学大学院美術研究科修士課程修了
所属学会：情報知識学会、映像情報メディア学会、デジタルアーカイブ学会
主要論文及び主要著書：
【著書（共著）】
『Artist Words アーティストのことば インタビュー集』：二〇一四年二月
【論文（共同執筆）】
『ITおよび観光をリーディング産業とする先進諸国の戦略に関する基礎研究』産業総合研究第27号：二〇一九年
※役職肩書等は講座開催当時

一　はじめに

コンピュータ技術の発達により、私たちの生活は豊かになり、ＩＴ技術をはじめとして社会を支える身近な存在になっている。九〇年代半ば以降、急速に普及したインターネットは、情報化社会を加速させ、携帯電話やスマートフォンの登場により通信の高速化・大容量化を背景として様々なサービスを生み出した。また、映画やアニメ、ゲーム等に代表されるコンテンツ産業においても、デジタル技術の発達に伴い新たな表現が可能になり、コンテンツ制作プロセスにおいても大きな変化をもたらした。近年では、画像処理技術が向上し高度な計算処理がリアルタイムで行えるようになることで、分野を横断する新たなサービスやコンテンツが生まれ、これからの産業の発展に貢献できる可能性を秘めている。

本稿では、コンピュータ技術の発展について、一九四〇年代に誕生したコンピュータ・グラフィックス技術の発達の経緯を概観し、映画・ゲーム等のデジタルコンテンツの発展と比較することで、産業化に至る経緯を「産業化前史」「産業化と業界の形成」「分野を横断する技術」の三つの段階に分けて、今後の産業の発展と可能性について考察する。

二　産業化前史　コンピュータ・グラフィックスの成り立ち 一九四〇～七〇年代

1　ＣＧの誕生と研究　一九四〇～五〇年代

ＣＧ（Computer Graphics）とは、三次元コンピュータ・グラフィックス（Three-Dimensional Computer Graphics：3DCG）を指して用いられるが、コンピュータで計算した結果を描画するという意味においては、三次元に限らずコンピュータで生成された画像全てが対象といえる。しかし今日における「ＣＧ＝３ＤＣＧ」として認識される背景には、ＣＧの誕生から産業化へと発展する中で広く一般に普及した経緯がある。本章では、コンピュータ・グラフィックスの誕生からその後の主な技術開発について概観し産業化へと至る経緯を解説する。

コンピュータ・グラフィックスの誕生は、米国の軍事目的の研究として始まる。一九四〇年代、米国とソ連は軍事技術開発・研究にしのぎを削り、その副産物としてインターネットに代表される現在の社会基盤の礎となる様々な技術が誕生する。コンピュータ・グラフィックスもこうした研究開発の中で誕生した。

一九四四年、ＭＩＴ（マサチューセッツ工科大学）は、航空機の性能を生産前の段階で評価するために、物理現象をコンピュータで計算してリアルタイムで描画する技術を開発する。これは「Whirlwind Project」（ワールウィンド・プロジェクト）と呼ばれ、四年後には、莫大な年間予算を得て大規模なコンピュータ開発プロジェクトとなる。このプロジェクトでは、コンピュータにオシロスコープを取り付けて、落下する球の軌道をシミュレーションしてリアルタイムで表示する実験を行った。この点描画の実験が「史上初のＣＧの誕生」となる。

一九五一年、米政府から早期警戒システムの開発委託を受けたＭＩＴは、ワールウィンド・プロジェクトをベースにしたプロジェクトを組織し、複数の企業と共同し巨大コンピュータの開発を受託。半自動防空管制システム「SAGE」(Semi-Automatic Ground Environment) の開発を始める。このシステムは、米国内外に設置したレーダー基地等の情報を集めて指令を出すもので、機体の情報を表示するディスプレイと指示を与える入力装置「ライトガン」を装備し、入力装置を用いて直接指示を与え、インタラクティブにコンピュータとやり取りができる画期的な装置であった。

一九五七年、世界初の人工衛星「スプートニク」（ソ連）打ち上げ成功を契機に、米国防省は翌年の五八年に基礎科学研究の推進を目的としたARPA（Advanced Research Projects Agency）先進研究計画局）を設立する。これは、現在の防衛先進研究計画局（DARPA：Defense Advanced Research Projects Agency)の前身となる組織で、のちのインターネットの原型となる「ARPAnet」（アーパネット）を一九六九年に構築する。ARPAnetは、特定の場所が攻撃を受けても被害を回避し機能する通信網として、ＵＣＬＡ、スタンフォード研究所、ユタ大学、カリフォルニア大学等の研究機関をネットワークで繋いで開通し、七七年までに五〇か所以上の拠点を結ぶネットワークを形成する。また、同年の五七年に設立されたデジタル・イクイップメント社（ＤＥＣ）は、ディスプレイとペン型入力デバイスを備えたコンピュータを開発する。このコンピュータは、SAGEの対話型システムとの連携を目的とした大型コンピュータをベースに開発されたもので、小型化と低価格化を実現し研究者を対象としてCG開発などに広く用いられた。

一九五八年、大戦中の廃品を改造した歯車式アナログ・コンピュータで制御する「モーション・コントロールカメラ」を開発したジョン・ウィットニー（John Whitney, Sr.）は、その後改良を加え、アニメーション制作を行うモーション・グラフィックス社を設立する。開発されたモーション・コントロールカメラは、幾何学的な図形を紙の上に機械的に描画し、連続した図形をカメラを用いて撮影するもので、映画「めまい」（アルフレッド・ヒッチコック）のオープニングタイトルや企業CMなど数々の映像作品を手掛け、初期のコンピュータ制御で作られた映像の先駆けとなる。また、カルコンプ・テクノロジー社が発売したペンプロッター「MODEL 565」は、コンピュータ画面に表示された内容を直接紙に描画することを可能にしたもので、ドラムに巻き付けた紙にペンの動きとドラムの回転を制御して描画する。このペンプロッターの登場によって、六〇年代に入ると米国、英国、日本など世界中でコンピュータ・アート制作を試みる研究者やアーティストが急増する。

コンピュータを用いて建築や工業製品の設計支援やデザインを行うCAD（Computer-Aided Design）システムの研究もこの時期に始まる。一九五九年、MITでは、航空機の部品を加工する工作機器の研究を始まりとして、コンピュータ制御の設計支援ツールの開発に取り組む。また、ゼネラル・モータースとIBMは共同でCADシステムの研究に取り組み、五年後の一九六四年に「DAC-1」を発表する。

	ＣＧ技術と主な動向	関連産業及び主な社会的動向
1944	ＭＩＴ（マサチューセッツ工科大学）、「Whirlwind Project」（ワールウィンド・プロジェクト）開発開始。	
1947		ブルックヘブン国立研究所（Brookhaven National Laboratory：米国）設立。
1948	「ワールウィンド・コンピュータ」にＣＲＴを取り付けて図形を表示する実験を開始。（初のＣＧ誕生）	
1951	米政府から早期警戒システム開発委託を受けてＭＩＴが「SAGE」（Semi-Automatic Ground Environment）システムの開発開始。	
1957	デジタル・イクイップメント社（DEC）設立。「PDP-1」開発。	世界初の人工衛星「スプートニク」打ち上げ成功。
1958	ジョン・ウィットニー、歯車式アナログコンピュータ制御の「モーション・コントロールカメラ」を開発。モーション・グラフィックス社（Motion Graphics Inc.）設立。映画「めまい」（アルフレッド・ヒッチコック）のオープニング・タイトルにモーション・コントロールカメラを使用。	米国防省「ARPA」（Advanced Research Projects Agency）を設立。NASA（National Aeronautics and Space Administration：米国）設立。ブルックヘブン国立研究所にて世界初のデジタルゲーム「Tennis For Two」展示。カルコンプ・テクノロジー社、ペンプロッター「MODEL 565」発売。
1959	ＭＩＴ、後のＣＡＤシステムへと発展する研究開始。	ゼネラル・モーターズとＩＢＭ、最初のＣＡＤシステム「ＤＡＣ－１」の共同研究開発を開始。（一九六四年発表）

表1

一九五八年は、デジタルゲーム史を俯瞰するうえで重要な年でもある。米国のブルックヘブン国立研究所(Brookhaven National Laboratory)が開催した公開行事にて、「世界初のコンピュータ・ゲーム」とされる機器が展示される。研究室を訪れる一般の来場者を楽しませる目的で作られたこの機器は「Tennis For Two」と名付けられ、二つのコントローラを用いてオシロスコープに表示されたラインを制御して光の点をテニスのように打ち返し、画面中央にあるラインをテニスのネットに見立てて二人でプレイするゲームであった。計測機器部門の責任者であったウィリアム・ヒギンボーサム(William A.Higinbotham)が開発したこのゲームは、来場者の反応も好評で、翌年には改良版も展示された。「Tennis For Two」は、研究の余暇に制作されたものであるが、今日のデジタルゲームの先駆け的存在として位置づけられている。

一九四〇年代~五〇年代に軍事開発の副産物として誕生した技術は、コンピュータで計算した結果を視覚的に表示することが可能になり、入力装置を用いて情報をやり取りするインタラクティブな概念を生み出し、これまでには無い表現の可能性の探求へと繋がっていく。

2　基礎技術の開発と探求　一九六〇年代

一九六一年、米国の計算機科学者、アイヴァン・サザーランド(Ivan Edward Sutherland.)は、対話型の図形処理システム「Sketchpad」(スケッチパッド)の開発を始める。これは、ペン型の入力装置を用いてディスプレイ上にインタラクティブに図形を描くシステムで、一九六三年に論文を発表、その後３Ｄ表示に対応したタイプも発表している。デモンストレーション映像では、ペン型入力に加えて隠線消去法による図形の描画が確認できる。また、サザーランドは、六五年にＶＲ（Virtual Reality：バーチャル・リアリティ）の原型となるHMD（Head Mounted Display：ヘッドマウント・ディスプレイ）の研究を開始し一九七〇年に完成させる。これは、位置センサーを装着したHMDと仮想空間に配置された物体を操作する杖で構成されたもので、リアルタイムに図形を操作するものであった。

映像分野では、二つの注目する出来事がある。一つは、グラフィックフィルム社が一九六四年に手がけた全天周映像作品「To the Moon and Beyond」で、ニューヨークで開催された世界博覧会にて上映された。これは、魚眼レンズを用いてドーム状のスクリーンに投影するもので、宇宙や天体等をテーマとした十八分の映像であった。もう一つは、一九六八年に公開された劇場映画「二〇〇一年宇宙の旅」（スタンリー・キューブリック）である。この映画では、スリットスキャン技術を用いた映画史に残るワープシーンが制作される。これは、被写体を細いスリットを通して撮影する手法で、カメラを移動させることで遠近感や立体的な表現が可能になる。この二つの作品は、コンピュータを用いたり、カメラをコントロールすることによって、従来の撮影技術では出来なかった新たな映像を提示した例といえる。このような新たなテクノロジーの登場によってこれまでにない表現を探る試みは、コンピュータ・アートと称される世界各地でブームとなる。

一九六一年、AT&Tベル研究は、大型コンピュータとカメラ用いて制作した映画「Simulation

年		
1961	対話型図形処理システム「Sketchpad」(スケッチパッド)の開発開始。(アイヴァン・サザーランド、一九六三年発表) AT&T ベル研究所、映画「Simulation of a Two-gyro Gravity-Gradient Attitude Control System」制作。	
1964	コンピュータ・アート「Simulated Color Mosaic」制作。(東京大学美学研究室、川野洋)	ニューヨーク世界博覧会にて全天周映像作品「To the Moon and Beyond」(グラフィック・フィルム社)上映。
1965	VRの原型となるシステム開発開始。(アイヴァン・サザーランド)	
1966	モスクワ大学でラインプリンターを用いたアニメーション作品「Kitten」制作。	
1967	日本初のコンピュータ・アニメーション「風雅の技法」制作。(東京大学、山田学・月尾嘉男)	
1968	レイ・キャスティング・アルゴリズム開発。(アーサー・アッペル) 理化学研究所、映画「Computer Simulation of Order-Disorder Phenomenal」制作。 CTG「Return to a Square」「Running Cola is Africa!」等の映像制作。	現代美術展「サイバネティック・セレンビリティ」開催。テクノロジー・アート作品の展示。 映画「2001 年宇宙の旅」(スタンリー・キューブリック)公開。
1969	隠面消去法開発。(ジョン・ワーノック)	インターネットの原型となる「ARPAnet」開通。

表2

of a Two-gyro Gravity-Gradient Attitude Control System」を発表する。人工衛星の軌道をコンピュータでシミュレーションした映像は、科学的な測定データを可視化した初の事例として話題となる。また、一九六六年、モスクワ大学ではライン・プリンターを用いたアニメーション「Kitten」を制作する。これは、コンピュータで作られた猫のキャラクターをライン・プリンターで出力し撮影した作品で、同様の試みは日本においても行われた。一九六四年、東京大学美学研究室の川野洋は、日本初のコンピュータ・アート「Simulated Color Mosaic」を制作。一九六七年には、東京大学工学部都市工学科の山田学と月尾嘉男によって、日本初のコンピュータ・アニメーション「風雅の技法」を制作する。これは、カルコンプ社のペンプロッターを用いて制作された映像作品で、曲に合わせて立方体が動く三分間の映像は草月実験映画祭で公開された。

3　CGアルゴリズムの開発　一九七〇年代

一九六八年、ＩＢＭのアーサー・アッペル（A. Appel）は、レイ・キャスティング・アルゴリズムを開発する。レイ・キャスティング法は、ある視点から放出された光線（照明光線、視線）を追跡し、物体との衝突を検出するレイ・トレーシング法の原型となるアルゴリズムである。また、翌六九年には、ジョン・ワーノック（John E Warnock）によって、視点から物体の見えない面を消去する「隠面消去法」が開発される。一九六六年には、ユタ大学にコンピュータ・サイエンス学部が設立され、サザーランドが着任すると本格的にＣＧ研究が始まる。サザーランドが七〇年に論文「Computer Display」を発表すると、全米各地からＣＧに関心を示す人々がユタ大学に集まり、ＣＧ技術の基礎となる様々なアルゴリズムが開発された。この時期に開発された主なＣＧアルゴリズムを以下にまとめる。

・隠面消去法（ジョン・ワーノック）一九六九年
・スキャンライン・アルゴリズム（ゲーリー・ワトキンス）一九七〇年
・スムース・シェーディング（アンリ・グーロー）一九七一年
・フォン・シェーディング（ブイ・トン・フォン）一九七三年
・テクスチャ・マッピング（エドウィン・キャットマル）一九七四年
・環境マッピング（マーチン・ニューウェル）一九七五年
・ブリン・シェーディング（ジェームズ・ブリン）一九七七年
・バンプ・マッピング（ジェームズ・ブリン）一九七八年

ユタ大学の院生だったゲーリー・ワトキンス（Gary. S. Watkins）は、隠面消去法の１つであるスキャンライン・アルゴリズムを開発する。スキャンライン・アルゴリズムは、画面を走査線ごとに分断し、平面とポリゴンの交差する点から物体の奥行きを比較する手法である。その後、ポリゴン表面の滑らかな曲面を描画するシェーディングの研究では、七一年に、アンリ・グーロー（Henri

Gouraud）がスムース・シェーディング手法を開発する。これは、ポリゴン頂点の明るさの計算を行い、その値を補間することで滑らかな階調を表現する手法であるが、この手法では完全な滑らかな階調が得られなかったため、七三年にブイ・トン・フォン（Bui- Thuong. Phong）は改良型のスムース・シェーディングを開発する。改良型では、ポリゴン面の法線ベクトルを補間して明るさの計算を行い、滑らかな階調描画を実現し、加えて反射する成分を拡散と鏡面に分けてハイライトを描画するフォン・シェーディングの開発も行った。この研究は、七七年にジェームズ・ブリン（James F. Blinn）が開発したブリン・シェーディングに受け継がれる。

シェーディングに関連する研究では、画像を用いた手法として、七四年にエドウィン・キャットマル（Edwin E. Catmull）が、テクスチャ・マッピング手法を開発する。これにより、単一の色しか表現できなかったCGは、写真や画像を張り付けることで表面の質感を表現できるようになる。その後、七五年にマーチン・ニューウェル（Martin E. Newell）は、物体に映りこむ環境マッピングを考案し、七八年には、表面の凹凸を描画するバンプ・マッピングをジェームズ・ブリンが開発する。同時期にキャットマルは、３Dコンピュータ・アニメーションを考案し、七二年に世界初となるCG短編映像「Halftone Animation」を制作する。

七〇年代は、今日の３DCGに繋がる基礎技術が誕生すると同時に、パーソナル・コンピュータが開発され、実用化へと至る時期でもある。一九七〇年、ゼロックス社（Xerox Corporation）は、コンピュータ研究のためにカリフォルニア州パロアルトに、パロアルト研究所（PARC, Palo Alto

Research Center）を設立。七三年に同研究所のロバート・メトカーフ（Robert M. Metcalfe）が、ネットワークにパケット通信を利用した「Ethernet」の開発を開始する。また、サザーランドの門下生でもあったアラン・ケイ（Alan Kay）らは、最初のパーソナル・コンピュータ「Alto」を開発し、その仕様はビットマップ・ディスプレイとマウスを標準で装備した画期的なものであった。また、七三年には、今日のペイントソフトの原型となるペイント・システム「SuperPaint」を開発する。

映画・映像の分野においては、ＣＡＤシステムを販売していたMAGI（Mathematical Applications Group Inc.）社が、七二年に世界初のＣＧプロダクションとなる、映像制作部門MAGI/Synthavisionを開設し、レイ・ファイリング・アルゴリズム（Ray-Firing Algorithm）を考案し、八二年には映画「トロン」に参加する。七五年には、ジョージ・ルーカス（George Walton Lucas, Jr.）らが特撮スタッフを集めてＩＬＭ（Industrial Light & Magic）社を設立し、「モーション・コントロールカメラ」などを開発。七七年に公開された映画「スターウォーズ」では、モーション・コントロールカメラを用いて主観ショットの戦闘シーンの撮影が行われた。また、七九年にはSIGGRAPHにて初めてとなるフィルム&ビデオショーが開催され、その年に制作された優れた技術や映像作品の公開と表彰を行っている。

ゲーム分野においては、業務用・家庭用ビデオゲームという新たなカテゴリーを形成するゲーム機が発売される。一九七一年、ノーラン・ブッシュネル（Nolan Bushnell）は、初の業務用ビデ

1970	サザーランド、サイエンティフィックアメリカン誌に論文「Computer Displays」発表。 スキャンライン・アルゴリズム開発。（ゲーリー・ワトキンス）	ゼロックス社、パロアルト研究所設立。
1971	スムース・シェーディング開発。（アンリ・グーロー）	「Computer Space」初の業務用ビデオゲーム発売。
1972	エド・キャットムル、初のＣＧアニメーション制作。 MAGI社、MAGI/Synthavision開設。レイ・ファイリング・アルゴリズム考案。	「ARPA」、名称を「DARPA」（Defence Advanced Research Projects Agency）に変更。 アタリ社設立。コンピュータゲーム「Pong」発売。 マグナボックス社、初の家庭用テレビゲーム機「ODYSSEY」発売。
1973	フォン・シェーディング開発。（ブイ・トン・フォン）	パロアルト研究所、「Ethernet」の開発開始。同研究所にてパーソナルコンピュータ「Alto」、ペイント・システム「Super Paint」開発。
1974	テクスチャ・マッピング開発。（エド・キャットマル）	
1975	環境マッピング開発。（マーチン・ニューウェル）	ＩＬＭ社設立。モーション・コントロールカメラなどを開発。
1976		アップル社設立。
1977	ブリン・シェーディング開発。（ジェームズ・ブリン）	アップル社、「Apple Ⅱ」発売。 アタリ社、「Atari 2600」発売。 「スターウォーズ」（ジョージ・ルーカス）公開。
1978	バンプ・マッピング開発。（ジェームズ・ブリン）	株式会社タイトー、「スペースインベーダー」発売。社会現象となる。ゲームセンター業態が本格化。
1979	「SIGGRAPH」にて初めてフィルム&ビデオショー開催。	ナムコ（現：バンダイナムコエンターテインメント）、「ギャラクシアン」発売。

表3

オゲームとなる「Computer Space」を開発し、遊具メーカーとの製造販売契約を結び発売に至る。当時のピンボールを中心としたアーケードゲーム業界では売上げが伸びなかったが、翌年の七二年にブッシュネルは、アタリ社を設立。「Pong」を発売し一万台を超える大ヒットとなる。また、同年にマグナボックス社は、初の家庭用テレビゲーム機「ODYSSEY」を発売し八万五〇〇〇台の売上げとなる。七五年には、アタリ社が家庭用テレビゲーム「ホームポン」を発売し十五万台を売上げ、テレビゲーム市場が注目され多くのメーカーが参入する。七七年、アタリ社は家庭用ゲーム機「ATARI 2600」を発売。翌七八年、株式会社タイトーが「スペースインベーダー」発売し社会現象となる。

三　産業化と業界の形成　一九八〇～九〇年代

1　パーソナル・コンピュータと3DCGソフトの登場　一九八〇年代

一九四〇年代～七〇年代は、その後の産業化へと至る様々な試みがなされた時期といえる。主な特徴をまとめると次の三つになる。一、軍事目的の研究の副産物として今日の基礎となる様々な技術が誕生した「基礎技術の誕生と研究開発」。二、技術の発展によってコンピュータが小型化し更なる研究開発を促進させた「コンピュータの小型化と開発環境の整備」。三、最新技術の新たな可能性を求めて様々な実験的な取り組みが行われた「最新技術の応用と実験的な取り組み」といえる。

一九八〇年代になると、コンピュータの高性能化と小型化が進み、CG技術の産業分野への応用が現実化していく。

一九七九年、スタンフォード大学のジェームズ・クラーク（James H. Clark）は、3DCGの演算速度を高速化する研究に取り組み、世界初のグラフィック・プロセッサ「ジオメトリー・エンジン」を設計する。その後、八二年にシリコン・グラフィックス社（SGI）を設立し、ワークステーションに搭載してCG制作に特化した製品を発売する。SGI社製のワークステーションは、ILMをはじめとして多くのCG制作に用いられ、主要開発ツールとして中心的な役割を担うこととなる。

一九八〇年、トロントにエイリアス・リサーチ社が設立され、エンターテインメント産業向けの3DCGソフト「PowerAnimator」を九〇年に開発する。これは、現在3DCG主要ソフトでもある「Maya」の前身となるソフトで、VFXプロダクションや放送局などで広く用いられることになる。また、八二年には、グラフィック・ソフトの中心的存在でもあるアドビシステムズ社（Adobe Systems）の設立、八七年には、3DCGソフト「Softimage 3D|XSI」を販売するソフトイマージ社が設立され、八四年には、ウェーブフロント・テクノロジー社（のちにSGI傘下となり、エイリアス・ウェーブフロント社になる）設立されるなど、実用的なソフトウェアが登場する。CGアルゴリズムの研究では、八〇年にターナー・ウィッテド（Turner Whitted）が、再帰的レイ・トレーシングに関する論文を発表。レイ・トレーシングとは、カメラの視点から架空のレイ（光線）を放

出し、物体表面との交差する点を求めて計算するもので、これまで表現できなかった透過や屈折などのリアルな表現が可能となった。

主要な3DCGソフトが登場し、ワークステーションをベースに本格的なCG開発が浸透していく中で、パーソナル・コンピュータの広がりも八〇年代の特徴的な出来事と言える。七三年にパロアルト研究所で開発された初のパーソナル・コンピュータ「Alto」は、アップル社を設立したスティーブ・ジョブズ（Steve Jobs）に影響を与え、アップル社は八三年にパーソナル・コンピュータ「Lisa」を発売。「Lisa」は高額なコンピュータであったが、翌八四年に低価格で高機能なパーソナル・コンピュータ「Macintosh」を発売し、約七万台の売上げとなった。また、コモドール社は、八五年にグラフィックス機能を搭載した「Amiga」を発売し、専用のグラフィック・ボードを用いて高品質な映像制作を可能としたマルチメディア機器として多くのクリエイターの人気を博した。

代表的なCGプロダクションもこの時期に設立される。日本においては、CGプロダクションの老舗であるJCGL（コンピュータ・グラフィック・ラボ）が八一年、トーヨーリンクスが八二年に設立される。また、八五年には、代表作「トイ・ストーリー」を制作するピクサー社（PIXAR）が設立される。ピクサー社設立の前年、SIGGRAPHにて3DCG短編アニメーション「アンドレとウォーリーB.の冒険」が公開され話題となり、アニメーターとして参加したジョン・ラセター（John Alan Lasseter）は、八六年にピクサー社の看板キャラクターとなる電気スタンドを主人公にした「ルクソー・ジュニア」の監督を手掛ける。また、八五年には、3DCG短編アニメーション「ピアノ弾きのトニー」が上映され、リアルに表現された人間の表情が話題になるなど、３ＤＣＧを用いたアニメーション作品も試みられるようになる。

ゲーム業界においては、七九年に日米で大ヒットした「ギャラクシアン」を開発したナムコ（現：バンダイナムコエンターテインメント）が、八〇年に「パックマン」を発売し、更なる世界的なヒットとなる。同年、任天堂は携帯型ゲーム機「ゲーム&ウォッチ」を発売。マルチスクリーンタイプでは、初めて十字キーが採用されのちのゲーム機の標準となる。翌年の八一年には、エポック社からカートリッジ交換式の家庭用ゲーム機「カセットビジョン」を発売。一般家庭でも購入可能な価格設定が功を奏してヒット商品となり、国内メーカーの参入が相次ぎ、八三年の「ファミリーコンピュータ」（任天堂）の発売によって家庭用テレビゲームブームが広がっていく。その後、八七年には、ハドソンが家庭用ゲーム機「ＰＣエンジン」を発売。八八年には、セガが「メガドライブ」を発売し、九〇年代に活況を呈する家庭用ゲーム機のプラットフォーム多様化へと繋がる。一方、米国では、短期間で作られた粗悪なゲームソフトが市場に出まわるようになり、これを契機として八二年にアタリショックと言われる市場崩壊の危機を迎える。アーケードゲームにおいては、ナムコが投入した「ゼビウス」が大ヒットし、八五年にセガ（現：セガ・ゲームス）が投入した体験型ゲーム機「ハングオン」では、乗り込み型の筐体を操作し疑似３Ｄで描画されたレース空間を体験するもので、九〇年代に登場する３ＤＣＧを用いたゲームへと繋がる新たな体験を提示する。

ＣＧ開発環境の整備とレイ・トレーシングを用いたリアルな表現が可能となり、映画産業におい

1980	再帰的レイ・トレーシング論文発表。（ターナー・ウィッテド）	ナムコ、「パックマン」発売。任天堂、「ゲーム&ウォッチ」発売。
1981	ＪＣＧＬ（コンピュータ・グラフィック・ラボ）設立。	エポック社、「カセットビジョン」発売。
1982	アドビシステムズ社（Adobe Systems）設立。シリコングラフィックス社（ＳＧＩ）設立。トーヨーリンクス設立。	「ブレードランナー」（リドリー・スコット）公開。「アタリショック」と言われる市場崩壊危機が起こる。
1983	エイリアス・リサーチ社、設立。	ナムコ「ゼビウス」発売。任天堂、「ファミリーコンピュータ」発売。アップル社、「Lisa」発売。
1984	ジョン・ラセター「アンドレとウォーリーＢの冒険」制作。ウェーブフロント・テクノロジー社設立。	アップル社、「Macintosh」発売。
1985	ピクサー社（PIXAR）、設立。モントリオール大学、ＣＧ研究チーム短編３ＤＣＧアニメ「ピアノ弾きのトニー」（Tony de Peltrie）制作。	コモドール社、グラフィックマシン「Amiga」発売。セガ（現：セガ・ゲームス）、疑似３Ｄ描画アーケードゲーム「ハングオン」投入。「ヤング・シャーロック／ピラミッドの謎」（バリー・レヴィンソン）公開。
1986	ピクサー社、短編アニメーション「ルクソー・ジュニア」制作。	
1987	ソフトイマージ社設立、UNIXベースの３ＤＣＧソフト「SOFTIMAGE 3D」発売。	ハドソン、「ＰＣエンジン」発売。
1988		セガ、「メガドライブ」発売。
1989		「アビス」（ジェームズ・キャメロン）公開。

表4

てもＣＧを用いた視覚効果を導入する作品が作られるようになる。八五年に公開された劇場映画「ヤング・シャーロック／ピラミッドの謎」（バリー・レヴィンソン監督）は、ＣＧ技術が導入された最初期の映画作品で、ステンドグラスで出来た騎士をＣＧで制作し、第五八回アカデミー賞で視覚効果賞にノミネートされた。また、八九年に公開された映画「アビス」（ジェームズ・キャメロン監督）では、有機的に変化する水の表現をＣＧで制作し、アカデミー視覚効果賞を受賞するなど技術的成功を収め、劇場映画における本格的なＣＧ導入の契機となった。

2　次世代ソフトの台頭とデジタル技術の変革　一九九〇年代

九〇年代は、次世代ソフトの台頭によりＣＧを用いた表現が飛躍的に向上する。また、次世代ソフトの開発競争が激しくなり主要ソフトメーカーの再編の中で業界が形成されていく時期でもある。

一九九〇年、エイリアス・リサーチ社は、エンターテインメント産業向けに、３ＤＣＧソフト「Maya」の前身となる「PowerAnimator」を発売する。同年、米国ＣＡＤソフト大手のオートデスク社がＩＢＭ‐ＰＣ互換機向け３ＤＣＧソフト「3D Studio」を発売。のちにWindows NTに移植され「3D STUDIO MAX」となり今日における３ＤＣＧ開発に用いられる主要ソフトが相次いで発売される。四年後の九四年には、マイクロソフト社がソフトイマージ社を買収。また、３ＤＣＧ開発用ワークステーションでシェアを持っていたＳＧＩ社は、同年にエイリアス社とウェーブフロント社を傘下に収めてエイリアス・ウェーブフロント社を設立し、二大企業の主力ソフトが業界の主流となる。しかし、四年後の九八年に、マイクロソフト社は、ソフトイマージ社をアビッド・テクノロジー社に売却。翌年の九九年には、オートデスク社がディスクリート・ロジック社を買収し、二〇〇〇年代には3DCG・映像業界における中心的な企業として発展する。その他、九六年にサイドエフェクト社がスクリプトベースのソフト「Houdini」を発売、翌年の九七年には、メンタル・イメージ社がレンダラーソフト「Mental-Ray」を発売し、よりリアルな表現が可能となる。

映画産業においては、九一年に劇場映画「ターミネーター2」（ジェームズ・キャメロン監督）が公開され、CGで制作された液体金属の表現でアカデミー視覚効果賞を受賞する。また、九三年に公開された劇場映画「ジュラシック・パーク」（スティーブン・スピルバーグ監督）では、リアルな恐竜をCGで制作し話題になる。この二つの作品では、これまで映画の一部の特殊効果として用いられていたCG技術が、映画のストーリーや演出を表現する中心的な役割として用いられ、劇場映画においても主要な技術として認識を広げたといえる。さらに、九五年には、世界初のフル3DCG映画「トイ・ストーリー」（ジョン・ラセター監督）が公開され、米国の興行収入は一億九一八〇万ドルを記録しヒット作となった。日本においては、スタジオジブリが、初めて3DCGを用いた劇場アニメーション作品「もののけ姫」を公開し、手描きアニメーションにはない新たな表現を試みている。

3DCG技術の発達によって、劇場映画において新たな可能性を提示する一方で、映像技術においてもデジタル化が急速に進み大きく変化した時期でもある。九一年、ディスクリート・ロジック社は、映像編集システム「Flame」を発表し、その後「Flint」やハイエンド映像編集システム「Inferno」を発表し、映像分野における標準システムとして中心的存在となる。九二年には、アップル社が映像をコンピュータで再生する「QuickTime」を発表。九三年には、デジタル・ドメイン社が合成ツール「Nuke」を開発。従来の映像編集はフィルムやビデオテープなどの物理的なメディアを編集加工することが主流であったが、デジタル化によって映像はデータとして記録され、劣化することなく自由な加工編集やリアルタイムでの再生が可能なノンリニア編集と言われるファイルベースの編集システムが浸透していった。

ゲーム産業においては、ハードウェアの発達によりグラフィック処理能力が向上し、これまで2Dグラフィックが中心だった表現にかわりポリゴン描画が可能な3DCGを採用したゲームが登場する。また、家庭用ゲーム機市場に家電メーカーなどの参入が相次ぎ、新たなゲーム機が登場し、プラットフォームが多様化していく。

一九九三年、セガは初の3D対戦格闘アーケードゲーム「バーチャファイター」を投入。これは、3次元空間内でポリゴンを用いた立体的なキャラクターを操作するもので、視覚効果の違いだけではなく新たなゲームデザインを提示し話題となる。また、九七年にスクウェア（現：スクウェア・エニックス）が、高度なグラフィック性能を生かしたフルポリゴンによるRPGゲーム「ファイナルファンタジーⅦ」を発売し大ヒットとなる。家庭用ゲーム機では、九四年にセガは「セガサターン」を発売。同年、SCE（現：ソニー・インタラクティブエンタテインメント）が、「プレイステーショ

1990	エイリアス・リサーチ社、「Maya」の前身となる「PowerAnimator」発売。 オートデスク社、３ＤＣＧソフト「3D Studio」発売。	
1991	ディスクリート・ロジック社設立。「Flame」発売。	「ターミネーター２」（ジェームズ・キャメロン）公開。
1992		アップル社、「QuickTime」発表。
1993	デジタル・ドメイン社設立。コンポジットツール「Nuke」開発。	セガ、初の３Ｄ格闘ゲーム「バーチャファイター」発売。 「ジュラシックパーク」（スティーブン・スピルバーグ）公開。
1994	マイクロソフト社、ソフトイマージ社を買収。 SGI社、エイリアス社とウェーブフロント社を傘下にエイリアス・ウェーブフロント社設立。 ドリームワークスＳＫＧ社、設立。	セガ、「セガサターン」発売。 ＳＣＥ（現：ソニー・インタラクティブエンタテインメント）、「プレイステーション」発売。 パナソニック、３ＤＯ社、「3DO REAL」発売。
1995	ピクサー社、世界初のフル３ＤＣＧ劇場作品「Toy Story」公開。	マイクロソフト社、「Windows95」発売。
1996	サイドエフェクト社、スクリプトベースソフト「Houdini」発表。	任天堂、「ニンテンドー64」発売。
1997	メンタル・イメージ社、レンダラーソフト「Mental-Ray」発売。	スクウェア（現：スクウェア・エニックス）、「ＦＦⅦ」発売。 スタジオジブリ初のＣＧ技術を導入した映画「もののけ姫」公開。
1998	マイクロソフト社、アビッドテクノロジー社にソフトイマージ社売却。 エイリアス・ウェーブフロント社、「Maya」発売。	Google設立。
1999	オートデスク社、ディスクリート・ロジック社買収。	ネット接続サービス「i-モード」開始。

表5

ン」を発売、パナソニックと3DO社が提携開発したマルチメディア機「3DO REAL」を発売、九六年には、任天堂は、「ファミコン」シリーズの後継機となる「ニンテンドー64」を発売し、ポリゴンを用いた3DCGへの対応などの高いグラフィック処理能力を持つ家庭用ゲーム機が次々と登場する。

四　分野を横断する技術　二〇〇〇年代以降

1　画像処理技術の高度化とプラットフォームの多様化　二〇〇〇年代

二〇〇〇年代になると、画像処理技術の高度化とともにCGを用いたよりリアルな表現が実現化し、「トイ・ストーリー」の成功を受けてフル3DCG映画が相次いで制作され、劇場映画の一ジャンルとして認識が広がっていく。また、インターネット環境が整備され、携帯電話やスマートフォンの発売によってソーシャルメディアに代表される新たなサービスが登場し、消費者の生活様式も大きく変化する。

CG技術の新たなアルゴリズムとして、二〇〇〇年にポール・デベヴェック（Paul Debevec）が開発した「イメージ・ベースド・ライティング」（IBL）が挙げられる。これは、物体周辺の光の環境を正確に表現するもので、従来のライティングでは光源の色を単色でしか表現できなかったが、画像情報を光源に用いることで現実の複雑な環境光を表現できるようになった。また、人物の肌の反射を正確に測定する「Light Stage」を開発し、映画「ベンジャミン・バトン　数奇な運命」（デヴィッド・フィンチャー監督）に登場する人間のＣＧ表現に用いられるなど、数多くの映画に技術が採用され貢献した。皮膚の透明感などの半透明の質感を表現するサブサーフェイス・スキャッタリング（Subsurface Scattering）技術もこの頃に開発され、映画「ロード・オブザ・リング」（ピーター・ジャクソン監督）に登場するキャラクターの表現に用いられている。

二〇〇一年にドリームワークスが手掛けたフル３ＤＣＧ映画「シュレック」の公開を皮切りに、翌年には、ブルースカイ・スタジオによるフル３ＤＣＧ映画「アイス・エイジ」が公開されるなど、二〇〇九年までに毎年のようにフル３ＤＣＧ映画が製作公開されている。また、ゲーム企業であるスクウェアがフル３ＤＣＧＳＦ映画「ファイナルファンタジー」を制作。二〇〇七年に公開された「ベオウルフ」（ロバート・ゼメキス監督）では、リアルな人間のＣＧ表現が話題となり劇場映画におけるＣＧ技術が一般にも定着していく。

ゲーム業界においては、ＳＣＥが後継機となる「プレイステーション２」を発売し、翌年にカプコンから発売されたゲームソフト「鬼武者」は、「ＰＳ２」初のミリオンヒットとなり、「SIGGRAPH 2000」で上映されたオープニングムービーは、日本初となる最優秀賞を受賞し話題となる。

「ファイナルファンタジーⅦ」に続き、エニックス（現：スクウェア・エニックス）が３ＤＣＧを採用した「ドラゴンクエストⅦ」を発売。プレイステーションが主要なプラットフォームとして地位を確立していく中で、マイクロソフトがゲーム業界に参入し、家庭用ゲーム機「Xbox」を発

2009	2008	2007	2006	2005	2004	2003	2002	2001	2000
ピクサー社、フル３ＤＣＧ映画「カールじいさんの空飛ぶ家」公開。	ピクサー社、フル３ＤＣＧ映画「ウォーリー」公開。 オートデスク社、アビッド・テクノロジー社買収。	ピクサー社、フル３ＤＣＧ映画「レミーのおいしいレストラン」公開。 「ベオウルフ」（ロバート・ゼメキス）公開。	ピクサー社、フル３ＤＣＧ映画「カーズ」公開。	オートデスク社、エイリアス・システムズ社買収。 ブルースカイ・スタジオ、フル３ＤＣＧ映画「ロボッツ」公開。	ピクサー社、フル３ＤＣＧ映画「Mr.インクレディブル」公開。 ドリームワークス社、「シュレック２」公開。	ピクサー社、フル３ＤＣＧ映画「ファインディング・ニモ」公開。	ブルースカイ・スタジオ、フル３ＤＣＧ映画「アイス・エッジ」公開。	ドリームワークス社、フル３ＤＣＧ映画「シュレック」公開。 「鬼武者」オープニングムービー、「SIGGRAPH 2000」にて日本初の最優秀賞受賞。 フル３ＤＣＧＳＦ映画、「ファイナルファンタジー」公開。	アビッド・テクノロジー社、「Softimage｜XSI」発売。 ポール・デヴェベック（Paul Debevec）「Image-based lighting」（イメージ・ベースド・ライティング）、「Light Stage」（ライトステージ）を発表。
「アバター」（ジェームズ・キャメロン）公開。	リーマン・ショック 「ベンジャミン・バトン 数奇な運命」（デヴィッド・フィンチャー）公開。	アップル社「iphone」発売。	Twitter 設立。 任天堂「wii」発売。 ＳＣＥ「プレイステーション３」発売。	YouTube 設立。 マイクロソフト「Xbox 360」発売。	Facebook 発表。 任天堂、携帯型ゲーム機「ニンテンドーDS」発売。	スクウェア・エニックス合併。	マイクロソフト「Xbox」発売。	カプコン「鬼武者」発売。 「ロード・オブ・ザ・リング」（ピーター・ジャクソン）公開。	ＳＣＥ「プレイステーション２」発売。 Google 日本語検索サービス開始。 エニックス「ドラゴンクエストⅦ」発売。

表6

売する。任天堂も携帯型ゲーム機「ニンテンドーDS」や次世代機となる「Wii」を発売し、プラットフォーム競争が激しくなる一方、スマートフォンの登場によりソーシャルゲームが身近なものとなり、新たなゲームプラットフォーム環境として広がっていく。

2　近年の動向

これまでCG制作おける画像生成プロセスでは、コンピュータで複雑な計算を行うため、イメージを描画するまでに時間を要していたが、近年、画像処理を専門に行うGPU（Graphics Processing Unit）技術が発達し、現実感のあるリアルな画像をリアルタイムで生成可能となっている。リアルタイム画像処理技術は、主にゲームにおいて発達してきたが、ゲーム開発に用いられる技術が広がるとともに様々な分野で活用する事例が増えている。EPIC GAMES社が提供するゲーム・エンジン「Unreal Engine」を用いた事例では、アウディやBMWなどの自動車メーカーがドライビング・シミュレーションコンテンツの開発を行っている。これは、複合現実と組み合わせてドライブテストを行うもので、車内のインテリアをリアルに再現した高品質のコンテンツを提供している。建築分野では、建築設計や家具製造会社が提供する製品を仮想現実空間に配置して、インテリアをリアルタイムでシミュレーションするコンテンツを開発している。また、観光分野での取り組みとして、文化財のデジタルデータを活用した体験型のコンテンツを提供する事例がある。国立博物館に設置されているミュージアムシアターでは、博物館が所蔵する文化財のデジタルデータを活用して、大型スクリーンに投影された文化財をリアルタイムで操作し、博物館展示では見ることが出来ない文化財の内部から見た視点や、屏風の裏表を重ねて表示するなど高精細なデータを活用して新たな体験を提供している。これらの事例に共通していることは、異なる業種で用いられた技術を応用した分野を横断するような取り組みであるといえる。

五　まとめ

本稿では、一九四〇年代から二〇〇〇年代までのコンピュータ技術の発展について概観し、コンピュータ技術の誕生から産業化へと至る経緯について述べた。特にコンピュータ・グラフィックスにおける技術の発達を中心に、関連するコンテンツ産業の成り立ちと近年の主な事例を踏まえて三つの段階に分けて整理した。一九四〇年代から七〇年代は、今日のテクノロジーの基礎技術が誕生し、研究開発の中で様々な可能性を探求した時期であった。八〇年代から九〇年代は、コンピュータの小型化と高性能化によって一般にも広くコンピュータが普及し、インターネット環境が整備されデジタル化が進み業界が形成された時期である。二〇〇〇年代以降においては、業界の形成と共に発達した技術が異なる分野へ用いられ、新たなコンテンツやサービスを提供する事例がみられる。これらは、各分野の中心とされた技術を領域を横断して用いることで、新たな産業を生み出す可能性を秘めているといえる。高度に発達した技術が身近になった現代においては、これまでの経緯を踏まえ、将来の可能性を念頭に取り組むことが必要になるだろう。

【参考文献】

大口孝之（二〇〇九）『コンピュータ・グラフィックスの歴史　３ＤＣＧというイマジネーション』フィルムアート社

中川大地（二〇一六）『現代ゲーム全史　文明の遊戯史観から』早川書房

日経ＢＰ社ゲーム産業取材班（二〇一六）『日本ゲーム産業史　ゲームソフトの巨人たち』日経ＢＰ社

遠藤雅伸　馬場章　監修（二〇一五）『あそぶ！ゲーム展』展覧会カタログ

電通総研　編（二〇一六）『情報メディア白書二〇一六』ダイヤモンド社

一般財団法人デジタルコンテンツ協会　企画・編集（二〇一六）『デジタルコンテンツ白書二〇一六』一般財団法人デジタルコンテンツ協会

Unreal Engine自動車産業事例（URL:https://www.unrealengine.com/ja/industries/automotive）

Unreal Engine建築分野事例（URL:https://www.unrealengine.com/ja/industries/architecture）

東京国立博物館ミュージアムシアター（URL:http://www.toppan-vr.jp/mt/）

ポール・デベヴェック（https://www.pauldebevec.com/）

ACM DIGITAL LIBRARY（https://dl.acm.org/dl.cfm）

刊行のことば

沖縄国際大学学長　前津榮健

二〇一九年六月～一〇月の間に開催された沖縄国際大学公開講座の「うまんちゅ定例講座」をまとめ、『産業と情報の科学～未来志向の産業情報学～』と題して刊行することとなりました。

大学は高等教育機関として社会に有用な人材の育成を目指すことを第一の使命としています。本学は、「沖縄の伝統文化と自然を大切にし、人類の平和と共生を支える学術文化を創造する。そして豊かな心で個性に富む人間を育み、地域の自立と国際社会の発展に寄与する」ことを教育理念として、人材育成に努めております。

また、大学は人材育成を目指す教育機関としてだけではなく、教育活動の成果を地域社会に還元し、地域社会の発展に寄与することも使命の一つであります。本学では地域社会で暮らす皆様に向けて、うまんちゅ定例講座、学外講座、大学入門講座、大学正規科目の公開、そして講演会の五種類の公開講座を提供しております。

その中で、「うまんちゅ定例講座」の刊行は、第一巻の『琉球大国の時代』から始まり、今回で二九巻目にあたります。

産業情報学部産業情報学科の教員を中心に十人がその専門性と見識に基づき、ゲームを活用した観光振興策や沖縄県における中心市街地活性化、沖縄県内主要企業の盛衰など「産業と情報の科学」の現在・過去・未来を「産業情報学」の視点から紐解いています。現代沖縄の抱える諸問題、そしてその未来を考える一助になればと存じます。

沖縄国際大学は、日本復帰直前の一九七二年二月に創立して以来、建学の精神に則り、前述の教育理念に基づき、地域に根ざし、世界に開かれた大学を目指して参りました。こらからさらに力強く発展するために、地域と連携・協力し、地域を世界につなげる人材の育成に邁進してまいります。

万国津梁の沖縄を運営する人材を目指し、未来を展望するためにも、「うまんちゅ定例講座」シリーズの刊行がその役割の一つを担っているものと考えております。

老若男女を問わず、多くの県民の皆さんが「うまんちゅ定例講座」に参加し、活発な議論を交わして頂くことができれば、本講座の大きな目的がかなえられたといえるでしょう。

皆様の人生を豊かなものにして頂く一助となりますよう、今後も「うまんちゅ定例講座」をよろしくお願い致します。

沖縄国際大学公開講座29

産業と情報の科学　～未来志向の産業情報学～

発　行――二〇二〇年三月三一日
編　集――沖縄国際大学公開講座委員会
発行者――菅森　聡
発行所――沖縄国際大学公開講座委員会
〒九〇一―二七〇一
沖縄県宜野湾市宜野湾二丁目六番一号
電話　〇九八―八九二―一一一一（代表）
印刷所――株式会社　東洋企画印刷
発売元――編集工房　東洋企画
〒九〇一―〇三〇六
沖縄県糸満市西崎町四丁目二一―五
電話　〇九八―九九五―四四四四

ISBN978-4-909647-09-2　C0060　¥1500E

乱丁・落丁はお取り替えいたします。

地域を映す
沖縄国際大学公開講座

沖縄国際大学公開講座シリーズ　四六版

1 琉球王国の時代

琉球王国以前の沖縄　高宮廣衛／琉球の歴史と民衆　仲地哲夫／琉球王国の英雄群像　遠藤庄治／琉球王国と言語　高橋俊三／琉球王国の通訳者　伊波和正／琉球王国と武芸　新里勝彦

一九九六年発行　発売元・ボーダーインク　本体価格　一四五六円

2 環境問題と地域社会―沖縄学探訪―

地形図をとおしてみた沖縄―沖縄の自然と文化　小川護／沖縄の土壌―ジャーガル・島尻マージ・国頭マージの特性　名城敏／沖縄の自然とその保全―やんばるの森はいま!　宮城邦治／沖縄の信仰と祈り―民間信仰の担い手たち　稲福みき子／沖縄の地域共同体の諸相―ユイ・郷友会・高齢者など　玉城隆雄／沖縄から見た世界のスポーツ　宮城勇

一九九七年発行　発売元・ボーダーインク　本体価格　一四五六円

3 女性研究の展望と期待

ノーベル文学賞と女性　喜久川宏／英米文学史の中の女性像　伊波和正／アメリカ南部の女性像　ウィリアム・ランドール／近代女性作家の戦略と戦術　黒澤亜里子／沖縄県における女子労働の実態と展望　比嘉輝幸／教科書に見られる女性労働と女性像　カレン・ルパーダス

一九九七年発行　発売元・那覇出版社　本体価格　一四五六円

4 沖縄の基地問題

沖縄の基地問題の現在　阿波連正一／米軍の犯罪と人権　福地曠昭／反戦地主、「おもい」を語る　新崎盛暉・真栄城玄徳／米軍基地と平和的生存権　井端正幸／地方分権と機関委任事務　前津榮健／沖縄社会と軍用地料　来間泰男／国内政治の変遷と沖縄基地　高嶺朝一／日米安保体制と沖縄　長元朝浩／国際都市形成構想の意義　府本禮司／基地転用と国際都市形成構想の課題　野崎四郎

一九九七行　発売元・ボーダーインク　本体価格　一四五六円

5 アジアのダイナミズムと沖縄

アジアの経済的ダイナミズム　富川盛武／華南経済圏と沖縄　富川盛武／中国本土における経営管理　天野敦央／台湾の政治と経済の発展　湧上敦夫／沖縄・福建圏域の構想と実現化―中国との共生を目指して　吉川博也／岐路に立つ韓国経済　呉錫畢／タイの経済発展新垣勝弘／シンガポールの社会経済の発展と課題　大城保／国境地域の経済　野崎四郎／華僑のネットワーク　小熊誠／外来語にみる日本語と中国語　兼本敏／タイに学ぶ共生の社会　鈴木規之／韓国の文化と社会　稲福みき子

一九九七年発行　発売元・ボーダーインク　本体価格　一五〇〇円

沖縄国際大学公開講座委員会刊

地域を映す
沖縄国際大学公開講座

6 沖縄経済の課題と展望

一九九八年発行　発売元・那覇出版社　本体価格　一五〇〇円

沖縄経済の現状と課題　湧上敦夫／国際都市形成構想　宮城正治／規制緩和と沖縄の経済発展―フリー・トレード・ゾーン（ＦＴＺ）を中心に　富川盛武／米軍基地と沖縄経済　眞栄城守定／地方財政の動向と地域振興　前村昌健／軍事基地と自治体財政　仲地博／沖縄の経済開発政策　野崎四郎／沖縄の政策金融　譜久山當則／内発的発展による沖縄の経済発展と自立化―沖縄と済州島の比較　呉錫畢／沖縄のアグリビジネス―主として薬草産業（健康食品産業）を中心に　比嘉堅／沖縄の雇用問題―次世代の主役たちのための社会的資源の適正配置を考える　喜屋武臣市／マルチメディア・アイランドの形成に向けて　金森邦雄／返還跡地と業態立地―北谷町の事例を中心に　金城宏／国際都市と自由貿易構想の検討―主として流通論を中心に　新城俊雄／沖縄の産業と規制緩和　宮城弘岩

7 南島文化への誘い

一九九八年発行　発売元・那覇出版社　本体価格　一五〇〇円

南島文化への誘い―南島文化とは何か・模合から見た沖縄とアジア―　波平勇夫／南島現代社会論への誘い―現代沖縄の郷友会社会―　石原昌家／南島考古学への誘い―沖縄のルーツ―　當眞嗣一／南島近世史への誘い―日本の中の異国―　仲地哲夫／南島民俗宗教への誘い―南島の祖先祭祀―　平敷令治／南島文化人類学への誘い―中国から来た風水思想―　小熊誠／民俗社会における「正当性」を巡る考察　李鎮榮／琉球方言への誘い―琉球方言の地域性―　加治工真市／琉球・社会方言学への誘い―沖縄の若者言葉考―　野原三義／沖縄民話への誘い―キジムナーとカッパ―　遠藤庄治／琉球文学への誘い―『おもろさうし』の魅力　嘉手苅千鶴子／沖縄民俗音楽への誘い―神歌からオキナワン・ポップスまで―　比嘉悦子／南島民俗芸能への誘い―祭りや村遊びに出現する踊り神・来訪神　宜保榮治郎

8 異文化接触と変容

一九九九年発行　発売元・編集工房東洋企画　本体価格　一五〇〇円

源氏物語と異文化―「辺境」からの創造―　葛綿正一／中世神話と異文化―養蚕をめぐる貴女の物語―　濱中修／大城立裕―内包される異文化―　大野隆之／イスラムとユダヤの出会い　須永和之／ことばと異文化接触　兼本敏／沖縄の異文化家族―エスニシティーへの理解と言語習得・教育の諸問題―　ダグラス・ドライスタット／アフリカ系アメリカ人の文学と沖縄文学―二重意識の問題を中心に―　追立祐嗣／大学における国際化と文化的交流　西平功／バルザックの世界と異文化―アジアの国々をめぐる想像の産物―　大下祥枝／日本とドイツ―人の交流―　漆谷克秀／文学における異文化接触　米須興文

9 転換期の法と政治

二〇〇〇年発行　発売元・編集工房東洋企画　本体価格　一五〇〇円

転換期における国際政治と外交　松永大介／転換期における医療保険の現状と未来　伊達隆英／生命保険契約法の改正について―その社会的背景と展望―　脇阪明紀／人権の国際的保護　緑間榮／日本の外交政策―転換期の環境問題―　赤阪清隆／安楽死是非論　高良阮二／転換期における東欧と民族紛争―コソボ危機を中心に―　伊藤知義／転換期の国家法一元論　徳永賢治／消費者法の展開―製造物責任法と消費者契約法―　阿波連正一／企業再編時代の到来―会社法の現在、そして未来―　山城将美／二一世紀に向けた国際政治の潮流と沖縄　江上能義／変わりゆく家族―国際的な状況の変化と家族法のゆくえ―　熊谷久世／変貌する少年法制　小西由浩／地方分権と行政課題―情報公開を中心として―　前津榮健／遺伝子鑑定の現実と社会的環境　新屋敷文春

沖縄国際大学公開講座委員会刊

地域を映す
沖縄国際大学公開講座

10 情報革命の時代と地域

二〇〇一年発行　発売元・ボーダーインク　本体価格一五〇〇円

マルチメディア社会とは何か　稲垣純一／沖縄県にソフトウェア産業は根付くか　又吉光邦／産業ネットワークと沖縄経済の振興　富川盛武／情報技術革新下の課題と方途―情報管理の視点から情報化の本質を考える―　砂川徹夫／情報技術の商業的な利用法について　安里肇／情報通信による地域振興　古閑純一／デジタルコンテンツビジネス産業の可能性について　稲泉誠／情報化と行政の対応　前村昌健／ＩＴ（情報技術）とマーケティング　宮森正樹／沖縄県におけるコールセンターの展望　玉城昇

11 沖縄における教育の課題

二〇〇二年発行　発売元・編集工房東洋企画　本体価格　一五〇〇円

教育崩壊の克服のために―教育による人間化を―　遠藤庄治／日本語教育から見たパラダイム・シフト―より豊かな「つながり」を目ざして―　大城朋子／学校教育とカウンセリング　逸見敏郎／教育課程改革の動向と教育の課題―「総合的な学習の時間」導入の背景と意義―　三村和則／現代沖縄と教育基本法の精神―人権・平和・教育の課題への問い―　森田満夫／教師に求められる新たな人間観・教育観　玉城康雄／「生きる力」を培う開かれた教育　津留健二／総合学習と地理教育の役割―環境論的視点から―　小川護／沖縄の国語教育―作文教育の成果と課題―　渡辺春美／教育情報化への対応　吉田肇吾／情報教育の課題―有害情報問題をめぐって―　山口真也／平和教育の課題　安仁屋政昭／大学の現状と課題―大学の危機とポスト学歴主義―　阿波連正一／憲法・教育基本法の根本理念　垣花豊順／八重山の民話と教育　遠藤庄治／学校教育と地域社会教育の連携と教育の再興　大城保

12 自治の挑戦 これからの地域と行政

二〇〇三年発行　発売元・編集工房東洋企画　本体価格　一五〇〇円

地方分権と自治体の行政課題　前津榮健／国際政治のなかの沖縄　吉次公介／地方議会の現状と課題　照屋寛之／沖縄の基地問題　屋良朝博／市民によるまちづくり・ＮＰＯの挑戦　横山芳春／アメリカの自治に学ぶ　佐藤学／地方財政の現状と課題　前村昌健／沖縄の地方性と政治　西原森茂／政策評価とこれからの地方自治　佐藤学／八重山の自然環境と行政　西原森茂／今なぜ市町村合併か　照屋寛之／政治の中の自治と分権　井端正幸

13 様々な視点から学ぶ経済・経営・環境・情報
―新しい時代を生きるために―

二〇〇四年発行　発売元・編集工房東洋企画　本体価格　一五〇〇円

テーゲー経済学序説―環境・経済・豊かさを語る―　呉錫畢／キャッシュ・フロー情報の利用　鵜池幸雄／ＩＴ時代の情報管理モデル　砂川徹夫／食糧生産と地理学―米と小麦生産を中心に―　小川護／日本社会経済の再生―地域分権化・地域活性化・全国ネットワーク化―　大城保／長期不況と日本経済のゆくえ―構造改革路線を考える―　鎌田隆／タイの観光産業の現状とマーケティング活動　モンコンノラキット・モンコン／久米島の環境　名城敏／ヨーロッパ公企業論―タバコ産業の場合―　村上了太／マーケティングの心とビジネス 宮森正樹／自動車システムから学ぶ人間の生き方 比嘉堅

沖縄国際大学公開講座委員会刊

地域を映す
沖縄国際大学公開講座

14 沖縄芸能の可能性

二〇〇五年発行　発売元・編集工房東洋企画　本体価格　一五〇〇円

国立劇場と沖縄芸能の可能性　大城學／琉球舞踊と玉城盛義　玉城節子／沖縄の民話と芸能　遠藤庄治／琉球芸能の可能性　狩俣恵一／沖縄芝居と沖縄方言　八木政男／琉歌を語る、歌う　島袋正雄／祭祀芸能の地理的基盤―本部町村落の景観変化―　崎浜靖／本土芸能と琉球芸能――覚書　葛綿正一／琉球舞踊と初代宮城能造　宮城能造／創作組踊の可能性―大城立裕の「新五番」　大野隆之／組踊、いまむかし　島袋光晴

15 基地をめぐる法と政治

二〇〇六年発行　発売元・編集工房東洋企画　本体価格　一五〇〇円

なぜ米軍は沖縄にとどまるのか　我部政明／米軍基地と日米地位協定　新垣勉／戦後沖縄の「保守」に関する基礎的考察　吉次公介／米軍再編と沖縄基地、普天間の行方は？　伊波洋一／米国の保守支配を考える　佐藤学／普天間飛行場跡地利用を考える　上江洲純子／軍事基地と環境問題　砂川かおり／基地と情報公開　前津榮健／米軍再編と沖縄　問われる発信力　松元剛／基地問題と報道　三上智恵／刑事法から見る「日米地位協定」　小西由浩／基地所在市町村における公共投資支出　平剛

16 グローバル時代における地域経済

二〇〇七年発行　発売元・編集工房東洋企画　本体価格　一五〇〇円

ベトナムに進出したウチナーンチュ企業　鎌田隆／二一世紀沖縄の社会経済の自立に向けて―道州制を展望する―　大城保／変革の時代における働き方―希望格差の拡大と働く意欲―　名嘉座元一／エジプトの観光経済―沖縄から考える―　村上了太／成長する中国の開発戦略　新垣勝弘／消費社会と政策―大量消費社会を展望する―　名城敏／フラワービジネスと企業戦略―わが国と中国を事例として―　小川護／ケルトの虎、アイルランド―アイルランドの経済・文化より沖縄の夢を語る―　呉錫畢／グローバル時代における地域経済―フラット化する世界とローカルな世界―　野崎四郎

17 生活目線のネットワーク社会「ゆんたく」de ＩＴとくらし

二〇〇八年発行　発売元・編集工房東洋企画　本体価格　一五〇〇円

ユビキタス社会における地域資源を活用した産業づくり　上地哲／情報化・ＩＴ化とディスクロージャー　清村英之／情報関連産業の集積と人的資源開発　兪炳強／建設業における原価企画の展開　木下和久／メディアとしてのブログ　大井肇／ウチナー社会にも押し寄せる情報化の波　伊波貢／ＩＴによる意思決定支援　平良直之／沖縄産マンゴーのブランド力強化と栽培履歴情報システムの普及要件　廣瀬牧人

沖縄国際大学公開講座委員会刊

地域を映す
沖縄国際大学公開講座

18 なかゆくい講座　元気が出るワークショップ

二〇〇九年発行　発売元・編集工房東洋企画　本体価格　一五〇〇円

逆ギレを防ぐ―相手を挑発をしないコツ―　山入端津由／フライングディスクで新たな感動と興奮のスポーツ発見！　宮城勇／落ち着かない子ども達への対応ワークショップ～発達障害児をもつ保護者への心理教育アプローチから～　知名孝／沖縄県におけるスクールソーシャルワーカー活用事業の実態―〝スクールソーシャルワーク元年〟にアンケート調査から見えてくるもの―　比嘉昌哉／子どもの社会性を育む遊びワークショップ―子どもＳＳＴへの招待―　栄孝之／感覚であそぼ―知覚と錯覚の不思議体験―　前堂志乃／解決志向のセルフケア―不幸の渦に巻き込まれないコツ―　牛田洋一／心とからだとストレス―生活習慣病の予防としてのストレス管理―　上田幸彦／ユニバーサルスポーツ体験講座―車いすサッカーの魅力―　下地隆之／こころとからだのリラックス～動作法入門～　平山篤史

19 うまんちゅ法律講座

二〇一〇年発行　発売元・編集工房東洋企画　本体価格　一五〇〇円

日本国憲法の原点を考える　井端正幸／裁判員制度について　吉井広幸・渡邉康年／刑事裁判の変貌　小西由浩／不況と派遣労働者　大山盛義／個人情報保護法制定の意義と概要　前津榮健／グレーゾーン金利廃止と多重債務問題　田中　稔／会社法の課題　―企業グループの運営における支配会社の責任　坂本達也／歴代那覇地裁・那覇家裁所長から裁判所行政を考える　西川伸一／日本の立法過程：政治学の観点から　芝田秀幹／郷土の法学者　佐喜眞興英の生涯　稲福日出夫

20 地域と環境ありんくりん

二〇一一年発行　発売元・編集工房東洋企画　本体価格　一五〇〇円

新エネルギーとして導入が進む太陽光発電　新垣武／持続可能な観光と環境保全　上江洲薫／沖縄県における「基地外基地」問題について　友知政樹／沖縄ジュゴン訴訟　砂川かおり／地域の環境保全に活かされる金融　永田伊津子／島嶼型低炭素社会を探る　野崎四郎／沖縄本島と沖永良部島におけるキク類生産の現状と課題　小川護／観光を楽しむための情報技術　根路銘もえ子／沖縄の自然環境と環境問題　名城　敏／コモンズ（入会）と持続可能な地域発展　呉錫畢

21 産業を取り巻く情報

二〇一二年発行　発売元・編集工房東洋企画　本体価格　一五〇〇円

銀行ＡＴＭの「こちら」と「むこう」　池宮城尚也／情報化と行政について　前村昌健／観光調査の情報分析と政策への提言　宮森正樹／パソコンや家電が身振り手振りで操作できる！　小渡悟／情報を知識に変えるマネジメント　岩橋建治／海外市場における日本製娯楽ソフトの不正利用状況と消費メカニズム　原田優也／オリオンビールの新製品開発と原価企画　木下和久／県内企業と決算情報　河田賢一

沖縄国際大学公開講座委員会刊

地域を映す
沖縄国際大学公開講座

22 世変わりの後で復帰40年を考える　二〇一三年発行　発売元・編集工房東洋企画　本体価格　一五〇〇円

島津侵入～近世琉球への模索～　田名真之／琉球処分　赤嶺守／沖縄戦 ― 壊滅から復興へ　吉浜忍／占領という「世変わり」と自治の模索　鳥山淳／沖縄の開発と環境保護　宮城邦治／文化財行政、世界遺産　上原靜／沖縄の生殖・家族とジェンダー　澤田佳世／民俗宗教と地域社会　信仰世界の変容　稲福みき子／記憶と継承　記憶・保存・活用　藤波潔／先住民族運動と琉球・沖縄　石垣直

23 自治体改革の今　沖縄の事例を中心にして　二〇一四年発行　発売元・編集工房東洋企画　本体価格　一五〇〇円

沖縄の発展可能性と戦略　富川盛武／琉球政府と沖縄県―権力移行期における「議会」の比較―　黒柳保則／市町村合併と自治体改革　古謝景春／那覇市繁多川公民館の試みから　大城喜江子・南信乃介／中核市・那覇の未来を拓く　翁長雄志／地方制度改革の現状　佐藤学／議会改革の現状と課題―アンケート調査結果を中心に―　前津榮健／行政評価と自治体財政　平剛／国と地方のあり方～地方分権改革の視点から～　照屋寛之

24 沖縄を取り巻く経済状況　二〇一五年発行　発売元・編集工房東洋企画　本体価格　一五〇〇円

横断的問題解決手法　浦本寛史／沖縄経済論―二つの陥穽について―　宮城和宏／沖縄の雇用労働問題―中小企業イコールブラック企業か―　名嘉座元一／沖縄経済と観光　湧上敦夫／沖縄の基地経済～課題と展望～　前泊博盛／大学の社会的責任―経済性と社会性に関する非営利組織論的アプローチ―　村上了太／アブダクションを用いた製品設計のための方法論の検討―沖縄における創造性―　金城敬太／地域資産としての沖縄の文化的景観　崎浜靖／沖縄における金融状況　安藤由美／沖縄における交通産業の生成と発展　梅井道生

25 産業情報学への招待　二〇一六年発行　発売元・編集工房東洋企画　本体価格　一五〇〇円

観光資源未開発地域の活性化に関する一考察　宮森正樹／沖縄県財政の特徴―類似県との比較を通じて―　仲地健／沖縄県におけるスポーツの果たす可能性を探る　慶田花英太／沖縄県におけるIT人材育成の課題と方途　砂川徹夫／クルーズ客船の経済学　田口順等／アジア新中間層における日本エンターテインメントの消費行動　原田優也／沖縄県における六次産業化の現状について　高嶺直／地域経済からみる中国国際貿易市場　佐久本朝一／人工知能見聞録　曹真

26 しまくとぅばルネサンス　二〇一七年発行　発売元・編集工房東洋企画　本体価格　一五〇〇円

琉球文とシマ言葉　狩俣恵一／しまくとぅばと学校教育　田場裕規／ベッテルハイムと『英琉辞書』　漢語　兼本敏／沖縄を描く言葉の探求　村上陽子／崎山多美の文体戦略　黒澤亜里子／香港における言語状況　李イニッド／琉球語の表記について　仲原穣／琉球民謡に見るしまくとぅばの表現　西岡敏／「しまくとぅば」の現状と保存・継承の取り組み　中本謙／南琉球におけるしまくとぅばの現状　下地賀代子／「うちなーやまとぅぐち」から「しまくとぅばルネッサンス」を考える　大城朋子／現代台湾における原住民族語復興への取り組み　石垣直／なぜ琉球方言を研究するか　狩俣繁久

沖縄国際大学公開講座委員会刊

地域を映す
沖縄国際大学公開講座

27 法と政治の諸相

二〇一八年発行　発売元・編集工房東洋企画　本体価格　一五〇〇円

子どもの人権と沖縄の子どもの現状　横江　崇／労働者に関する法と手続～よりよい労働紛争の解決システムを考える～　上江洲純子／外国軍事基地の国際法と人権　新倉修／学校と人権―校則と人権のこれまでとこれから―　安原陽平／高校生の「政治活動の自由」の現在　城野一憲／沖縄の経済政策と法　伊達竜太郎／弁護士費用補償特約について　清水太郎／消費者と法　山下良／子ども食堂の現状と課題（講演録）　スミス美咲／海兵隊の沖縄駐留の史的展開―一九五〇年代と一九七〇年代を中心に―　野添文彬／市町村合併の自治体財政への影響―沖縄県内の合併を事例に―　平剛

28 変わる沖縄

二〇一九年発行　発売元・編集工房東洋企画　本体価格　一五〇〇円

沖縄経済と米軍基地～基地経済の政府の沖縄振興の検証　前泊博盛／島嶼村落における時間割引率による環境配慮行動の違い　渡久地朝央／観光地の活性化と観光関連税　上江洲薫／沖縄から全ての「基地」と「補助金」が無くなったら沖縄経済はどうなるのか?―全基地撤去及び全補助金撤廃後の沖縄経済に関する一考察―　友知政樹／フランスの沖縄?!～ブルターニュ地方が喚起させるもの～　上江洲律子／AR活用による地域活性化の可能性　根路銘もえ子／沖縄農業におけるマンゴー生産の地域特性とその認識度―豊見城市を事例として―　小川護／遺伝子配列から解き明かす沖縄の生物多様性　齋藤星耕／金融で変える地域経済　島袋伊津子／あんやたん!沖縄の貝～貝類利用の移り変わり～　山川彩子／湿地の保全とワイズユースについて―沖縄市泡瀬干潟と香港湿地公園を事例として―　砂川かおり／干潟における環境と地域発展～沖縄、日本、韓国を事例として～　呉錫畢

29 産業と情報の科学

二〇二〇年発行　発売元・編集工房東洋企画　本体価格　一五〇〇円

ゲームを活用した観光振興―eスポーツ・位置情報ゲーム―　小渡悟／沖縄県における中心市街地活性化の現状と課題―商業と観光の両面から―　髭白晃宜／タイの近代的小売業の発展におけるセブンイレブンのビジネス展開　原田優也／初等教育におけるプログラミング教育の動向　平良直之／観光産業における観光ブランド構築の意味　李相典／沖縄県におけるスポーツツーリズム再考　慶田花英太／ウェブテクノロジーとビッグデータが未来を変える　安里肇／ハワイの観光促進戦略「HTA戦略プラン二〇一六―二〇二〇」から学ぶ沖縄観光の進む道　宮森正樹／沖縄県内主要企業の盛衰　岩橋建治／コンピュータ技術の発展と可能性　大山健治

沖縄国際大学公開講座委員会刊

地域を映す
沖縄国際大学公開講座

沖国大ブックレット　A5版

1 アメリカの大学と少数民族そして沖縄
ハワイ国際大学学長　崎原貢　著
一九九六年発行　発売元・那覇出版社　本体価格四八五円

2 21世紀への私立大学の課題
早稲田大学総長　奥島孝康　著
一九九六年発行　発売元・ボーダーインク　本体価格四八五円

3 琉球王国と蝦夷地
札幌学院大学法学部教授　山畠正男　著
一九九八年発行　発売元・編集工房東洋企画　本体価格四八五円

4 多数派と少数派、民主主義の意味
インド・政策研究センター教授　桜美林大学客員教授　ラジモハン・ガンディー　著
一九九八年発行　発売元・編集工房東洋企画　本体価格五〇〇円

5 思考方法としての写真
写真家／プランナー　勇崎哲史　著
一九九九年発行　発売元・編集工房東洋企画　本体価格五〇〇円

6 東アジアにおける沖縄民俗の地位
創価大学文学部特任教授　竹田旦　著
二〇〇〇年発行　発売元・ボーダーインク　本体価格五〇〇円

7 21世紀・社会福祉の展望
日本社会事業大学教授・日本社会福祉学会会長　大橋謙策　著
二〇〇一年発行　発売元・ボーダーインク　本体価格五〇〇円

8 タクラマカン砂漠と住民生活
立正大学副学長・立正大学地球環境科学部教授・文学博士　澤田裕之　著
二〇〇一年発行　発売元・編集工房東洋企画　本体価格五〇〇円

沖縄国際大学公開講座委員会刊

地域を映す
沖縄国際大学公開講座

沖縄国際大学公開講座委員会刊